French in Review
SECOND EDITION

René Daudon

FRENCH IN REVIEW

Second Edition

with audio-lingual drills
prepared by
MICHELINE DUFAU
New York University

Harcourt, Brace & World, Inc.   *New York*   ·   *Burlingame*

Preface

This practical review grammar is offered as a permanent, compact reference as well as a text for intermediate and advanced courses. The detailed and comprehensive coverage of grammar and the treatment of vocabulary distinctions have been retained as in the first edition. A complete course is made possible, at the instructor's option, by readings which, while not an integral part of the grammar and vocabulary presentation, invite regular practice in comprehension of the written language. Also as in the first edition, the grammar sections often embrace several unrelated grammatical topics in order to introduce early in the text elements of frequent occurrence that are to be more completely discussed later. This arrangement and the later more comprehensive presentation of the various topics can thus obviate the need for extended class discussion, leaving more time for drills or for correction of written work.

The new edition consists of twenty lessons. The plan of each lesson is substantially the same as in the previous edition: grammar, vocabulary distinctions, reading selection followed by a vocabulary, and, in this edition, questions on the reading. An important new feature lies in the sets of drills which have been interposed between the different grammar and vocabulary distinctions sections of the lessons — and tape-recorded to encourage oral as well as written facility. Credit for these must go to Professor Micheline Dufau, who has prepared them out of her laboratory experience at New York University. The author has provided written translation exercises on grammar and vocabulary distinctions and ten connected passages entitled "Supplementary Compositions," based on the reading selections and somewhat more advanced.

Short fill-in exercises of the type found in the first edition (e.g., French sentences with blanks to be filled in, infinitives to be put in the proper form, English words or expressions to be translated), suitable for supplementary or alternative classroom practice, may be obtained for duplicating by addressing the author through Harcourt, Brace & World, Inc.

The rules of usage have been carefully checked in Ph. Martinon's *Comment on parle en français* (1927), G. and R. LeBidois' *Syntaxe du français moderne* (1938), and M. Grevisse's *Le Bon Usage* (1955), works generally considered in France as authoritative on modern French usage.

The author wishes to express his appreciation to the users of his book who have offered helpful suggestions, and in particular to Professor Walter Meiden of Ohio State University, whose critical reading of the first draft of the manuscript has been a valuable contribution to this text, and to Margaret Dent Daudon, whose suggestions and help in preparing the written exercises and in reading the proofs have been invaluable.

RENÉ DAUDON

March 1962

Contents

French in Review
SECOND EDITION

Lesson *1*

Grammar and Usage

I. USE OF THE PRESENT INDICATIVE

1. The present indicative is used as in English to express in the present: an action or a state, a customary action or state, or a permanent general truth.

Nous sommes heureux.	We are happy.
Ils vont au bord de la mer tous les étés.	They go to the seashore every summer.
L'honnêteté est toujours récompensée.	Honesty is always rewarded.

NOTE Remember that there is only one form of the present indicative in French instead of three forms as in English: **je travaille,** *I work, I am working, I do work.*

Il travaille dans une usine.	He works in a factory.
Il travaille en ce moment.	He is working now.
Il travaille bien.	He works well.
Oui, il travaille très bien.	Yes, he does work very well.

The construction **être en train de** + infinitive (*to be in the act of . . .* or *to be busy doing something*) is used to translate the English *to be* + present participle when the speaker wishes to emphasize that an action is in progress: **qu'est-ce qu'il fait en ce moment? Il est en train de faire ses devoirs,** *he is (busy) doing his homework;* **il est en train d'écrire un roman,** *he is (in the process of) writing a novel.*

2. The present indicative is used in the **si** clause of a conditional sentence in French when the result clause is in the future or the imperative. It is used to translate into French:

1

a. The present indicative in the English *if* clause.

Je viendrai *si j'ai* le temps.
Si vous avez le temps, venez me voir.

I shall come *if I have* time.
If you have the time, come to see me.

b. The future in an English *if* clause.

Je viendrai de bonne heure *si cela vous convient.*

I shall come early *if it will suit you.*

c. The conditional in an English *if* clause.

S'il vient, je lui demanderai de vous attendre.
S'il vient, demandez-lui de m'attendre.

If he should come, I shall ask him to wait for you.
If he should come, ask him to wait for me.

3. The present is used, NOT the past, with **depuis** and synonymous expressions (see Vocabulary Distinctions) meaning *for* or *since*, to denote an action that began in the past and continues in the present.

J'habite ici depuis quinze ans.
Il lit depuis trois heures.
Il y a plusieurs heures que *je suis* ici.

I have been living here for fifteen years.
He has been reading since three o'clock.
I have been here for several hours.

[I]

Reword the following sentences, replacing **alors** by **si.**

EXAMPLE   Vous avez faim? Alors nous mangerons dans cinq minutes.
Si vous avez faim nous mangerons dans cinq minutes.

1. Paul vient à midi? Alors nous pourrons l'inviter à déjeuner.
2. Vous vous ennuyez? Alors venez avec nous au cinéma.
3. Il fait beau. Alors nous ferons une promenade au bord de la mer.
4. Nous rentrons à minuit. Alors il vaudra mieux prendre un taxi.
5. Vos amis veulent savoir ça? Alors je le leur dirai.
6. Jacques va aux sports d'hiver. Alors il faudra lui acheter des skis.
7. Tu aimes mieux lire? Alors je ne te dérangerai pas.
8. Vous ne comprenez pas? Alors je vais répéter.
9. Jacqueline veut faire un paquet. Alors elle aura besoin de ficelle.
10. Votre frère est en retard? Alors nous l'attendrons.

[II]

From the two statements given to you, form a sentence using **depuis** that will be their logical consequence.

EXAMPLE   J'habite New York. J'y suis arrivé il y a trois ans.
J'habite New York depuis trois ans.

1. Je suis ici. Je suis arrivé il y a plusieurs heures.
2. Ma sœur lit un roman. Elle l'a commencé il y a plusieurs heures.
3. Ses parents ont une voiture. Ils l'ont achetée il y a un mois.
4. M. Leblanc enseigne le français. Il a commencé il y a six ans.
5. Philippe répare son auto. Il y a une demi-heure qu'il est dans le garage.
6. Ma mère me tricote un chandail. Elle l'a commencé il y a deux jours.
7. Je suis un cours de français. J'ai commencé il y a quinze jours.
8. Les Bretons parlent une langue celtique. Il y a des siècles qu'ils la parlent.
9. Janine a mal à la tête. Ça a commencé ce matin.
10. Mon frère veut être médecin. Il a décidé cela à l'âge de dix ans.

II. THE IMPERATIVE

The imperative is used only in the second person singular and plural, and the first person plural. No pronoun subject is used with the imperative.

Ecris ta lettre.	Write your (thy) letter.
Ecrivez cette phrase.	Write that sentence.
Allons au cinéma.	Let's go to the movies.
Travaillons.	Let's work.

NOTE. The English word *let* used to form the imperative is not translated in French. But when *let* is used to express a request and means *allow to*, it is translated by the imperative of **laisser**:

Maman, laissez-nous aller au cinéma ce soir.	Mother, let us (allow us to) go to the movies tonight.
Laissez-nous travailler en paix.	Let us (allow us to) work in peace.
Laissez-moi tranquille.	Let (leave) me alone.
Laissez-le vous aider.	Let him help you.

[III]

Make the following sentences imperative, using in turn each of the three imperative forms. Do one form at a time going through all ten sentences.

EXAMPLE   Il faut écrire la lettre.
Ecris la lettre.
Ecrivons la lettre.
Ecrivez la lettre.

1. Il faut aller chez le dentiste.
2. Il faut travailler davantage.
3. Il faut finir ce roman.
4. Il faut envoyer ce paquet.
5. Il faut rendre ces livres.
6. Il faut être attentif.
7. Il faut faire attention.
8. Il faut avoir du courage.
9. Il faut savoir obéir.
10. Il faut ouvrir le carton.

[IV]

Using the sentence given to you as a cue to the request you want to make, give first the informal then the formal imperative form.

EXAMPLE   Je voudrais étudier ici.
Laisse-moi étudier ici.
Laissez-moi étudier ici.

1. Il voudrait se reposer ici.
2. Jean veut y aller lui-même.
3. Elle voudrait acheter cette revue.
4. Nous voudrions travailler en paix.
5. Ils voudraient rester chez eux.
6. Je voudrais lui raconter cette histoire.
7. Pierre voudrait manger des escargots.
8. Cet enfant voudrait acheter un canif.
9. Il veut dénouer la ficelle.
10. Mireille voudrait écouter cette émission de radio.

III. INTRODUCTION TO THE SUBJUNCTIVE

The subjunctive, an essential means of expression in French, is used much more commonly than it is in English. Although the subjunctive may be found in an independent clause, it occurs most frequently in a subordinate clause introduced by **que.**

One of the most common uses of the subjunctive is after verbs of doubt, verbs expressing wanting, wishing, demanding, and verbs of liking, disliking, and preference. In such cases, the present subjunctive expresses the English present subjunctive as well as the present or future indicative, a subordinate infinitive, or a gerund. The time expressed by the present subjunctive is present or future in relation to the main clause.

Nous doutons *qu'il fasse* **cela.**	We doubt *that he will do* that.
Elle veut *que vous l'accompagniez.*	She wants *you to accompany her.*
J'exige *qu'il soit puni.*	I demand *that he be punished.*
Il désire* *que je parte* **à l'instant.**	He wishes* *me to leave* at once.
Je souhaite* *que vous réussissiez.*	I wish* *you to succeed.*
Nous aimons mieux (préférons) *qu'il vienne* **plus tard.**	We prefer *that he come* later.
J'aime *qu'on soit* **ponctuel.**	I like people *to be punctual.*
Il insiste (pour) *que vous veniez.*	He insists on *your coming.*

* See Vocabulary Distinctions of this lesson, page 11.

Note that in the above examples the subject of the subordinate clause is different from that of the main clause. When the two clauses have the same subject, an infinitive construction is used, as in English, instead of a subordinate clause with the subjunctive.

Il désire partir.	He wishes to leave.
J'aime être ponctuel.	I like to be punctual.
Nous voulons voir Jean.	We want to see John.

[V]

From the two statements given to you, form a sentence using the subjunctive.

EXAMPLE Il fera cela. Nous en doutons.
Nous doutons qu'il fasse cela.

1. Vous l'accompagnerez chez elle. Elle le veut.
2. Henri sera puni de sa désobéissance. Son père l'exige.
3. Arrivez à l'heure. Votre mère le désire.
4. Nous lirons ce poème encore une fois. Le professeur le veut.
5. Nous savons ce poème par cœur. Le professeur en doute.
6. Elle vend sa voiture. Ses parents l'aiment mieux.
7. Tu réussiras. Je le souhaite.
8. Faites vos devoirs maintenant. Votre mère le préférerait.
9. C'est vrai? Nous le souhaitons.
10. Tu iras en Europe. Tes parents le désirent.

IV. USE OF *QUI* AND *QUE*

1. The relative pronoun **qui** (*who, which, that*) refers to PERSONS or THINGS and is used as subject of the verb of the relative clause.

L'homme *qui* vient a l'air fatigué.	The man *who* is coming looks tired.
L'auto *qui* est devant la porte n'est pas à nous.	The car *that* is in front of the door is not ours.

2. The relative pronoun **que** (*whom, which, that*) refers to PERSONS or THINGS and is used as a direct object of the verb of the relative clause (see Note below).

Connaissiez-vous l'étudiant *que* votre sœur a amené?	Did you know the student *whom* your sister brought?
Le chapeau *qu'*elle a acheté est ravissant.	The hat *that* she bought is delightful.

3. Que is also a conjunction introducing a subordinate clause. It corresponds to the English *that* expressed or understood.

Il dit *que* vous avez raison.	He says (*that*) you are right.

NOTE Do not forget that **que** CANNOT be omitted in French; beware of such sentences as:

The manʌwe saw is tall.	**L'homme que nous avons vu est grand.**
The bookʌI bought is expensive.	**Le livre que j'ai acheté est cher.**
I knowʌhe is here.	**Je sais qu'il est ici.**

In these expressions, *whom, which,* or *that* are omitted in English but MUST be expressed in French.

[VI]

Make one sentence out of the two, using the relative pronoun **qui**.

EXAMPLE L'homme vient. Il a l'air fatigué.
L'homme qui vient a l'air fatigué.

1. L'auto est devant la porte. Elle n'est pas à nous.
2. L'étudiant vient d'arriver. C'est mon cousin.
3. Le train part à sept heures. Il va à Lyon.
4. Les garçons courent. Ils font partie de l'équipe.
5. Le livre est sur le bureau. Il m'appartient.
6. Son père n'est pas content. Il lui en fait la remarque.
7. Son mari vient d'être malade. Il a mauvaise mine.
8. Jean est toujours pressé. Il est toujours en retard.
9. Les passagers s'installent dans leur cabine. Ils vont faire un long voyage.
10. Mon oncle va prendre sa retraite. Il est heureux de se reposer.

[VII]

Make one sentence out of the two, using the relative pronoun **que.**

EXAMPLE   Connaissez-vous l'étudiant? Votre sœur l'a amené.
Connaissez-vous l'étudiant que votre sœur a amené?

1. Elle regarde un chapeau ravissant. Elle veut l'acheter.
2. J'aime ce film. On l'a tourné au Mexique.
3. C'est le train de dix heures. Nous le prenons.
4. Nous lisons le journal. Vous l'avez laissé sur votre chaise.
5. Elle a reçu la lettre. Vous la lui avez envoyée.
6. J'aime beaucoup cette jeune fille. Votre sœur me l'a présentée.
7. Il ne comprend pas l'expression. Vous venez de l'employer.
8. Mon mari a vu le film. Vous l'avez recommandé.
9. La bonne a trouvé les gants. Ils les ont oubliés chez nous.
10. Mme Lepoupin a envoyé le paquet. Son mari l'avait laissé sur la table.

[VIII]

Reword the following sentences so that they will first use **qui** and then **que.** Do one at a time going through all sentences, and make all necessary changes.

EXAMPLE   Nous avons acheté une voiture. Elle était en bon état.
Nous avons acheté une voiture qui était en bon état.
La voiture que nous avons achetée était en bon état.

1. Il a raconté une histoire. Elle est absolument vraie.
2. Nous avons entendu un concert. Il était magnifique.
3. Maurice a fait un voyage. Il lui a beaucoup plu.
4. La classe va lire un roman. Il est excellent.
5. Il a reçu le paquet. Il a été mis à la boîte ce matin.
6. Mon père aime écouter les nouvelles. Elles sont données à six heures.
7. Sa mère a préparé la tarte. C'est son dessert favori.
8. Je voudrais voir cette pièce. Elle a eu de bonnes critiques.

V. THE POSSESSIVE (GENITIVE) CASE: *JOHN'S FATHER*

The English construction, *John's father, my friend's house,* is translated in French: **le père de Jean,** *the father of John;* **la maison de mon ami,** *the house of my friend.* In French there is no parallel short form for expressing *'s* or *s'*.

le bureau du directeur	the manager's desk (*or* office)
le magasin de la modiste	the milliner's shop
les livres des étudiants	the students' books
l'auto de Paul	Paul's car

[IX]

Substitute for the given sentence one using the verb **être** and the preposition **de.**

EXAMPLE   Cette auto appartient à l'ingénieur.
C'est l'auto de l'ingénieur.

1. Ce chapeau appartient à la jeune fille.
2. Cette maison appartient à l'instituteur.
3. Ce canif appartient à mon frère.
4. Ce cahier appartient au garçon.
5. Ces allumettes appartiennent à mon camarade.
6. Ce magasin appartient à la modiste.
7. Ce journal appartient à la bibliothèque.
8. Ce champ appartient au fermier.

VERB REVIEW

What are the five principal parts of the verb? What forms of the verb are derived from each principal part (see Appendix I, Section III, page 359)?

Review the formation of the present indicative, the present subjunctive, and the imperative (Appendix I, Sections II and III, page 359).

Review the conjugation of **être, avoir, aller,** in all simple forms (Table 2, page 365).

Envoyer is a regular verb of the first conjugation except for the future and conditional. What is the stem for these tenses?

Vocabulary Distinctions

How long?
Depuis quand? Combien de temps y a-t-il que? Combien de temps?

Depuis quand or **combien de temps y a-t-il que,** with the verb in the present tense, is used to inquire about an action (or state) which began in the past and is still going on in the present.

Depuis quand lisez-vous?
Combien de temps y a-t-il que } How long have you been reading?
vous lisez?

Combien de temps? is used to inquire about (a) an action completed in the past or to occur in the future, (b) a habitual action expressed in English in the present tense.

Combien de temps	How long
a-t-il été malade?	was he sick?
resterez-vous ici?	will you stay here?
vous faut-il pour aller à l'école?	does it take you to go to school?
un soldat sert-il dans l'armée?	does a soldier serve in the army?
passera-t-il en Italie?	How much time will he spend in Italy?

NOTE   Note that the order of subject and verb is inverted in questions after **depuis quand** and **combien de temps,** but not after **combien de temps y a-t-il que.**

For
Depuis, Il y a . . . que, Voilà (voici) . . . que, Pendant, Pour

Depuis, il y a . . . que, or **voilà (voici) . . . que,** with the verb in the present tense, is used when an action which began in the past is still going on in the present.

Ils voyagent depuis six mois.
Il y a (voici, voilà) six mois qu'ils } They have been traveling for six months.
voyagent.

Pendant (also meaning *during*) is used to make a statement about (a) an action that was completed in the past or will occur in the future, (b) a habitual action expressed in English in the present tense.

J'ai vécu à St. Louis pendant trois ans.	I lived in St. Louis for three years.
Nous jouerons avec vous pendant une demi-heure.	We shall play with you for half an hour.
Nous habitons à la campagne pendant une partie de l'année.	We live in the country for a part of the year.
J'ai été très occupé pendant votre absence.	I was very busy during your absence.

NOTE   Like *for*, **pendant** may be omitted when the period of time immediately follows the verb: **J'ai vécu trois ans à St. Louis.**

Pour is used when the period of time expresses an intended time limit rather than duration. It is usually required after verbs of motion.

Pour combien de temps est-il venu?	For how long did he come?
Il est venu pour une semaine.	He came for a week.
Elle va en Angleterre pour un mois.	She is going to England for a month.
Il est ici pour quelques jours.	He is here for a few days.
Nous avons des provisions pour une quinzaine de jours.	We have supplies for about a fortnight.

Since
Depuis, Puisque

Since, stating the time the action began, is translated **depuis. Il y a (voilà)** ... **que** can only mean *for*.

Je lis depuis ce matin.	I have been reading since this morning.
Il dort depuis cinq heures.	He has been sleeping since five o'clock.
Depuis quand êtes-vous ici?	How long (since when) have you been here?

NOTE   **Deux heures, trois heures, quatre heures et demie**, etc., mean in English either *two hours, three hours, four and a half hours*, etc., or *two o'clock, three o'clock, four thirty*, etc. To avoid ambiguity, they are used with **il y a (voilà)** ... **que** to denote the duration of the action; they are preceded by **depuis** to denote the hour at which an action began.

Il y a (voilà) cinq heures qu'il dort.	He has been sleeping for five hours.
Il dort depuis cinq heures.	He has been sleeping since five o'clock.
Voilà deux heures et demie que les enfants jouent.	The children have been playing for two and a half hours.
Les enfants jouent depuis deux heures et demie.	The children have been playing since half past two.

Since, meaning *inasmuch as*, is translated **puisque,** not **depuis.**

| Je répéterai puisque vous n'avez pas compris. | I shall repeat since you did not understand. |

To live
Habiter (Demeurer), Vivre

The distinction between **habiter** and **vivre** is not absolute and is not always strictly observed. However, **habiter,** or **demeurer,** is used to designate the actual house or town of residence, whereas **vivre** is used generally to refer to the place in which you spend your life, the actual place of residence being immaterial. **Habiter** may be followed by a direct object or by a preposition; **vivre** and **demeurer** may never be followed by a direct object.

Il habite (dans) une belle maison.	He lives in a beautiful house.
J'ai vécu vingt ans en Amérique; la plupart du temps j'habitais à New York.	I lived in America twenty years; most of the time I lived in New York.
J'habite (je vis) à la campagne.	I live in the country.

To wish
Désirer, Souhaiter

To wish used in the sense of desiring or wanting is translated **désirer**; **souhaiter** means to make a wish, to anticipate hopefully.

Il désire vous parler.	He wishes to speak to you.
Je vous souhaite (un) bon voyage.	I wish you a good trip.

[X]

Give the questions for the following answers.

EXAMPLE   Je lis depuis ce matin.
Depuis quand lisez-vous?
Il y a deux heures que je lis.
Combien de temps y a-t-il que vous lisez?

1. Elle est enrhumée depuis vendredi.
2. Nous habitons New York depuis 1958.
3. Il y a trois ans que nous habitons New York.
4. Il attend depuis midi.
5. Il y a une demi-heure qu'il attend.
6. Il y a trois jours que Claude est arrivé.
7. Je suis à la campagne depuis juillet.
8. Il y a huit jours qu'il est malade.
9. Il pleut ici depuis hier.
10. Ils étudient le français depuis leur enfance.

[XI]

Reword the following sentences using **pour** or **pendant**.

EXAMPLE   Je vous verrai à Paris. J'y passerai les vacances.
Je vous verrai à Paris pendant les vacances.
Mon père viendra ici. Il y passera cinq jours.
Mon père viendra ici pour cinq jours.

1. J'ai vécu à Paris. J'y suis resté deux ans.
2. Il est venu chez nous. Il y a passé huit jours.

3. Nous sommes à la campagne. Nous y passons l'été.
4. Nous pourrons vous voir. Nous vous verrons à l'entr'acte.
5. Il compte venir à Paris. Il y passera quinze jours.
6. Nous avons du travail. Nous travaillerons quelques jours.
7. Vous allez faire un voyage. Vous voyagerez cet été.
8. Nous allons louer un bateau. Nous le garderons cinq jours.
9. Elles doivent étudier. Elles passeront leurs vacances à étudier.
10. Attendez-moi. Je reviens dans un quart d'heure.

[XII]

Reword the sentence using **depuis** instead of **il y a ... que,** then translate.

EXAMPLE   Il y a une heure qu'elle est ici.   *She has been here for an hour.*
            Elle est ici depuis une heure.   *She has been here since one o'clock.*

1. Il y a deux heures que je vous attends.
2. Il y a une heure et demie qu'ils travaillent.
3. Il y a trois heures qu'il parle.
4. Il y a cinq heures qu'elle dort.
5. Il y a une heure et quart que nous écoutons.
6. Il y a deux heures que vous conduisez.
7. Il y a une heure qu'il fait de l'orage.
8. Il y a deux heures qu'il est de mauvaise humeur.

[XIII]

Make one sentence out of the two, using **puisque.**

EXAMPLE   Il est fatigué. Il devrait se reposer.
            Puisqu'il est fatigué il devrait se reposer.

1. Il s'ennuie. Donnez-lui quelque chose à faire.
2. Vous voulez réussir. Il faut travailler.
3. Vous vous mettez en colère. Je me tairai.
4. Nous les verrons. Nous pourrons leur donner de vos nouvelles.
5. Il est malade. Il ne devrait pas travailler.
6. Vous connaissez ce médecin. Donnez-moi son adresse.
7. Cela vous fait plaisir. Il le fera.
8. Vous allez passer un an en France. Vous améliorerez votre français.

[XIV]

Complete the following sentences by substituting each new word in its proper position.

1. Il a passé deux ans en Amérique.
    ___ vécu _____.
    _____ longtemps _____.
    _____ à la campagne.
    _____ la plupart du temps ___.
    ___ vit _____.
    _____ en ville.

2. Il demeure dans une petite maison.
    ___ habite _____.
    _____ la banlieue.
    Nous _____.
    _____ un immeuble moderne.

3. Mes parents désirent s'acheter une auto.
    _____ cette maison.
    ___ amis _____.
    _____ voir _____.
    _____ le paquet.
    Jean _____.
    _____ envoyer _____.

4. Nous vous souhaitons une bonne année.
    _____ leur _____.
    _____ de bonnes vacances.
    Vous _____.
    _____ un bon voyage.
    Je _____.
    _____ lui _____.

IDIOMATIC EXPRESSIONS

aimer mieux   to prefer
à l'heure   on time, punctually
avoir besoin de   to need
avoir bonne (mauvaise) mine   to look well (badly, not well, ill)
avoir faim   to be hungry
avoir l'air (de)   to look (like), seem, appear
avoir mal à la tête   to have a headache
(le) bord de la mer   seashore
chez   at the (to the) house (office) of
en retard   late
être de mauvaise humeur   to be out of temper, be in a bad humor

être enrhumé   to have a cold
être pressé   to be in a hurry
faire attention   to pay attention, be careful, beware
faire de l'orage   to be stormy
faire partie de   to be part of
faire plaisir à   to please
faire une promenade   to take a walk
faire un voyage   to take a trip
il fait beau   the weather is fine
il y a   there is (are), ago, for
prendre sa retraite   to retire
se mettre en colère   to get angry
s'ennuyer   to get (be) bored
se reposer   to rest
s'installer   to settle down
valoir mieux   to be better
venir de   to have just

Le Cadeau

PIERRE MILLE

La veille de Noël 1913 M. Lepoupin, rentrant chez lui quelques minutes avant le dîner, ou plutôt avant l'heure à laquelle il aurait dû normalement dîner, trouva dans son vestibule un carton de forme carrée, assez vaste, et soigneusement enveloppé de papier brun.

— Encore un cadeau de jour de l'an! pensa-t-il.

Il se mit à dénouer la ficelle, mais ses mains étaient inhabiles, et il n'avait pas de canif. Il reposa l'objet sur une console, s'en donnant pour raison:

— Il vaut mieux laisser ouvrir ça par ma femme: d'abord, elle n'aime pas qu'on ouvre un paquet avant elle; elle veut être la première à voir, autant que possible; en tout cas, elle déteste n'être que la seconde. Quant à moi, ce que je m'en fiche!

Donc il s'installa paisiblement dans son bureau et attendit Mme Lepoupin sans témoigner d'une impatience excessive: il était accoutumé à son défaut d'exactitude. Notons, pour mémoire, qu'il n'en était pas de même de Mme Lepoupin à l'égard de son mari, s'il arrivait que celui-ci fût en retard, ce qui n'était pas fréquent. Il avait essayé, avec des circonlocutions adroites, de lui en faire la remarque. Mais Mme Lepoupin avait répondu, non sans logique:

— C'est justement parce que tu es exact en général que ça m'agace quand tu ne rentres pas à l'heure; tandis que moi, tu sais bien que ce n'est pas la même chose.

M. Lepoupin s'était donc résigné, une fois pour toutes, à ce que ce ne fût pas la même chose. Enfin sa femme arriva, vers huit heures un quart, ce qui lui parut à peu près raisonnable. Il ne fit aucune observation, il lui dit seulement:

— Tu sais, il est arrivé un paquet.[1]

— Je sais, dit Mme Lepoupin, qui tenait le paquet par la ficelle du bout de ses doigts gantés.

Et sans même enlever ses gants, avec adresse, elle défit la cordelette, extirpa le carton de sa chemise brune, l'ouvrit et en retira une chose habillée de papier de soie.

— Qu'est-ce que c'est? demanda M. Lepoupin, quittant son fauteuil. Il éprouvait maintenant une certaine curiosité.

QUESTIONS

Answer the questions orally using complete sentences.

1. A quelle heure M. Lepoupin est-il rentré?   2. Qu'est-ce qu'il trouve dans son vestibule?   3. Que pense-t-il que le paquet contient?   4. Pourquoi le repose-t-il sans l'ouvrir?   5. Quelle raison s'en donne-t-il?   6. Où s'installe-t-il pour attendre sa femme?   7. Pourquoi ne témoigne-t-il d'aucune impatience?   8. Pourquoi est-ce que cela agace Mme Lepoupin quand il arrive à son mari d'être en retard?   9. A quelle heure rentre Mme Lepoupin?   10. Son mari lui fait-il des reproches? Que se contente-t-il de lui dire?

IDIOMATIC EXPRESSIONS

à l'égard de   toward
ce que je m'en fiche (*slang*)   what do I care
de même   likewise
encore un   still another
pour mémoire   for the record
quant à (moi)   as for (me)
qu'est-ce que c'est?   what is it?
rentrant chez lui   upon coming home
se mettre à   to start

[1] I.e., **un paquet est arrivé.**

Lesson 2

Grammar and Usage

I. THE INTERROGATIVE CONSTRUCTION

1. When the subject of a verb is a personal pronoun, the interrogative is formed by placing the pronoun after the verb, connecting the two words with a hyphen.

Etes-vous heureux?	Are you happy?
Voit-il ses amis?	Does he see his friends?
Partons-nous bientôt?	Are we leaving soon?

NOTE 1   When the third person singular ends in a vowel, –t– is inserted between the verb and the pronoun.

Désire-t-il lui parler?	Does he wish to speak to him (her)?
Ira-t-elle en France?	Will she go to France?

NOTE 2   Verbs ending in –e in the first person singular of the present indicative may change e to é: **resté-je ici?** But this form is avoided (see Section 4).

2. When the subject of the verb is a noun (or an indefinite, demonstrative, or possessive pronoun), the double-subject construction must be used, that is: noun (or pronoun) + verb + third person pronoun of the same gender and number as the subject.

Jean sait-*il* la nouvelle?	Does *John* know the news?
Cette leçon est-*elle* difficile?	Is *this lesson* difficult?
Quelqu'un est-*il* venu?	Has *someone* come?
Cela est-*il* intéressant?	Is *that* interesting?
La vôtre est-*elle* facile?	Is *yours* easy?

16

3. In compound tenses the pronoun is placed after the auxiliary verb.

Avez-vous trouvé votre chapeau?	Have you found your hat?
Marie a-t-elle compris?	Has Mary understood?

4. Any statement may be turned into a question by beginning the sentence with **est-ce que**. (This construction is colloquial and should be used sparingly.) It is used most frequently with the first person singular of the present. However, **ai-je, suis-je, dois-je** (*must I*), **puis-je** (*may I*), are commonly used.

Est-ce que je travaille bien?	Do I work well?
Est-ce que vous l'avez acheté?	Did you buy it?
Ai-je raison?	Am I right?
Suis-je en retard?	Am I late?
Puis-je vous aider?	May I help you?

NOTE   **Est-ce que** is invariable regardless of the form of the verb used in the statement.

5. **N'est-ce pas** used after a statement asks for confirmation or denial. It renders the English *isn't it, do you, don't you, are you, will they, didn't we*, etc., and, like **est-ce que,** is invariable.

C'est bon, n'est-ce pas?	It's good, isn't it?
Vous comprenez, n'est-ce pas?	You understand, don't you?
Vous ne répéterez pas cela, n'est-ce pas? Non (Si).	You will not repeat that, will you? No (Yes).

NOTE   **Si** instead of **oui** is used after a negative statement to contradict that statement. It is often reinforced with **mais** — **mais si,** *why yes* — as are **oui** and **non** — **mais oui, mais non.**

6. With the interrogative pronoun **que** (*what*) the inverted form (verb + noun) is used instead of the double-subject construction.

Que cherche Marie?	What is Mary looking for?
Que dira votre mère?	What will your mother say?

7. With the interrogative adverbs **où** (*where*), **comment** (*how*), **combien** (*how much*), and **quand** (*when*) the inverted form (verb + noun) is permitted, but only if the verb has no object or modifier.

Combien coûte ce fauteuil?	
or	How much does that armchair cost?
Combien ce fauteuil coûte-t-il?	
Où vont vos parents?	Where are your parents going?
but	
Combien Mme Durand paie-t-elle ses robes?	How much does Mme Durand pay for her dresses?
Comment Jean travaille-t-il si vite?	How does John work so fast?

[I]

Combine the following into one question, changing the subject as shown in the example.

    EXAMPLE   Je lis le journal. Et vous?

                  Lisez-vous le journal?

1. Elle sait la nouvelle. Et lui?
2. Vous avez raison. Et nous?
3. Ils sont toujours pressés. Et elles?
4. Elle a tort. Et moi?
5. Nous écoutons les nouvelles. Et toi?
6. Elle vient de les voir. Et vous?
7. Nous assistons à ce cours. Et vous?
8. Il va à l'école. Et nous?

[II]

Combine the following into one question, changing the subject as shown in the example.

    EXAMPLE   J'assiste toujours au cours. Et elle?

                  Assiste-t-elle toujours au cours?

1. Nous arrivons souvent en retard. Et lui?
2. Je désire vous voir. Et elle?
3. Vous avez tort. Et elle?
4. Nous avons raison. Et lui?
5. Tu grondes les enfants. Et lui?
6. Il aide son père. Et elle?
7. Nous parlons avec Marie. Et elle?
8. Vous irez à Paris. Et lui?

[III]

Combine the following into one question, changing the subject as shown in the example.

EXAMPLE   J'ai fini le livre. Et vous?
          Avez-vous fini le livre?

1. Il est venu par le métro. Et toi?
2. J'ai vu cet horrible vase. Et vous?
3. Vous avez vu nos amis. Et lui?
4. J'ai bien dormi. Et toi?
5. Il a passé deux ans en France. Et elle?
6. Tu as dépensé trop d'argent. Et nous?
7. Elle a pu arriver à temps. Et lui?
8. Je suis parti trop tôt. Et vous?

[IV]

Combine the following into one question, changing the subject as shown
in the example.

EXAMPLE   Jacques est venu les voir. Et Marie?
          Marie est-elle venue les voir?

1. M. Lepoupin est curieux. Et sa femme?
2. Jeanne a parlé à sa mère. Et son frère?
3. Ceci est vrai. Et cela?
4. Le nôtre est bon marché. Et le leur?
5. Elle a dépensé tout son salaire. Et son mari?
6. Nous sommes pressés. Et vos amis?
7. Cette affaire-ci est compliquée. Et celle-là?
8. Mes parents ont passé l'été en France. Et vos parents?

[V]

Translate the following sentences.

EXAMPLE   Vous irez chez eux demain, n'est-ce pas?
          You will go to their house tomorrow, won't you?

1. Ils ont passé l'été en ville, n'est-ce pas?
2. J'ai raison, n'est-ce pas?
3. Ce livre ne vous a pas plu, n'est-ce pas?
4. Vous leur écrirez, n'est-ce pas?
5. Elle ne croit pas une telle histoire, n'est-ce pas?
6. Il va faire beau, n'est-ce pas?
7. Vous voulez les voir, n'est-ce pas?
8. Tu ne le feras pas, n'est-ce pas?

[VI]

Answer the following showing disagreement with the question or statement.

EXAMPLE　Vous ne comptez pas sortir?
　　　　　Si, je compte sortir.

1. Vous n'avez pas préparé votre leçon.
2. Jean n'est pas encore arrivé, n'est-ce pas?
3. Ce n'est pas vrai.
4. Tu ne vas pas lui dire cela?
5. Vous ne les avez pas vus, n'est-ce pas?
6. Cette réponse n'est pas correcte.
7. Ce n'est pas Marie qui est venue?
8. Vous ne ferez pas cela.

[VII]

Using the interrogative pronoun **que,** form the question for which you are given the answer.

EXAMPLE　Jean cherche son livre.
　　　　　Que cherche Jean?

1. La mère dira non.
2. Marie lit une nouvelle.
3. Son ami étudie la médecine.
4. Henri ne fait rien.
5. Son père écoute les nouvelles.
6. Sa mère coud une robe.
7. L'enfant mange un croissant.
8. L'homme crie de nous arrêter.

[VIII]

Supply the alternative form for asking the following questions.

EXAMPLE　Combien coûte ce fauteuil?
　　　　　Combien ce fauteuil coûte-t-il?

1. Combien coûte cette robe?
2. Combien coûtent ces livres?
3. Combien coûte le billet?
4. Combien coûte le pain?
5. Combien coûtent ces chaussures?
6. Combien coûte cette affaire-là?

7. Combien coûtent ces vases?
8. Combien coûte ce tapis?

[IX]

Supply the alternative form for asking the following questions.

EXAMPLE   Où vont les élèves?
          Où les élèves vont-ils?

1. Où vont vos amis?
2. Où va cet autobus?
3. Où court cet enfant?
4. Où va cette route?
5. Où conduit ce chemin?
6. Où va ce bateau?
7. Où vont ces gens?
8. Où va ce camion?

[X]

Transform the following sentences into questions using the interrogative adverb given to you.

EXAMPLE   Jean a payé ce livre. (Combien?)
          Combien Jean a-t-il payé ce livre?

1. Vos parents sont arrivés à Paris. (Quand?)
2. M. Dupont répare son auto. (Comment?)
3. Jean court si vite. (Où?)
4. Jacques paie sa chambre. (Combien?)
5. Vos amis savent cela. (Comment?)
6. Le train doit arriver. (Quand?)
7. Vos amis vont nous rejoindre. (Où?)
8. Hélène a payé son billet. (Combien?)
9. Votre tante a appris la nouvelle. (Comment?)
10. Ta sœur pense quitter Paris. (Quand?)

II. THE INTERROGATIVE ADJECTIVES

quel	(*masc. sing.*)	
quelle	(*fem. sing.*)	what, which
quels	(*masc. plur.*)	
quelles	(*fem. plur.*)	

The interrogative adjectives agree in gender and number with the noun they qualify.

Quel hôtel avez-vous choisi?	What hotel have you chosen?
Quelles fleurs préférez-vous?	What flowers do you prefer?
Quelle robe votre sœur portera-t-elle?	Which dress will your sister wear?
Quelles sont vos intentions?	What are your intentions?

III. THE INTERROGATIVE PRONOUNS

1. Variable pronouns.

lequel }
laquelle } which, which one

lesquels   }
lesquelles } which, which ones

De and **à** contract with **le** and **les**: **duquel, desquels, desquelles, auquel, auxquels, auxquelles.** They do not contract with **la**: **de laquelle, à laquelle.**

The variable interrogative pronouns agree in gender with the noun or pronoun to which they refer. Their number depends on whether the singular *which one* or the plural *which ones* is meant.

Voici deux plumes. Laquelle voulez-vous?	Here are two pens. Which one do you want?
Lesquels de ces étudiants sont des nouveaux?	Which (ones) of those students are new?
Desquels parlez-vous?	Of which (ones) are you speaking?
Laquelle de ces pommes voulez-vous?	Which (one) of these apples would you like?
Auquel de vos oncles écrivez-vous?	To which (one) of your uncles are you writing?

NOTE   When the interrogative pronoun is not preceded by an antecedent or immediately followed by **de,** the invariable pronoun **que** is used (see following section).

Which do you prefer, apples or pears?	Que préférez-vous, les pommes ou les poires?

2. Invariable pronouns *who, whom, what:*

Short Form	Long Form	Use	Meaning
qui	qui est-ce qui	subject	who
qui	qui est-ce que	direct or indirect object of a verb, or object of a preposition	whom
(none)	qu'est-ce qui	subject	what
que	qu'est-ce que	object of a verb	what
quoi	(none)	object of a preposition, also used alone	what, what?

Although the long form might be considered somewhat more colloquial, the use of the short or long form follows no definite rule, except in
the following cases:

Qui (*who*) is used with **être** followed by a predicate noun or pronoun:
Qui est cet homme? *or* **Qui est-il** *or* **Qui est-ce?**

Qu'est-ce que (*what* = object) is preferred to **que** in compound tenses
when the subject of the verb is a noun: **Qu'est-ce que le garçon a dit?**

Que, not **qu'est-ce que,** is used with an infinitive: **Que faire?**

Remember that **qu'est-ce qui** (*what* = subject) has no short form.

Qui (qui est-ce qui) chante?	Who is singing?
Qui voulez-vous voir?	
or	Whom do you want to see?
Qui est-ce que vous voulez voir? *	
Que dites-vous?	
or	What are you saying?
Qu'est-ce que vous dites? *	
Qu'est-ce que Jean a dit? *	What did John say?
Qu'est-ce qui fait ce bruit?	What makes this noise?
A qui et à quoi pensez-vous?	Of whom and of what are you thinking?
Qui est la dame que vous avez saluée?	Who is the lady whom you greeted?

* Note that with **qui est-ce que** and **qu'est-ce que** the verb and its subject are not inverted.

NOTE   Be careful to distinguish between **qui** and **que** as relative pronouns and **qui** and **que** as interrogative pronouns.

	Relative	*Interrogative*
qui	for persons or things	for persons only
que	for persons or things	for things only

3. *What is* (*are*) asking for a definition is translated **qu'est-ce que c'est
que . . . ?** (invariable in gender and number).

Qu'est-ce que c'est que la Sorbonne?	What is the Sorbonne?
Qu'est-ce que c'est que ça (cela)?	What is that?

What is (*are*) asking for an identification is translated **qu'est-ce que
c'est que . . . ?** or **quel est . . . ?** (variable).

Qu'est-ce que c'est que (*or* **quelle est**) **cette église?**	What is that church?
Qu'est-ce que c'est que (*or* **quels sont**) **ces livres?**	What are these books?

What is it? is translated **qu'est-ce que c'est?**

NOTE The shorter forms **qu'est-ce que...?** for **qu'est-ce que c'est que...?, qu'est cela?** (not **ça** in this case) for **qu'est-ce que c'est que cela?** (or **ça**), and **qu'est-ce?** for **qu'est-ce que c'est?** are also used but less commonly than the longer forms, especially in speaking.

4. *Whose* inquiring for ownership is translated **à qui + être.** The meaning of **à qui est** is the equivalent of **à qui appartient,** *to whom belongs.* Observe carefully the construction below:

A qui est ce chapeau?	Whose hat is this? (To whom does this hat belong?)
A qui est le livre que vous lisez?	Whose book are you reading? (To whom belongs the book which you are reading?)

[XI]

Given the following statements, form two questions using (a) the correct form of the interrogative adjective **quel;** (b) the correct form of the interrogative pronoun **lequel.** Make all necessary changes.

EXAMPLE Jean a choisi un hôtel.
       (a) *Quel hôtel Jean a-t-il choisi?*
       (b) *Lequel Jean a-t-il choisi?*

1. Il prendra le train.
2. Marie veut lire un livre.
3. Henriette préfère ce chapeau.
4. Nous prenons le métro.
5. Ils ont acheté une maison.
6. Madame Lepoupin cache le vase.
7. Ils ont admiré un tableau en particulier.
8. Tu leur as envoyé un cadeau.
9. Ton ami a choisi une cravate.
10. Ils sont allés au concert.

[XII]

Reword the following questions using the long form of the interrogative pronoun.

EXAMPLE Que faites-vous?
       Qu'est-ce que vous faites?

1. Avec qui parliez-vous?
2. Que dit-il?
3. Qui est entré?
4. Qui avez-vous vu?
5. Que veut Marie?
6. Pour qui faites-vous cela?
7. Qui vous a raconté cette histoire?
8. Que pensez-vous de cette idée?
9. Qui Jean a-t-il voulu voir?
10. Que s'efforce-t-il de faire?
11. Qu'est-ce qu'un musée?
12. Qu'est-ce qu'un pronom relatif?

[XIII]

Replace the construction **à qui appartient** by **à qui + être.**

EXAMPLE   A qui appartient ce livre?
A qui est ce livre?

1. A qui appartient le chien qui aboie?
2. A qui appartiennent les bicyclettes?
3. A qui appartient la maison où vous habitez?
4. A qui appartient l'imperméable que vous portez?
5. A qui appartiennent ces gants?
6. A qui appartient ce paquet de cigarettes?
7. A qui appartient le briquet dont vous vous servez?
8. A qui appartiennent ces allumettes?

IV. *QUEL, QUE, COMME* IN EXCLAMATORY PHRASES

1. *What a* or *what* is translated **quel.**

Quel plaisir d'être ici!	What a pleasure to be here!
Quelles belles fleurs!	What beautiful flowers!
Quelle belle femme!	What a beautiful woman!

2. With **que** or **comme,** meaning *how,* the qualifying adjective follows the verb.

Que ces fleurs sont jolies!	How pretty those flowers are!
Comme il est intelligent!	How intelligent he is!
Que je vous plains!	How I pity you!

[XIV]

Make three exclamatory sentences using (a) **comme;** (b) **que;** (c) the correct form of **quel.** Do one at a time going through all ten sentences.

EXAMPLE Ces fleurs sont belles.
    (a) *Comme ces fleurs sont belles!*
    (b) *Que ces fleurs sont belles!*
    (c) *Quelles belles fleurs!*

1. Cette femme est jolie.
2. La leçon est longue.
3. Ces garçons sont gentils.
4. Ce film est mauvais.
5. La vie est belle.
6. Ce cadeau est beau.
7. Cet enfant est méchant.
8. Cette statue est grande.
9. Leur conversation est intéressante.
10. Cette pièce est petite.

V. INVERTED CONSTRUCTIONS

An inverted construction verb + subject is used:

a. When declarative verbs are used parenthetically in the course of a direct quotation.

— **Je ne sais pas, dit Louise, si j'assisterai au mariage.**	"I do not know," said Louise, "whether I shall be present at the wedding."
— **J'espère que vous viendrez, a-t-il répondu.**	"I hope you will come," he answered.

b. After **peut-être** (*perhaps*), **sans doute** (*probably**), **à peine . . . que** (*no sooner . . . than*), **aussi** (*and so, thus*) when introducing a statement.

Peut-être a-t-il fini.	Perhaps he has finished.
Sans doute ne viendra-t-il pas.*	Probably he will not come.
A peine avait-il prononcé ces paroles que déjà il le regrettait.	No sooner had he uttered these words than he regretted it.
Aussi était-il heureux.	And so he was happy.

* **Sans doute** expresses uncertainty. To express certainty, **sans aucun doute** must be used, and there is no inversion.

Peut-être and **sans doute** may be replaced by **peut-être que** and **sans doute que,** and there is no inversion: **Peut-être qu'il a fini.**

When **peut-être, sans doute,** and **à peine** . . . que do not introduce the
statement, the normal order of words is used: **Il avait à peine prononcé
ces paroles que** . . .

[XV]

Reword the following sentences placing **peut-être** or **sans doute** at the
beginning. Give also the alternate construction with **peut-être que** and
sans doute que.

EXAMPLE   Il est peut-être arrivé.
Peut-être est-il arrivé.
Peut-être qu'il est arrivé.

1. Elle partira sans doute demain.
2. Jean vous écrira peut-être.
3. Vous avez sans doute entendu cela.
4. Henri vous l'a peut-être dit.
5. Vos parents ont compris vos raisons, sans doute.
6. Ils seront sans doute en retard.
7. Il fera peut-être beau demain.
8. Vous êtes sans doute fatigué après votre voyage.

[XVI]

Reword the following sentences using the more formal construction
with inversion.

EXAMPLE   Il était à peine rentré que le téléphone a sonné.
A peine était-il rentré que le téléphone a sonné.

1. Sans doute que vous savez déjà cela.
2. Il nous a à peine aperçus qu'il s'est sauvé.
3. Peut-être qu'il pourra venir.
4. Nous sommes à peine installés qu'il faut déménager.
5. Vous avez déjà lu ce livre, sans doute.
6. Le soleil était à peine levé que nous sommes partis.
7. Le train était à peine arrivé que les voyageurs s'y sont précipités.
8. Il ne vous a pas entendu, peut-être.

[XVII]

Replace **donc** by **aussi.**

EXAMPLE   Il veut réussir, il travaille donc sérieusement.
Il veut réussir, aussi travaille-t-il sérieusement.

1. Ce film lui a déplu, il ne veut donc pas le revoir.
2. Elle s'ennuyait, elle est donc partie.
3. Il s'est senti fatigué, il a donc décidé de faire la sieste.
4. Nous n'aimions pas notre quartier, nous avons donc déménagé.
5. Il faisait très chaud, nous avons donc décidé de passer la journée à la plage.
6. Nous étions pressés, nous avons donc pris le métro.
7. Ils avaient une soirée de libre, ils sont donc allés au cinéma.
8. Elle était enrhumée, elle n'est donc pas allée en classe.

VERB REVIEW

Review the three regular conjugations (Appendix I, Section IV, page 360).

What is one characteristic of the second, –ir, conjugation?

In what forms do all but five verbs use the same flexional endings (Appendix I, Section II, page 359)?

What are the principal parts of **dormir, ouvrir** (Table 1); **pouvoir** (Table 2)?

What forms of **pouvoir** cannot be derived from the principal parts?

Conjugate the above verbs in all simple tenses.

Vocabulary Distinctions

Time
Temps, Heure, Fois

Temps means *time* in the sense of duration; with the impersonal **il** it means the proper time to do something. **Heure** means *time* by the clock. **Fois** indicates recurrence of an act.

Le temps passe vite.	Time passes quickly.
Il est temps de partir. (*proper time*)	
Il est l'heure de partir. (*time by the clock*)	It is time to leave.
Il est l'heure du dîner.	It is dinner time.
Nous avons essayé une fois (deux fois, cinq fois, plusieurs fois).	We tried once (twice, five times, several times).
Il part tous les jours à la même heure.	He leaves at the same time every day. (*by the clock*)
Ils sont arrivés en même temps.	They arrived at the same time. (*together*)
Il étudie et écoute la musique à la fois.	He studies and listens to music at the same time. (*at once*)

Time, O'clock
Heure

Quelle heure est-il?	What time is it?
Savez-vous l'heure qu'il est?	Do you know what time it is?
Il est dix heures.	It is ten o'clock.
Il est onze heures juste.	It is eleven sharp.

Past (after) is not expressed in French with minutes, but with **quart** and **demie** it is expressed by **et:**

trois heures dix	ten minutes past three
trois heures et quart (*or* **un quart**)	a quarter past three
trois heures et demie	half past three

To (of) in expressions of time is translated **moins.** The article **le** or **un** is used before **quart.**

trois heures moins le (un) quart	a quarter of three
trois heures moins dix	ten minutes of three
Il est exactement huit heures moins cinq.	It is exactly five minutes of eight.

NOTE In French, **heure** is always expressed, and **minute** is omitted.

A.M. is expressed by **du matin;** P.M. by **de l'après-midi, du soir;*** *twelve o'clock, noon* by **midi;** *twelve o'clock, midnight* by **minuit. Douze heures** is not used in French.

onze heures du matin (du soir)	eleven A.M. (P.M.)
midi et quart	a quarter past twelve P.M.
minuit moins dix	ten minutes of twelve P.M.
Il est midi (minuit).	It is noon (midnight).

* **Du soir** is used beginning with four or five o'clock. In winter one might say **quatre heures du soir** if it is already dark, whereas **cinq heures de l'après-midi** might be used in the summer.

Half an hour is expressed by **une demi-heure;** *quarter of an hour* by **un quart d'heure.**

The 1 to 24 hours system, used in the U.S. by the Armed Forces, is commonly used in France and in most European countries. Its use is required in timetables, legal documents, official orders, etc.

Votre train part à 18 h. 45.	Your train leaves at 6:45 P.M. (18:45).
L'avion arrivera à 21 heures.	The plane will arrive at 9:00 P.M. (21 hours).

Slow and *fast*, speaking of a timepiece, are translated **retarder (de), avancer (de);** *on time*, **à l'heure.**

Ma montre retarde.	My watch is slow.
La pendule avance de dix minutes.	The clock is ten minutes fast.
L'horloge de la mairie retarde de cinq minutes.	The town hall clock is five minutes slow.
Votre montre est-elle à l'heure?	Is your watch right?

Late
Tard, En retard

Tard is used either with an impersonal or a personal verb and means at a late, unspecified time. **En retard** can be used only with a personal verb and means late for a specified time, that is, not on time.

Il est tard.	It is late.
Elle est arrivée tard dans l'après-midi.	She arrived late in the afternoon.
Vous vous êtes couché tard.	You went to bed late.
Nous sommes en retard, dépêchons-nous.	We are late; let us hurry.
Il est arrivé à l'école en retard.	He arrived at school late.

Early
Tôt (De bonne heure), En avance

The same distinction applies as for **tard** and **en retard**.

Il est tôt, ne partez pas.	It is early; do not go.
Il se lève tôt en été.	He gets up early in summer.
Nous viendrons de bonne heure.	We shall come early.
Je suis arrivé en avance à mon rendez-vous.	I arrived early (i.e., ahead of time) for my appointment.
Vous êtes en avance, ne vous pressez pas.	You are early; don't hurry.
Vous auriez dû partir de meilleure heure (plus tôt).	You ought to have left earlier.
Il a déjeuné trop tôt (de trôp bonne heure).	He had breakfast too early.

NOTE   The distinctions between **tôt** and **de bonne heure** are subtle. In general, **de bonne heure** conveys the idea of *at an early hour, at an early time*, while **tôt** has a more extended meaning.

Les raisins ont mûri de bonne heure cette année.	Grapes ripened early this year.
Il a quitté le bureau de bonne heure.	He left the office early.
but	
Il est trop tôt pour s'inquiéter.	It is too early to worry.

NOTE   **Tôt, de bonne heure,** and **tard** may not be used as adjectives; when *early* and *late* are used adjectively they must be translated by other words or constructions, for instance: *an early date,* **une date rapprochée,** *in the late morning,* **tard dans la matinée.**

On time	In time
A l'heure	**A temps**

Le train est parti à l'heure.	The train left on time.
Il n'est pas arrivé à temps pour nous aider.	He did not arrive in time to help us.

In with periods of time
En, Dans

En is used when it means *within* and when one wishes to indicate the time required to perform an action. **Dans** indicates the time elapsing before the beginning of the action.

Elle lavera la vaisselle en une demi-heure.	She will wash the dishes in half an hour. (*time it will take*)
Elle lavera la vaisselle dans une demi-heure.	She will wash the dishes in half an hour. (*time before she starts*)

Spend
Passer, Dépenser

To spend time or periods of time is **passer.** To spend money, or spend with the sense of using or using up, is **dépenser.**

J'ai passé trois ans à Rome.	I spent three years in Rome.
Il a dépensé tout son salaire en quelques jours.	He spent all his salary in a few days.
Vous dépensez trop d'énergie.	You spend too much energy.

[XVIII]

Answer the following questions in a complete sentence, using the word in parentheses to cue your answer.

EXAMPLE   Est-il temps de dîner?   (Oui)
Oui, il est temps de dîner.

1. Est-il venu plusieurs fois?   (Oui)
2. Le temps passe-t-il rapidement en vacances?   (Oui)
3. Avez-vous l'heure?   (Non)

4. Avez-vous le temps? (Non)
5. Pouvez-vous faire plusieurs choses à la fois? (Non)
6. Est-ce l'heure du dîner? (Oui)
7. Perdez-vous votre temps? (Non)
8. Est-il temps que nous nous en allions? (Oui)

[XIX]

Translate.

1. It is a quarter past four.
2. It is one A.M.
3. It is half past three.
4. It is six A.M.
5. It is noon.
6. It is ten past five.
7. It is midnight.
8. It is five of seven.
9. It is a quarter of eleven.
10. It is two P.M.

[XX]

Using **tard, en retard, tôt, en avance,** summarize the following sentences.

EXAMPLE   Il devait arriver à six heures, mais il arrivera à six heures dix.
Il arrivera en retard.

1. Il se lève à cinq heures du matin.
2. Il est presque minuit.
3. Le train est parti à dix heures et quart au lieu de dix heures.
4. Elle est arrivée à quatre heures et je l'attendais à cinq heures.
5. Il va arriver en classe à neuf heures cinq mais la classe commence à neuf heures.
6. Nous arrivons à midi moins le quart au lieu de midi.
7. Nous nous sommes couchés à une heure du matin.
8. Nous nous sommes couchés à huit heures du soir.
9. Le concert a commencé à huit heures et ils sont arrivés à huit heures et quart.
10. Ma mère est toujours à la gare trois quarts d'heures avant le départ du train.
11. Jean, ton père ne veut pas que tu rentres à des heures impossibles!
12. Ils partent à cinq heures du matin.

[XXI]

Complete the following sentences, making all necessary changes.

1. Le train part toujours de la gare à l'heure.
   L'autobus ———————————.
   ——————————— station ———.
   ——————— rarement ——— ———————.
   ——————————— ville ———.

2. La montre du professeur retarde de cinq minutes.
   La pendule du salon ———————————.
   ——————————— avance ———————.
   L'horloge de l'école ———————————.
   ——————————— d'un quart d'heure.

3. Nous ne sommes pas arrivés à temps pour les voir.
   Vous ———————————.
   ——————— venus ———————————.
   ——————————— nous ——.
   ——————————— aider.

4. Nous pensons les voir dans trois jours.
   Tu ———————————.
   ——— pourras ———————————.
   ——————— nous———————.
   ——————— écrire ———————.

5. L'étudiant écrira sa composition en quatre heures.
   ——————— leçon———————.
   ——————— préparera———————.
   Les élèves ———————————.
   ——————————— trois ———.

6. Comment avez-vous pu dépenser tout votre salaire?
   ——————————— argent?
   ——————— ont-ils ———————?
   Pourquoi ———————?
   ———————tant d' ———?

7. Notre famille va passer ses vacances à la campagne.
   ——————————— plage.
   ——————— l'été———————.
   Votre ———————————.
   ——— cousin———————.

IDIOMATIC EXPRESSIONS

à la fois (all) at once
aller en classe to go to school
à peine scarcely, hardly
assister à to be present at, attend
avoir raison to be right
avoir tort to be wrong
bon marché cheap
faire chaud to be hot (weather)
sans doute probably, undoubtedly
se coucher to go to bed, lie down
s'efforcer to strive
se lever to get up, to stand up
se sauver to run away

Le Cadeau
(*suite*)

Donc, M. Lepoupin éprouvait une certaine curiosité: un objet vous arrive, qui va être à vous, qui est à vous, et on ne sait pas encore ce que c'est. Bien entendu, on est intrigué.

Cette fois c'était un vase de cuivre, avec un décor en relief contourné selon les principes du style le plus moderne, et d'autres ornements gravés en creux, d'une beauté plus moderne encore.

— Que c'est boche cette affaire-là! fit monsieur Lepoupin déçu.

Mme Lepoupin avait assez souvent quelque disposition à être d'un avis opposé à celui de son époux; mais dans cette occasion, elle estima qu'il n'y avait pas moyen.

— Le fait est que ce n'est pas joli.

En retournant le vase, Mme Lepoupin en fit tomber une carte.

— C'est le cadeau des Boisvieux.

— Quel goût ils ont ces gens-là!

Puis il s'efforça d'introduire le vase malencontreux sous le canapé de son bureau.

— Qu'est-ce que tu fais? demanda sa femme.

— Je le cache, j'aime mieux ne pas voir ça.

— Tu n'es pas fou! nous avons un cadeau à faire aux Girardon.

— Ça, reconnut M. Lepoupin, c'est une excellente idée.

Ils se mirent à table soulagés. Après le dîner, Mme Lepoupin pris sa plume et écrivit à Mme Boisvieux le plus gentil billet du monde:

« Pourquoi, vous deux, nous gâtez-vous de la sorte, chère amie? Et que je vous gronderais si je n'éprouvais tant de plaisir! Tout ce qui vient de vous est toujours d'un goût charmant, mais cette fois . . .»

Après quoi, Mme Lepoupin remis le vase dans son enveloppe, y glissa la carte de M. et Mme Lepoupin, se félicita d'avoir même conservé la ficelle, sonna sa femme de chambre, et lui dit: « Demain matin, vous irez porter ça chez Mme Girardon. Prenez le métro. Vous descendrez à Courcelles. On change à Villiers. »

QUESTIONS

1. Que contient le paquet? De quel métal?   2. Qu'en dit M. Lepoupin? 3. Est-ce que Mme Lepoupin est généralement du même avis que son mari? Qu'est-ce qu'elle admet?   4. Qu'est-ce que M. Lepoupin essaie de faire du vase?   5. Qu'est-ce que suggère Mme Lepoupin?   6. Que pense son mari de cette suggestion?   7. Que fait Mme Lepoupin aussitôt après le dîner?   8. Que fait-elle ensuite?   9. Qu'est-ce qu'elle avait conservé? 10. Quel ordre donne-t-elle à sa femme de chambre?

IDIOMATIC EXPRESSIONS

bien entendu   of course
ça (*contraction of* **cela**) that. this
c'est boche (*slang*)   it's German-style (*derisive*)
cette affaire-là   this contraption
de la sorte   in such a way
descendre (à)   to get off (at)
être d'un avis   to have an opinion
faire un cadeau   to give a present
gravé en creux   etched deeply
il n'y avait pas moyen   it was not possible
se mettre à table   to sit down to a meal

Lesson *3*

Grammar and Usage

I. THE FUTURE TENSES

1. The future is used, as in English, to express a future action or state. It must be used also in subordinate clauses in the indicative when futurity is implied, after **quand, lorsque, aussitôt que, dès que, tant que, pendant que,** etc., even though the present is used in English.

Je le verrai dans trois jours.	I shall see him in three days.
Il ne sera plus ici quand vous arriverez.	He will no longer be here when you arrive.

2. The future perfect (future of the auxiliary + past participle) expresses an action which will have been entirely completed at a given time or completed before another future action takes place.

Ils auront fini leurs devoirs à huit heures.	They will have finished their homework at eight o'clock.
Je partirai dès que j'aurai mangé.	I shall leave as soon as I (shall*) have eaten.

* Note that *shall* or *will* is often omitted in English, although the tense has a future meaning.

3. The English future is not translated by the future in French:
a. In a subordinate clause requiring the subjunctive.

Nous doutons que vous réussissiez.	We doubt that you will succeed.

b. In the *si* clause of a conditional sentence (see Lesson 1, pages 1–2).

WARNING   Be careful to distinguish between the auxiliary *will* used to form the future, and the verb *will* expressing willingness, which is trans-

36

lated by **vouloir**. Also, *will you have*, meaning *do you wish*, is translated by **voulez-vous** or **désirez-vous**.

Ils vous verront demain.	They will see you tomorrow. (*future*)
Cette malle est lourde, voulez-vous m'aider?	This trunk is heavy. Will you (are you willing to) help me?
Voulez-vous une tasse de thé?	Will you have (do you wish) a cup of tea?

NOTE The future perfect may be used in French to indicate that an action may have taken place or to express a probability: **il aura mal compris = sans doute a-t-il mal compris** or **il a dû mal comprendre.** (The latter is taken up in the Vocabulary Distinctions, Lesson 11.)

[I]

Reword the following sentences in the future.

EXAMPLE Je lui dis bonjour quand je le vois.
Je lui dirai bonjour quand je le verrai.

1. Elle téléphone à ses amis aussitôt qu'elle rentre chez elle.
2. Il le fait quand il a le temps.
3. Nous nous mettons au travail dès que nous avons fini de dîner.
4. Etes-vous heureux lorsque les vacances arrivent?
5. Le chien aboie dès que quelqu'un arrive.
6. Mes amis partent aussitôt qu'ils ont fini.
7. L'enfant s'endort quand il a mangé.
8. Ils descendent dîner lorsqu'ils ont changé de vêtements.
9. Le député s'en va dès qu'il a terminé son discours.
10. Nous nous sentons mieux quand nous avons fait la sieste.

II. THE PAST INDEFINITE

The past indefinite (or **passé composé**) is formed with the present of the auxiliary verb* plus the past participle. Its main characteristic is that it denotes an action that took place and WAS COMPLETED in the past, or has just been completed.

* See Lesson 6, page 93.

1. The past indefinite is used to translate the English present perfect.

J'ai *terminé* mes devoirs.	I *have completed* my homework.
***Avez*-vous déjà *vu* ce film?**	*Have* you already *seen* this movie?
Je n'*ai* pas encore *lu* ce roman.	I *have* not *read* this novel yet.

2. The past indefinite is also used to translate the English simple past and the forms with *did* and *did not* + infinitive:

a. To show that an action took place and was completed at a given or implied moment in the past, or that an action was performed or a condition existed within a specific period of time, of which both the beginning and the end can be visualized.

Ils *ont acheté* une maison.	They *bought* a house.
Quand l'*ont*-ils *achetée?*	When *did* they *buy* it?
Ils l'*ont achetée* le mois dernier.	They *bought* it last month.
Je n'*ai* pas *pris* de vacances.	I *did* not *take* any vacation.
Ils *ont mangé* de bonne heure et *sont allés* au cinéma.	They *ate* early and *went* to the movies.
Nous *avons voyagé* tout l'été.	We *traveled* the whole summer.
Les enfants *ont été* très sage à l'église.	The children *were* very good at church.

b. To show that the same action was repeated and completed a given number of times within a limited period, expressed or implied.

Pendant notre séjour à Paris nous *sommes allés* trois fois à l'opéra.	During our stay in Paris we *went* to the opera three times.
A-t-il téléphoné au médecin? — Oui, il lui *a téléphoné* plusieurs fois.	Did he telephone the doctor? — Yes, he *telephoned* him several times.

[II]

Reword the following sentences in the past indefinite.

EXAMPLE   Nous le voyons à trois heures.
Nous l'avons vu à trois heures.

1. Nous leur parlons français.
2. L'ingénieur fait un voyage.
3. L'avocat va souvent au concert.
4. Pouvez-vous prendre vos vacances au mois d'août?
5. Les enfants sont impossibles ce matin.
6. La cérémonie aura lieu à l'heure.
7. Reçois-tu de ses nouvelles?
8. Le jeune homme veut aller au cinéma après le dîner.
9. Nous finirons cette leçon à temps.
10. J'étudie toute la soirée.

III. THE NEGATIVE CONSTRUCTION

1. The negative is composed of two parts: **ne** and **pas** (or other negative adverbs; for the complete list of negatives, see Appendix III, page 374).

In simple tenses **ne** is placed before the verb and the second part of the negative after it. Object pronouns, if any, come between **ne** and the verb.

Je *ne* sais *pas* ce qui se passe.	I do not know what is going on.
Il *ne* veut *rien.*	He does not want anything.
Ne me grondez *pas.*	Don't scold me.
Elle *ne* vous le rendra *jamais.*	She will never return it to you.
Il *ne* fait *plus rien.*	He no longer does anything.
Elle *ne* voit *jamais personne.*	She never sees anyone.

NOTE   The apparent double or triple negative is perfectly regular in French, for it is only **ne** which really constitutes the negative. Certain words which enter into a negative expression are sometimes used without **ne** in a positive sense. Of these the most common is **jamais,** which without **ne** means ever: **Avez-vous jamais été au Japon?**

2. The interrogative negative is formed by placing the interrogative construction of the verb between **ne** and the second part of the negative.

Savez-vous où il est?	Do you know where he is?
Ne **savez-vous** *pas* **où il est?**	*Don't* you know where he is?

3. In compound tenses the negative is built around the auxiliary verb: **ne** + auxiliary + second part. However, **personne, aucun,** and **nul** follow the past participle.

Nous *n'***avons** *rien* **trouvé.**	We did not find anything.
*N'***ont-ils** *pas* **pris de décision?**	Haven't they taken a decision?
Je *n'***ai vu** *aucun* **de mes amis.**	I did not see any of my friends.
Ils *n'***ont recontré** *personne.*	They haven't met anybody.

4. With the present infinitive both parts of the negative precede it. With the past infinitive both parts may precede the auxiliary, or the second part may be placed between the auxiliary and the past participle. In the case of **personne, aucun,** or **nul,** they always follow the infinitive or the past participle. Prepositions **à** or **de,** if present, precede **ne . . . pas.**

Je vous conseille de *ne rien* **faire et de** *ne* **voir** *personne.*	I advise you to do nothing and to see no one.
Il regrette de *ne pas* **vous avoir (de** *ne* **vous avoir** *pas***) obéi.**	He is sorry for not having obeyed you.

5. *Nobody* or *no one*, *nothing*, *none*, and *not one* used as subject of the verb are translated **personne ne, rien ne, aucun** (or **nul**) **ne,** and **pas un ne.** (See Appendix III, page 375, for the use of **aucun** and **nul.**)

Personne *n'*est prêt.	Nobody is ready.
Rien *ne* lui plaît.	Nothing pleases him.
Aucun (*nul*) de ses amis *n'*est venu.	None of his friends came.
Aucun (*nul*) *ne* lui a écrit.	None wrote to him.
Aucune (*pas une*) de ces robes *ne* me convient.*	None (not one) of these dresses suits me.

* **Aucun, nul,** and **pas un** agree in gender with the noun they represent or modify.

6. **Ne ... ni ... ni ...,** *neither ... nor ...* (or **ni ... ni ... ne ...**) is placed before the words it modifies.

Nous *ne* **sommes allés** *ni* **au théâtre** *ni* **au cinéma.**	We went neither to the theater nor to the movies.
Je *ne* **les ai** *ni* **vus** *ni* **entendus rentrer.**	I have neither seen nor heard them come home.
Il *ne* **sait** *ni* **lire** *ni* **écrire.**	He can neither read nor write.
Ni* vous** *ni* **eux** *n'avez raison.**	Neither you nor they are right.

7. In answering a question, or following a statement where the verb is not repeated, only the second part of the negative is used and **ne** is omitted.

A-t-il vu quelqu'un? — Non, personne.	Has he seen anyone? — No, no one.
Qu'avez-vous dit? — Rien.	What did you say? — Nothing.
Est-elle patiente? — Pas toujours.	Is she patient? — Not always.
J'ai parlé à Paul, mais pas à sa sœur.	I spoke to Paul, but not to his sister.
Il aime se lever de bonne heure. Pas moi (*or* **moi pas**).	He likes to get up early. Not I.

[III]

Make the following sentences negative utilizing the negatives given in parentheses.

EXAMPLE   Nous savons ce qui se passe.   (jamais)
Nous ne savons jamais ce qui se passe.

1. Vous voulez étudier.   (pas, jamais, rien, plus, point)
2. Nous voyons dans le noir.   (plus rien, personne, jamais, pas)
3. Il sait ce qu'il veut.   (plus, pas, jamais)
4. Tu te rends compte de tes erreurs.   (pas, jamais, plus)
5. Ton frère veut comprendre.   (plus rien, pas, jamais)

[IV]

Make the following sentences negative-interrogative.

EXAMPLE   Comprenez-vous cela?
Ne comprenez-vous pas cela?

1. Descendent-ils à l'hôtel?
2. Reçoivent-elles de leurs nouvelles?
3. Se marie-t-il l'année prochaine?
4. Ai-je raison?
5. Vous occupez-vous des bagages?
6. Cette foire a-t-elle lieu en mai?
7. Le journaliste écrit-il un article?
8. Avez-vous peur de le rencontrer?
9. Doivent-ils nous retrouver ici?
10. Se promène-t-elle dans le parc tous les jours?

[V]

Make the following sentences negative, utilizing the negatives given in parentheses.

EXAMPLE   Nous avons répondu. (pas)
Nous n'avons pas répondu.

1. Tu as entendu cela. (jamais, plus, point)
2. Nous avons écouté. (pas, jamais, rien, point)
3. Nos amis sont venus ici. (jamais, plus, pas, plus jamais)
4. Vous avez su que dire. (plus, jamais, point)
5. Ils nous ont répondu. (pas, jamais, rien, plus)

[VI]

Complete the following sentences, using the indicated substitutions and making any necessary changes.

1. Elle n'a rencontré aucun de ses amis.
   _____ frères.
   _____ camarades.
   _____ nul _____.
   _____ personne.
2. Jean n'a téléphoné à aucun de vos camarades.
   _____ collègues.
   _____ sœurs.
   _____ à personne.
3. C'est dommage de ne pas les entendre.
   _____ voir.
   _____ plus ____.
   _____ jamais ____.
   _____ point ____.

[VII]

Give the opposite of the following sentences, using **personne, rien,** and **aucun** as needed to replace **quelqu'un, tout,** and **un,** respectively.

EXAMPLE   Quelqu'un écoute.
            Personne n'écoute.

1. Tout l'intéresse.
2. Quelqu'un est venu cet après-midi.
3. Un de vos amis a téléphoné.
4. Tout nous ennuie.
5. Une de ses lettres est très intéressante.
6. Quelqu'un a compris le professeur.
7. Tout vous plaît dans ce pays.
8. Une est arrivée.
9. Quelqu'un est entré dans le salon.
10. Un de nos devoirs était excellent.

[VIII]

Reword the following sentences with ne...ni...ni... or ni...ni... ne...

EXAMPLE   Nous avons votre livre et le nôtre.
            Nous n'avons ni votre livre ni le nôtre.

1. L'enfant sait nager et plonger.
2. L'étudiant a parlé à ses camarades et à son professeur.
3. Elle a compris et aimé ce roman.
4. En fait, vous et moi avons tort.
5. L'avocat a voulu les voir et leur parler.
6. Jean et son père sont arrivés à temps.
7. Ils savent jouer du piano et du violon.
8. Je vous dirai quand et comment cela est arrivé.
9. Jean et sa sœur sont arrivés à l'heure.
10. Sa personnalité et ses manières me plaisent.

IV. ANOTHER USE OF THE SUBJUNCTIVE

The subjunctive is used in a subordinate clause introduced by **que** after verbs or expressions denoting an emotion such as joy, fear, anger, surprise, etc.

Je suis content que vous soyez ici.   I am glad you are here.
Nous regrettons que vous deviez partir.   We are sorry that you must leave.

J'ai peur (je crains) que vous (n')*   I am afraid that you will arrive too
arriviez trop tard.   late.

* The expletive **ne**, sometimes called the pleonastic **ne**, is no longer compulsory after
verbs of fear (see Lesson 16, page 261), but is still commonly used.

NOTE 1   When the subject of the main verb is the same as that of the
subordinate verb, a complementary infinitive introduced by **de** is used,
as in English.

Je suis content d'être ici.	I am glad to be here.
Je suis désolé d'apprendre cela.	I am very sorry (grieved) to learn that.
Je regrette de ne pas pouvoir venir.	I am sorry not to be able to come.
or	
Je regrette que je ne puisse pas venir.	I am sorry that I shall not be able to come.

NOTE 2   **Espérer,** *to hope,* is not a verb of emotion but a verb of thinking,
like **croire** or **penser.** Verbs of thinking used in the affirmative require the
indicative in the subordinate clause. (Further discussion of these verbs
will be found in Lesson 15.)

Nous espérons qu'il se remettra rapide-ment.	We hope he will recover quickly.
Je crois que vous avez tort.	I believe you are wrong.

[IX]
Reword the following sentences in the subjunctive.

EXAMPLE   Vous êtes ici. Je suis heureux.
Je suis heureux que vous soyez ici.

1. Nous partons. Ils sont tristes.
2. Vous arriverez en retard. Je le crains.
3. Tu ne sais pas cela? Je suis surpris.
4. Il sera furieux. Nous avons peur.
5. Ils peuvent venir? Nous sommes enchantés.
6. Elle ne veut pas le voir. Il est étonné.
7. Vous n'y allez pas? Nous le regrettons.
8. Nos amis réussissent. Nous sommes contents.
9. Tu vas en Europe? Ta mère doit être heureuse.
10. Vous ne pouvez pas dîner avec nous. Nous sommes désolés.

[X]
Reword the following sentences, expressing the same meaning with an
infinitive verb.

EXAMPLE   Vous n'êtes pas ici, donc vous êtes heureux.
Vous êtes heureux de ne pas être ici.
1. Nous partons. Nous sommes tristes.
2. Vous arriverez en retard; vous le craignez.
3. Tu ne sais pas cela? Tu es surpris!
4. Il sera en avance. Il en a peur.
5. Ils peuvent venir. Ils sont enchantés.
6. Elle ne le voit pas. Elle est étonnée.
7. Nous n'y allons pas. Nous le regrettons.
8. Nos amis réussissent. Ils sont contents.
9. Tu vas en Europe? Tu dois être heureux!
10. Nous ne pouvons pas dîner avec vous. Nous en sommes désolés.

VERB REVIEW

What are the endings of the future? Are there any exceptions?
What are the principal parts of **croire** (Table 1); **vouloir, faire** (Table 2)?
What forms of **vouloir** and **faire** cannot be derived from the principal parts?
Conjugate these verbs in all simple tenses.

Vocabulary Distinctions

Expressions for dates

In French, cardinal numbers are used for dates, except for *first*, which is translated **premier.*** The figure is usually preceded by the definite article and followed by the month.

* This applies also to numbers following names of sovereigns: **François I**, read **François premier**; **Henri IV**, read **Henri quatre**. Note that no article is used before the number.

le vingt juin, le 20 juin	the twentieth of June, June 20th
le premier (1ᵉʳ) avril	the first of April, April 1st
Quel jour sommes-nous?	
Quel date est-ce aujourd'hui?	What is the date today?
C'est aujourd'hui jeudi le 21 janvier.	Today is Thursday the 21st of January.
C'est aujourd'hui le 21.	Today is the 21st.
15/9/59 (*day, month, year*)	9/15/59 (*month, day, year*)
Quel jour (à quelle date) arriverez-vous?	On what day (on what date) will you arrive?
J'arriverai le 20 (mai).	I shall arrive (on) the 20th (of May).

Il vient samedi. (*one occurrence*)	He is coming (on) Saturday.
Il vient le samedi. (*regular occurrence, shown by the definite article*)	He comes on Saturdays.
d'aujourd'hui en huit	a week from today
de demain en quinze	two weeks from tomorrow
d'ici un mois (un an)	a month (year) from now (today)
il y a un mois	a month ago
il y a eu un mois hier (mardi)	a month ago yesterday (last Tuesday)
il y aura un mois demain (mardi)	a month ago tomorrow (next Tuesday)
la semaine prochaine	next week
le mois dernier (passé)	last month
une quinzaine de jours*	about two weeks
une huitaine de jours*	about a week
en avril, au mois d'avril	in April, in the month of April
en été, en automne, en hiver, *au* printemps	in the summer, autumn, winter, spring

* See Appendix IV for numerals used as nouns with the suffix -aine. Also note that the French loosely use **huit jours** for **une semaine** and **quinze jours** for **deux semaines**.

NOTE   Days of the week and names of the month are not capitalized in French. Names of days, months, and seasons are all masculine.

Jour, Journée; Matin, Matinée; Soir, Soirée

Jour, matin, soir express simple divisions of time; **journée, matinée, soirée** are used to stress both the duration and the content of a division of time.

Il m'a téléphoné ce matin (ce soir).	He telephoned me this morning (this evening).
La matinée (la soirée) m'a semblé longue.	The morning (the evening) seemed long to me.
J'ai passé la journée à la campagne.	I spent the day in the country.
J'ai passé deux jours à Paris.	I spent two days in Paris.

Note the construction **toute la matinée, toute la soirée**, etc., to translate *the whole morning, the whole evening*. Note also that *in the morning, in the evening*, etc., when used in a general sense or to indicate recurrence, are translated **le matin, le soir**. *In the daytime* is translated **le jour**.

<table>
<tr><td align="center">Last night</td><td align="center">Tonight, This evening</td></tr>
<tr><td align="center">La nuit dernière, Hier soir</td><td align="center">Ce soir</td></tr>
<tr><td align="center" colspan="2">Tonight, During the night</td></tr>
<tr><td align="center" colspan="2">Cette nuit</td></tr>
</table>

Last night may be expressed in two ways: **la nuit dernière**, where **nuit** carries the meaning nighttime, or the time when people are reasonably expected to be in bed; and **hier soir,** where **soir** refers to the part of the night before retiring.

With the verb in a past tense, **cette nuit** is sometimes used instead of **la nuit dernière.** It is safer, however, to use the latter.

Nous avons joué au bridge hier soir.	We played bridge last night.
J'ai mal dormi la nuit dernière (cette nuit).	I slept badly last night.
Je dormirai bien cette nuit.	I shall sleep well tonight.
Voulez-vous aller au cinéma ce soir?	Would you like to go to the movies tonight?
Ils arriveront cette nuit.	They will arrive during the night.

Year
An, Année

An is generally used with cardinal numbers, unless it is qualified. In other cases, **année** is used. In a few cases, either **an** or **année** may be used.

trois ans, cinq ans	three years, five years
un an, une année	one year, a year
l'année dernière, l'an dernier (passé)	last year
l'année prochaine, l'an prochain	next year
Nous avons passé trois bonnes années en Italie.	We spent three good years in Italy.
il y a quelques années	a few years ago
Ces deux dernières années la récolte a été mauvaise.	These last two years the crop has been poor.

Until   *Not until*
Jusqu'à   Pas jusqu'à, Pas avant

Jusqu'à is used to state the time when an activity or state will come (or came) to an end.

Je travaillerai jusqu'à midi.	I shall work until noon.
Il vous a attendu jusqu'à trois heures.	He waited for you until three o'clock.

Pas jusqu'à indicates that the action will not be (or has not been) continued up to a stated time.

Je n'ai pas l'intention de rester ici jusqu'à ce soir.	I do not intend to stay here until tonight.
Je ne travaillerai pas jusqu'à midi.	I shall not work until (right up to) noon.

Pas avant indicates that an act does not, did not, or will not begin before a stated time. **Pas avant** must be used whenever *not until* has the meaning of *not before*.

Le train ne part pas avant cinq heures.	The train does not leave until (before) five o'clock.
Ce magasin n'ouvrira pas avant la semaine prochaine.	This store will not open until next week.

Note the other meaning of **jusqu'à** ('en): *as far as, up to, to:*

Je vous accompagnerai jusqu'au bout de la rue.	I shall accompany you as far as the end of the street.
Nous pouvons vous prêter jusqu'à 100.000 francs.	We can lend you up to 100,000 francs.
Ils ne sont pas allés jusqu'en Russie.	They did not go as far as Russia.

No longer (Not any longer)
Ne . . . plus, Ne . . . pas plus longtemps

No longer, meaning *no more* (*not any more*) and indicating the cessation of an activity or state is translated **ne . . . plus.**

Il n'est plus fatigué.	He is no longer (has ceased to be) tired.

Not any longer referring to length of time is translated **ne . . . pas plus longtemps** (the comparative of **longtemps**).

Je ne peux pas rester plus longtemps.	I can't stay any longer.

[XI]

Complete the following sentences, using the indicated substitutions and making all necessary changes.

1. Nous les verrons d'aujourd'hui en huit.
   _____ quinze.
   _____ de demain _____.
   Vous _____.
   _____ d'ici un mois.

2. Il y aura un mois demain que nous les avons rencontrés.
   _____ vous _____.
   ___ a eu _____ hier _____.
   _____ qu'il _____.
   _____ une quinzaine de jours _____.

3. Il arrivera chez nous mardi.

——————————— vous ——.

——————————— le vingt.

Nous ———————————.

——————————— en avril.

4. Il compte arriver le premier août.

——————— quinze ———.

——————— partir ———————.

——————————— samedi.

——————————— ce soir.

5. Nous n'allons pas en classe le matin.

——————————————— soir.

——————————————— dimanche.

Tu ———————————————.

——————————————— lundi.

[XII]

Reword the following sentences, utilizing the appropriate choice given in parentheses.

EXAMPLE   Je l'ai vu.   (ce matin, cette matinée)
          Je l'ai vu ce matin.

1. Nous allons les voir.   (ce soir, cette soirée)
2. L'enfant doit y passer.   (le jour, la journée)
3. Ils ont mal dormi.   (ce soir, la nuit dernière)
4. Nous comptons bien dormir.   (ce soir, cette nuit)
5. Elle fait le ménage.   (le matin, la matinée)
6. Il va être à Paris.   (pendant deux ans, pendant deux années)
7. Mon mari m'a téléphoné.   (hier soir, ce soir)
8. Il y a beaucoup de fruits.   (cet an, cette année)

[XIII]

Reword the following sentences using **jusqu'à.** Make all necessary changes.

EXAMPLE   Nous ne serons pas ici après dix heures.
          Nous serons ici jusqu'à dix heures.

1. Je ne vous accompagnerai pas plus loin que votre porte.
2. Mes parents ne seront plus chez eux après deux heures.

3. Il n'est pas venu moins de cent personnes.
4. Ne lis pas plus tard que minuit.
5. Il ne fume pas moins d'un paquet de cigarettes par jour.
6. N'allons pas plus loin que la barrière.
7. Elle ne sera plus à la campagne après jeudi.
8. Il ne travaille pas moins de quarante heures par semaine.

IDIOMATIC EXPRESSIONS

aller en classe   to go to school
avoir lieu   to take place
avoir peur (de)   to be afraid (of), fear
cela est arrivé   this has happened
en fait   as a matter of fact
faire le ménage   to do the house(work)
jouer du piano   to play the piano
recevoir des nouvelles   to hear from
savoir   to know how (to)
se marier   to get married
s'endormir   to fall asleep
s'occuper (de)   to attend to, take care of
se promener   to take a walk
se rendre compte (de)   to realize
tous les jours   every day

Le Cadeau

(*suite*)

Mme Lepoupin reçut le surlendemain, de Mme Girardon, le plus gentil billet du monde:

« Pourquoi, vous deux, nous gâtez-vous de la sorte, chère amie? Et que je vous gronderais si je n'éprouvais pas tant de plaisir! Tout ce qui vient de vous est toujours d'un goût charmant, mais cette fois . . . »

Ce n'était pas exactement les termes, vous concevez bien, mais ils signifiaient absolument la même chose.

La vérité est que M. Girardon, d'un autre tempérament que M. Lepoupin, et qui porte toujours, lui, un canif dans sa poche, avait coupé la ficelle avec décision, devant sa femme, qui était là. Et il avait dit:

— Qu'est-ce que c'est que cette saleté! Les Lepoupin feraient mieux de ne rien nous envoyer du tout . . . A qui allons-nous pouvoir recoller ça?

— C'est dommage, répondit Mme Girardon, que ça ne soit pas arrivé deux jours plus tôt. Maintenant tous nos cadeaux sont faits!

— Alors, conclut M. Girardon, fiche-moi ça dans une armoire, jusqu'à l'année prochaine.

Les déplacements de ce morceau de cuivre ciselé furent nombreux et variés. Son odyssée, s'il eût été doué de sensibilité, d'intelligence, de mémoire, lui eût révélé de multiples intérieurs, des aspects bien divers de la bourgeoisie parisienne, et il fréquenta jusqu'à la province. En 1914, il alla chez un ingénieur, homme fort insoucieux des beaux arts, mais qui, l'ayant méticuleusement examiné, estima qu'il fuyait. En 1915, il partit pour Limoges, chez un général. En 1916, le général en fit don à un député qui, l'année suivante, l'adressa à M. Tahureau, le journaliste bien connu. Mais Mme Tahureau, qui n'aimait que « l'ancien, » lui déclara que pour un empire elle ne saurait [1] garder chez elle cette horreur. En conséquence, elle suggéra que l'objet ne pouvait convenir qu'à un nouveau riche. Il arriva donc, en 1918, entre les mains des Corbulon, qui se sont acquis une fortune presque illimitée dans les cirages militaires.[2]

QUESTIONS

1. Qu'est-ce que Mme Lepoupin a reçu le surlendemain? 2. L'auteur donne-t-il exactement les termes de ce billet? Mais que signifiaient-ils? 3. Qui était présent quand le paquet est arrivé? 4. M. Girardon aurait-il, comme Lepoupin, attendu que sa femme fût là pour l'ouvrir? Donnez-en la raison. 5. Pourquoi ne peuvent-ils pas « recoller » le cadeau à quelqu'un tout de suite? 6. Qu'est-ce que M. Girardon ordonne à sa femme? 7. A qui ont-ils envoyé le vase l'année d'après? 8. Pour quelles raisons celui-ci s'est-il débarrassé du vase? 9. Pourquoi la femme du journaliste ne saurait-elle garder le vase chez elle? 10. Pour quelle raison l'a-t-elle envoyé aux Corbulon?

IDIOMATIC EXPRESSIONS

c'est dommage it is too bad
ficher (*slang*) to stick
fort insoucieux de caring very little
le plus gentil . . . du monde the nicest in . . .
nouveau riche upstart

recoller (*slang*) to pass on
(le) surlendemain two days later
tout all, every; **du —** at all
vous concevez bien you may well realize

[1] ne savoir = ne pas pouvoir.
[2] I.e., supplying shoe polish to the armed forces.

Lesson **4**

Grammar and Usage

I. THE DEFINITE ARTICLE

The definite article: **le, la, l', les. Le** and **les** contract with the preposition **de** into **du** and **des,** with the preposition **à** into **au** and **aux.**

1. The definite article expresses the English *the.* It is normally repeated before each noun of a series; the prepositions **à, de,** or any other prepositions are also repeated. This applies to ALL articles.

Passez-lui le sucre.	Pass him the sugar.
Voici la robe, le manteau et le chapeau qu'elle a choisis.	Here are the dress, coat, and hat she has chosen.
Nous parlions des romans et des pièces de Jules Romains.	We were talking of the novels and plays of Jules Romains.
Nour irons chez le dentiste et chez le médecin.	We shall go to the dentist and the doctor.

2. The definite article is also used in French, although not in English:
a. Before nouns used in a general sense (i.e., referring to all of their kind or considering a thing as a class); before abstract nouns; and before names of seasons (but not months).

Le **dîner est prêt.**	Dinner is ready.
Les **tigres sont féroces.**	Tigers are ferocious.
La **charité est une vertu.**	Charity is a virtue.
Le **printemps n'est pas loin.**	Spring is not far.

b. Before titles even when followed by a proper noun, and before proper nouns preceded by an adjective. But the article is not used in direct address, nor before **monsieur, madame, mademoiselle** followed by a proper noun.

51

Le capitaine Brieux est parti.	Captain Brieux has left.
La petite Marie est jolie.	Little Mary is pretty.
J'ai vu madame Brun.	I saw Mrs. Brown.
Nous avons parlé à monsieur G.	We spoke to Mr. G.
but	
Comment allez-vous, capitaine B.?	How are you, Captain B.?
Bonjour, docteur.	Good morning, Doctor.

NOTE   In formal or respectful address, **monsieur, madame, mademoiselle** are used before the title, and the article is retained: **monsieur le général, madame la comtesse.**

c. Before most geographical names, but not before cities, unless the name of the city is qualified by an adjective or adjective phrase.

la France, le Mississippi, le Vermont, le Mont Blanc
Paris, *but,* **le vieux Paris, le Paris du VIIIᵉ siècle**

NOTE   With a few cities the article is part of the name: **le Havre, la Rochelle,** etc.

d. Before names of languages, except after the verb **parler** and the preposition **en.**

| Il lit *l*'espagnol couramment. | He reads Spanish fluently. |
| Nous parlons français en classe. | We speak French in class. |

However, if the name of a language is qualified, the definite article is retained: **Ce n'est pas à Paris qu'on parle le français le plus pur.**

[I]

Reword the following sentences, using the words given in parentheses and making all necessary changes.

EXAMPLE   C'est prêt! (déjeuner)
Le déjeuner est prêt!

1. C'est ma saison favorite. (été)
2. Ce n'est pas toujours facile. (vie)
3. Ils sont dans le placard. (chapeau et gants)
4. C'est une belle langue. (français)
5. Il est en permission. (lieutenant)
6. C'est la chose du monde la mieux partagée. (bon sens)
7. Ce sont des animaux très indépendants. (chats)
8. Il passe vite en vacances. (temps)
9. C'est un vice. (avarice)
10. Il passe trop vite. (temps)

II. THE INDEFINITE ARTICLE

1. The indefinite article **un** (*fem.* **une**) expresses the English *a* (*an*). The indefinite plural is expressed in French by **des**.

Un **monsieur vous demande.**	*A* gentleman is asking for you.
Il a *une* **plume et** *un* **crayon.**	He has *a* pen and *a* pencil.
Il a *des* **plumes et** *des* **crayons.**	He has pens and pencils. (*an indefinite number*)

2. In a general negation (see Section III, below) the indefinite article is replaced by **de**, unless **un** or **une** means *one*.

Je n'ai pas *de* **chapeau.**	I have no hat.
Il n'a pas *d'***amis.**	He has no friends.
Quoi, pas *un* **(seul) ami?**	What, not *one* (single) friend?

[II]

Make the following sentences plural.

EXAMPLE   Un garçon a posé une question.
Des garçons ont posé des questions.

1. Donnez-nous une cigarette.
2. Ils ont une idée étrange.
3. Nous nous rappelons une histoire.
4. Ces choses se vendent à un prix incroyable.
5. Ils nous ont envoyé un paquet.
6. Nous aimerions avoir une garantie.
7. Les Lepoupin ont un principe.
8. Nous n'aimons pas laisser un talent se perdre.

[III]

Put the following sentences in the negative.

EXAMPLE   L'antiquaire a des vases.
L'antiquaire n'a pas de vases.

1. La pharmacie a des vaccins.
2. L'avocat a des clients.
3. Cette rose a des épines.
4. Les poissons mangent des vers.
5. Le boulanger dit des vers.
6. La maman achète des verres.

7. Le petit garçon fait des grimaces.
8. La demoiselle répand des calomnies.

III. THE PARTITIVE ARTICLE

1. The partitive article is formed with the preposition **de** plus the definite article. It indicates that a certain amount of a thing is involved or viewed as part of a whole, and corresponds to the English *some* or *any*, expressed or understood. Note that **des** may express either the partitive plural or the indefinite plural (see Section II, above).

Donnez-lui *du* **pain.**	Give him some bread.
Avez-vous *du* **sucre?**	Have you any sugar?
Elle a acheté *des* **légumes.**	She bought (some) vegetables.

WARNING When translating an English sentence into French, it is important to distinguish whether a noun is used in a general or partitive sense. The English sentence may not reflect the difference, but the distinction is always made in French by means of the article.

Les Français aiment *le* **pain.**	The French like bread. (*in general*)
Ils mangent *du* **pain à tous leurs repas.**	They eat bread (*a certain amount*) with all their meals.
Ils n'aiment pas *le* **lait autant que les Américains.**	They do not like milk as much as the Americans (do).

2. The preposition **de** alone is used in a general or unrestricted negation which denies that something exists or is available, wanted, needed, etc., in any amount. A negation followed by **de** means *no, not any*.

Il n'y a pas *d'***espoir.**	There is no (not any) hope.
Elle ne boit jamais *de* **vin.**	She never drinks any wine.
Il ne veut pas *de* **viande.**	He does not want any meat.

WARNING Be careful to distinguish between a general negation and a restricted negation. Note that in the following examples the existence of the thing is not denied, therefore, the negation is no longer general and the partitive, or the indefinite, article is used.

Il n'a pas mangé *du* **gâteau que vous lui avez envoyé.**	He did not eat any of the cake which you sent him.
Nous n'avons pas acheté *des* **verres pour que vous les cassiez.**	We did not buy glasses for you to break.
Ce ne sont pas *des* **choses à dire devant les enfants.**	These are not things to say in front of children.

NOTE   With the interrogative negative the partitive article or **de** alone may be used according to the meaning:

N'avez-vous pas *d'*argent?	Haven't you *any* money?
Ne me devez-vous pas *de l'*argent?	Don't you owe me *some* money?
Vous avez des livres russes, n'avez-vous pas aussi *des* livres polonais?	You have Russian books; haven't you also (*some*) Polish books?

3. De without the article is used after adverbs and nouns of quantity.

Elle a trop *de* bijoux.	She has too many jewels.
Y a-t-il assez *de* lumière?	Is there enough light?
une douzaine *d'*œufs	a dozen (of) eggs
une boîte *de* bonbons	a box of candy

WARNING   Be careful to distinguish between sentences such as:

J'ai acheté beaucoup *de* pommes.	I bought *a lot of* apples.
J'aime beaucoup *les* pommes.	I like apples *a lot*.

In the first sentence **de** is used because the adverb determines the quantity of apples. In the second sentence **beaucoup** modifies the verb; the definite article **les** is used because **pommes** is taken in a general sense.

NOTE   **Du, de la, des** are used after **bien** (*a good many, a good deal*), **la plupart** (*most, most of*), and related expressions such as **la majorité, la plus grande partie. La plupart** is almost always used with a plural noun except in **la plupart du temps**; before a singular noun **la plus grande partie** is used.

la plupart des gens	most (of the) people
dans bien des cas	in a good many (of the) cases
bien de la patience	a good deal of patience
la plus grande partie de l'assistance	most of the audience

It may be noted here that whenever *of the* is used in English, **de** plus the definite article is used in French.

4. De alone may be used when a qualifying adjective precedes the noun. However, modern usage requires **du, de la, de l'** when the noun is singular and **de** when it is plural.

Il m'a offert *de l'*excellent thé.	He offered me some excellent tea.
Elle porte *de* jolies robes.	She wears pretty dresses.

But, when the adjective is part of a compound noun, hyphenated or not, **des** must be used.

des grands-pères	grandfathers
des petits-enfants	grandchildren
des petits pois	green peas
des jeunes gens	young people, youths

[IV]

In the following sentences replace the verb by the corresponding form of **aimer,** making all necessary changes to give a more general meaning to the sentence.

EXAMPLE   Les Français boivent du bon vin.
Les Français aiment le bon vin.

1. Nous écoutons de la musique.
2. Jean lit des romans.
3. Le chat boit du lait.
4. Les enfants mangent du chocolat.
5. Ma mère cueille des fleurs.
6. Nous faisons des promenades.
7. Elle choisit des parfums.
8. Il achète des livres.

[V]

Combine the following sentences so that the adverb or expression of quantity of the second will modify the object of the first.

EXAMPLE   Je voudrais des cigarettes. J'en voudrais un paquet.
Je voudrais un paquet de cigarettes.

1. Nous avons du travail. Nous en avons trop.
2. Elle veut des chocolats. Elle en veut une boîte.
3. Achetez des œufs. Achetez-en une douzaine.
4. Avez-vous des couvertures? En avez-vous assez?
5. Ils boivent du vin. Ils en boivent une bouteille.
6. Les voisins font du bruit. Ils en font beaucoup.
7. Elles prennent du thé. Elles en prennent une tasse.
8. Nous avons de l'argent. Nous en avons peu.
9. Il lui envoie des fleurs. Il lui en envoie un bouquet.
10. Vous cueillez des fruits. Vous en cueillez un panier.

[VI]

Reword the following sentences using the adverb given in parentheses.

EXAMPLE Il reçoit des lettres. (trop)
Il reçoit trop de lettres.

1. Ils achètent des fruits. (peu)
2. Ils aiment les fruits. (peu)
3. Vous élevez des animaux. (beaucoup)
4. Vous aimez les animaux. (beaucoup)
5. Il raconte des histoires. (trop)
6. Il change l'histoire. (trop)
7. Tu as de l'argent. (assez)
8. Tu aimes l'argent. (assez)

[VII]

Reword the following sentences, modifying the object with the expressions given in parentheses.

EXAMPLE Il passe le temps à étudier. (la plupart)
Il passe la plupart du temps à étudier.

1. Nous avons étudié les leçons. (la plupart, bien, la plus grande partie)
2. La pièce a plu à l'assistance. (la plus grande partie, la majorité)
3. Ici, il connaît les gens. (la plupart, bien, la majorité, la plus grande partie)

[VIII]

Put the following sentences in the plural.

EXAMPLE Ils boivent du bon vin.
Ils boivent de bons vins.

1. Elles préparent un bon gâteau.
2. Ils achètent de la belle étoffe.
3. Ils nous ont vendu du mauvais vin.
4. Mes parents ont fait un long voyage.
5. Dans le jardin il y a un vieux pommier.
6. Nous cultivons de la bonne salade.
7. Nos amis sont venus pour une courte visite.
8. Ils choisissent de la jolie soie du Japon.

IV. OMISSION OF THE ARTICLE

1. The indefinite, more rarely the definite, article is omitted before nouns or phrases in apposition when the apposition serves merely to identify. It is retained, however, when the apposition serves to distinguish, contrast, specify, or single out. Compare the following examples:

Philadelphie, ville des Etats-Unis, centre industriel important, ...	Philadelphia, a city of the United States, an important industrial center, ...
Philadelphie, *la* ville des Etats-Unis où a été déclaré l'indépendance, ...	Philadelphia, the city of the United States where independence was declared, ...
M. B., député socialiste, a voté contre la réduction des impôts.	Mr. B., a socialist deputy, voted against a reduction of taxes.
M. B., *le* député socialiste bien connu, a voté ...	Mr. B., the well-known socialist deputy, voted ...
Voici le docteur G., spécialiste des maladies de cœur.	Here is Dr. G., a specialist in heart diseases.
Voici le docteur G., *un* spécialiste en qui j'ai pleine confiance.	Here is Dr. G., a specialist in whom I have full confidence.

2. Predicate nouns of nationality, profession, religion, class, category, etc., are used adjectively in French and, therefore, the indefinite article used in English is omitted in French. But, when the predicate is qualified by an ADJECTIVE or an ADJECTIVE CLAUSE, the article is retained. Compare:

Quand il était enfant ...	When he was a child ...
Paul est officier.	Paul is an officer.
Paul est *un excellent* officier.	Paul is an excellent officer
Elle est Américaine.	She is an American.
C'est *une* Américaine *que je connais* depuis longtemps.*	She is an American whom I have known for a long time.
Il est resté célibataire toute sa vie.†	He remained a bachelor all his life.
Oui, c'est *un* célibataire *endurci*.*	Yes, he is a confirmed bachelor.

* For the use of **ce** as subject of **être** when it is followed by a noun, see Lesson 12, page 192.
† Note that **toute sa vie** is an adverbial phrase, not an adjective.

3. The definite, indefinite, or partitive article is omitted after **sans** before nouns used in an indefinite unrestricted sense, and after **avec** before UNQUALIFIED ABSTRACT nouns. The article is retained in other cases.

Elle est sortie sans permission.	She went out without permission.
Elle est sortie sans *la* permission *de sa* mère.	She went out without her mother's permission.
Il se bat avec courage.	He fights with courage.
Oui, avec *un* courage *remarquable*.	Yes, with a remarkable courage.
Il se promène avec un (des) ami(s).	He is taking a walk with a (some) friend(s).

4. The partitive or the indefinite article, but NOT the definite article, is omitted after **ni ... ni ...**

Je n'ai ni plume ni encre.	I have neither pen nor ink.
Il n'a ni *le* temps ni *les* moyens de voyager.	He has neither the time nor the means to travel.

5. After verbs or expressions which require **de** before their complement, the definite article is not used when the noun is considered in a partitive sense or in a general undetermined sense. The indefinite article **un** or **une** is usually retained in a positive statement.

Il manque d'enthousiasme.	He lacks enthusiasm.
Ils sont pleins de bonne volonté.	They are full of good will.
J'ai besoin de gants chauds et d'un manteau d'hiver.	I need warm gloves and a winter coat.

But when the meaning of the noun is restricted by a qualifying phrase or clause, or when a specific item is referred to, the definite article is used as in English.

Il manque de *l'*enthousiasme nécessaire pour réussir.	He lacks *the* necessary enthusiasm to succeed.
J'ai besoin des outils que je vous ai prêtés.	I need the tools I lent you.
J'ai besoin de la voiture.	I need the car. (*a particular car is involved*)

6. With few exceptions, the article is not used after the preposition **en**. Some of the common exceptions are **en l'honneur, en l'absence, en l'air.** The article is not used either in many expressions composed of a preposition and a noun, a verb and a noun, and others. These can only be learned from observation and practice.

en route (chemin), en mer, en pleine mer, en paix, en honnête homme	on the way, at sea, on the open sea, in peace, as an honest man
par hasard, entre amis, à vue	by chance, between friends, on sight
perdre courage, demander grâce	to lose courage, to ask (for) mercy
être en colère	to be angry

Note that in many cases the omission of the article corresponds to its omission in English. Note also:

Il a perdu *le* courage de résister.	He lost *the* courage to resist.
par *un* hasard extraordinaire	by *an* extraordinary chance
entre *des* amis comme nous	between friends like us

[IX]

Replace the relative clause by an apposition.

EXAMPLE Paris, qui est la capitale de la France, est aussi un port fluvial.
Paris, capitale de la France, est aussi un port fluvial.

1. Le « France, » qui est le plus grand bateau français, est arrivé ce matin à New York.
2. Maître Dupont, qui est un avocat, a décidé de le défendre.
3. Jean Durand, qui est un journaliste bien connu, a écrit une série d'articles pour ce journal.
4. Brest, qui est un port militaire, est situé en Bretagne.
5. Un groupe théâtral présentera *Le Cid*, qui est une tragi-comédie en cinq actes.
6. M. Smith, qui est le sénateur qui représente notre état, va faire une conférence demain.

[X]

Reword the sentence without the adjective or modifier.

EXAMPLE Mon père est un officier de carrière.
Mon père est officier.

1. Son ami est un jeune Américain.
2. Mon oncle est un célibataire endurci.
3. Maître Durand est un excellent avocat.
4. Peter est un Anglais que nous connaissons bien.
5. M. Jamois est un médecin bien connu.
6. Son père est un vieux fermier.
7. Mon frère est un très bon professeur.
8. Jacques est un Français de la métropole.

[XI]

Reword the following sentences using the adjective or qualifier given in parentheses, making all necessary changes.

EXAMPLE   Elle est partie sans chapeau. (celui qu'elle a acheté)
Elle est partie sans le chapeau qu'elle a acheté.

1. Il a répondu avec humilité. (feinte)
2. Nous ne pouvons pas travailler sans outils. (ceux dont nous avons besoin)
3. Vous ne pouvez pas réussir sans effort. (sérieux)
4. Elle a supporté cela avec patience. (celle que vous lui connaissez)
5. Il est parti sans valise. (celle de son père)
6. Vous avez passé vos examens avec succès. (mérité)
7. Elle a agi avec maladresse. (celle qui lui est habituelle)
8. Il parle sans connaissances. (les plus élémentaires)

[XII]

Reword the following sentences in the negative, using **ne . . . ni . . . ni . . .**

EXAMPLE   Nous avons du vin et du lait.
Nous n'avons ni vin ni lait.

1. Nous lisons l'allemand et l'espagnol.
2. Cet enfant a un frère et une sœur.
3. Elle mange de la viande et du poisson.
4. Après le dîner on nous a servi des fruits et de la tarte.
5. Nous avons pris le train et l'autobus.
6. Chez eux il y a un chien et un chat.
7. Son père lui permet de se servir de la voiture et de la motocyclette.
8. Il a du courage et de l'ambition.
9. Il a le courage et l'ambition nécessaires pour réussir.
10. Il aura le temps et la patience d'écrire ce long traité.

[XIII]

Remove the qualifying phrase, clause, or adjective from the following sentences.

EXAMPLE   J'ai besoin des livres que je vous ai prêtés.
J'ai besoin de livres.

1. Il manque de la plus simple politesse.
2. Nous avons besoin des allumettes qui sont sur la table.
3. Elle a dû se passer de l'aide de ses parents.
4. Ils ont parlé de la littérature française.
5. Son oncle s'occupe de l'exportation des automobiles.

62 LESSON 4

6. Il est plein de la fougue propre à la jeunesse.
7. Sa sœur revient du voyage dont je vous parlais.
8. Il a besoin de l'argent qu'il a perdu.
9. Il est plein d'une volonté de fer.
10. Il revient d'un voyage aux Etats-Unis.

VERB REVIEW

What are the principal parts of **écrire, lire** (Table 1); **dire** (Table 2)? What is the only form of **dire** which is not derived from a principal part? Conjugate the above verbs in all simple tenses.

Vocabulary Distinctions

A (An) before nouns of measure
Le, La, Les, Par

Before nouns of weight, length, capacity, etc., use **le, la, les;** before nouns of time use **par.**

trois cents francs le mètre (la livre, le kilo)	three hundred francs a meter (a pound, a kilo)
soixante-quinze francs la douzaine	seventy-five francs a dozen
2500 francs l'hectare	2500 francs a hectare
6000 francs par mois	6000 francs a month
quatre fois par mois	four times a month
huit heures par jour	eight hours a day
250 kilomètres par jour	250 kilometers a day

De and **à** are used as follows:

deux dollars de l'heure	two dollars an hour
60 milles à l'heure	60 miles an hour
au poids	by weight
à la douzaine	by the dozen

Only
Ne . . . que, Seulement, Seul

Ne . . . que can be used only with a verb followed by an object or attribute; **que** is placed before the word it modifies.

Je n'ai vu que Paul.	I saw only Paul.
Je n'ai envoyé des cadeaux qu'à mes enfants.	I sent presents only to my children.

Seulement is used to express the idea of *only* when there is no verb, when *only* refers to the subject, and when *only* modifies the verb.

Qui est arrivé? — Seulement Marie.	Who has arrived? — Only Mary.
Quelques-uns seulement ont réussi.	Only a few succeeded.
Ne courez pas, marchez seulement.	Don't run; just (only) walk.
Je veux seulement que vous lisiez cet article.	I only want you to read this article.

Only, used as an adjective, is translated **seul.**

mes seuls amis	my only friends
son seul espoir	his only hope

NOTE **Ne ... que** also means *nothing but:* **il ne fait que des erreurs,** *he does nothing but make mistakes.*

Hardly (Scarcely)
Ne ... guère, A peine

A careful distinction must be observed in the use of these adverbs. **Ne ... guère** is a synonym of **ne ... pas beaucoup.** An easy rule of thumb is to try to substitute *not much, not many,* or *not very* for *hardly (scarcely)* in the English sentence.

Use **ne ... guère** if the sense permits the substitution.

Je n'ai guère dormi cette nuit.	I scarcely slept (did not sleep much) last night.
Il n'est guère poli.	He is hardly (not very) polite.

Use **à peine** if the sense does not permit the substitution.

J'ai à peine commencé.	I have hardly begun.

A peine may be used for emphasis instead of **ne ... guère** to convey the meaning of *almost not at all:*

Il est à peine poli. (*emphatic*)

Hardly (scarcely) any with a partitive noun MUST be translated **ne ... guère de.**

Nous n'avons guère d'amis.	We have hardly any friends.

NOTE **Guère** and **à peine** follow the verb, or the auxiliary in compound tenses.

De and A with nouns used adjectively

Except for some hyphenated compound nouns, in French a noun CANNOT be used to qualify another noun without using a preposition, generally the preposition **de.**

une femme de chambre, un médecin   a chambermaid, a country doctor
de campagne

When the qualifier expresses use, fitness, or characteristic, the preposition **à** is generally used.

une tasse à thé, un bateau à voile   a teacup, a sailboat

The above distinction is not without exceptions, for example: **salle de bains, table de travail.** These can be learned only from observation and practice.

Note also: **une tasse à café** and **une tasse de café,** *a coffee cup* and *a cup of coffee.*

With nouns denoting the material of which an object is made, the prepositions **de** or **en** are used. There is no definite rule governing their use; in many cases either one is correct, however **de** is preferred for clothing materials, and **en** must be used to avoid ambiguity when **de** might also convey the meaning *of, full of.*

un sac en argent	a silver bag
un sac d'argent	a bag of money
une robe de soie	a silk dress
un chapeau de paille	a straw hat
des chaussettes de laine	wool (woolen) stockings*
une montre en (d')or	a gold watch

* There are no adjectives in French corresponding to *woolen, woody,* etc. Such adjectives as **laineux, argenté, soyeux,** mean *woolly, silvered* or *silvery, silky.*

In, To with geographical names
A, En, Dans

The French do not distinguish between the locational *in* and the directional *to* with separate prepositions as we do in English. The preposition used (**à, en,** or **dans**) is determined by the nature of the geographical name. The preposition is repeated before each name in a series.

1. Use **à,** without the article, before all names of cities.

à Londres, à Boston, à Moscou   in (to) London, Boston, Moscow

2. Use **en,** without the article, before singular feminine names of continents, countries, and important subdivisions such as states or provinces.

en Asie, en Espagne, en Floride, en   in (to) Asia, Spain, Florida, Burgundy
Bourgogne

En is also used before masculine names of countries beginning with a vowel: **en Iran.**

3. Use **à** with the definite article (contracted in the regular way) before masculine and all plural names of countries.

au Maroc, aux Etats-Unis   in (to) Morocco, the United States

NOTE   The names of all continents are feminine. Most names of countries, states, etc., ending in **e** are feminine. **Le Mexique** is the only exception among the larger countries. (In case of doubt, consult a dictionary.)

4. Use **dans,** with article, before names qualified by an adjective or adjective phrase.

dans l'Afrique équatoriale, dans l'Amé-   in (to) Equatorial Africa, South Amer-
rique du Sud   ica

For masculine names of important subdivisions such as states or provinces, the usage is not fixed. With masculine names of French provinces, **dans le** or **en** are used: **dans le Poitou, en Poitou.** Masculine names of foreign provinces usually take **dans le: dans le Michigan.**

There is no general rule for usage with names of islands. In some cases, feminine names of larger islands take **en: en Corse, en Islande,** while those of smaller islands take **à la: à la Martinique.** Many masculine names of islands take **à: à Ceylon, à Madagascar.**

From with geographical names
De, Du, Des

From is expressed by **de,** without the article, before singular feminine names of countries and cities; by **du** before masculine names; by **des** before all plural names.

le bateau d'Amérique	the boat from America
une robe de Paris	a dress from Paris
Ils nous écrivent du Portugal.	They write us from Portugal.
Nous venons des Etats-Unis.	We come from the United States.

NOTE When the article is an integral part of the name, it is retained in all cases; the preposition **à** or **de** contracts in the usual way with the article: **le Havre, au Havre, du Havre.**

Chez

The preposition **chez** used before a noun or a pronoun has the original meaning of *at (in, to) the house of*. Its meaning has been extended to place of business, shop, office, etc.

Nous avons passé la soirée chez Jean (chez moi, chez eux).	We spent the evening at John's house (at my, their house).
Elle est chez la couturière.	She is at the dressmaker's (shop).
Je vous verrai chez l'avocat.	I shall see you at the lawyer's (office).

Chez, with persons or a disjunctive pronoun, is also used to translate *with, in, among.*

Chez lui c'est une habitude.	With him it's a habit.
La pitié se trouve surtout chez les femmes.	Pity is found mostly in (among) women.

Chez nous (vous, eux) may also express *in our (your, their) country* when countries are compared.

Cela peut arriver en Chine mais pas chez nous.	That can happen in China but not in our country.

[XIV]

Complete the following sentences with the suitable expression.

EXAMPLE Ce tissu coûte douze francs. (le mètre, la douzaine)
Ce tissu coûte douze francs le mètre.

1. Les œufs coûtent trois francs. (le mètre, la douzaine)
2. Le ruban coûte un franc. (le mètre, la douzaine)
3. Le coton coûte deux francs. (le mètre, la douzaine)
4. Les huitres coûtent un dollar. (le mètre, la douzaine)
5. Nous mangeons trois fois. (par mois, par jour)
6. L'ouvrier travaille huit heures. (par mois, par jour)
7. Elle va chez le coiffeur quatre fois. (par mois, par jour)
8. L'ouvrier gagne cinq cents dollars. (par mois, par jour)
9. Cette auto peut faire cent cinquante kilomètres. (de l'heure, à l'heure)
10. On l'a payé deux cents francs. (de l'heure, à l'heure)
11. La vitesse limite est de soixante kilomètres. (de l'heure, à l'heure)
12. Il gagne deux dollars. (de l'heure, à l'heure)

[XV]

Complete the following sentences, or answer the question, with **ne...
que, seulement,** or **seul.**

EXAMPLE   Jean nous a envoyé deux lettres.
Jean ne nous a envoyé que deux lettres.
Quelques-uns sont arrivés.
Quelques-uns seulement sont arrivés.

1. Nous lirons deux livres.
2. Qui avez-vous vu? Jeanne.
3. Ils veulent se reposer.
4. Vous avez écrit à Jacques.
5. Qui est là? Moi.
6. Ne répondez pas, réfléchissez.
7. Ils nous ont dit quelques mots.
8. Ce sont mes amis.

[XVI]

Reword the following sentences using **ne...guère, à peine,** or **both**
where possible.

EXAMPLE   Nous les avons vus.
Nous ne les avons guère vus.
Nous les avons à peine vus.

1. Il a travaillé hier après-midi.
2. Nous avions commencé à lire ce livre.
3. Elle a des disques.
4. Vous êtes poli.
5. Ils ont fini la leçon.
6. Tu t'es reposé hier.
7. Nous sommes allés au musée.
8. Il a de l'appétit.
9. Le concert est terminé.
10. Il a écouté la conférence.

[XVII]

Reword the following definitions using **de** or **à.**

EXAMPLE   Un médecin qui pratique à la campagne.
Un médecin de campagne.

1. Un verre rempli de vin.
2. Des chaussettes faites avec de la laine.
3. Un bateau qui a des voiles.
4. Une tasse dans laquelle on sert du café.
5. Un sac plein d'or.
6. Des bas faits avec du nylon.
7. Une femme qui fait le ménage.
8. Un bateau qui marche à la vapeur.
9. Un verre dans lequel on sert de l'eau.
10. Un verre plein d'eau.

[XVIII]

Complete the following sentences.

1. Je voyage en Espagne.
   Tu _____ Canada.
   Il _____ France.
   Nous _____ Mexique.
   Vous _____ Etats-Unis.
   Ils _____ Amérique du Sud.

2. Je passe huit jours à Paris.
   Tu _____ Boston.
   Il _____ Nouvelle Orléans.
   Nous _____ Havre.
   Vous _____ New York.
   Ils _____ Lyon.

3. J'arrive aujourd'hui même de Suisse.
   Tu _____ Portugal.
   Il _____ Argentine.
   Nous _____ Russie.
   Vous _____ Etats-Unis.
   Ils _____ Danemark.

[XIX]

Reword the following sentences using **chez**.

EXAMPLE   Je vais à l'étude de mon avocat.
          Je vais chez mon avocat.

1. Nous allons à la boutique du boulanger.
2. Vous dînez à la maison de nos amis.

3. Je reviens du cabinet du docteur.
4. Je vous verrai à l'appartement de mes parents.
5. Elles ont passé l'après-midi dans le salon du couturier.
6. Il court à la boutique du pharmacien.
7. La famille doit se réunir à l'étude du notaire.
8. Je vous retrouverai à la maison de Pierre.

[XX]

Reword the following sentences using **chez.**

EXAMPLE Dans notre pays on ne fait pas cela.
Chez nous on ne fait pas cela.

1. Avec Jean c'est devenu une mauvaise habitude.
2. Parmi les Français on trouve de vrais amateurs de vin.
3. Dans leur pays on a de plus longues vacances.
4. Parmi les enfants il y a beaucoup de cas de rhumes.
5. Dans votre pays que pense-t-on de la situation internationale?
6. Avec Henri cette qualité en est presque devenue un défaut.
7. Dans sa province on a un accent régional.
8. Parmi les femmes on trouve d'excellents chauffeurs.

IDIOMATIC EXPRESSIONS

avec la maladresse qui lui est habituelle with her usual awkwardness
bien connu well-known
(le) cabinet du docteur doctor's office
(le) célibataire endurci confirmed bachelor
en permission on leave
(une) étude de l'avocat, du notaire lawyer's, notary's office
faire des grimaces (à) to make faces (at)
faire une conférence to give a lecture
laisser se perdre to let be wasted
maître *title given to a lawyer*
manquer de to lack
poser une question to ask a question
propre à peculiar to
se passer de to do without
se réunir to assemble, reunite
se servir de to use
se vendre to be sold
simple politesse elementary politeness

Le Cadeau
(*suite*)

Mais les Corbulon ont pris la résolution, une fois pour toutes, de ne rien avoir chez eux qui ne vienne de chez Wassermann, l'antiquaire. Ses prix sont élevés, mais quand on ne s'y connaît pas, c'est une garantie, on peut dire aux gens: « Tout ce que nous avons, ça vient de chez Wassermann. » D'autre part, les Corbulon ont conservé des habitudes d'économie. Ils ont pour principe de ne rien laisser se perdre.

Et ainsi, le 24 décembre 1919, M. Lepoupin trouva, en rentrant chez lui, un paquet enveloppé de papier brun, avec la carte des Corbulon, cette fois-ci bien en évidence. Il attendit sagement que sa femme fût présente.

— Adolphe, cria Mme Lepoupin, c'est le même!

— Le même quoi? interrogea M. Lepoupin.

— Le même cuivre d'art que nous avons reçu avant la guerre, tu ne te rappelles pas? Celui que nous avons donné aux Girardon!

— Ah! les cochons! s'écria M. Lepoupin, sincèrement scandalisé.

— Ecoute, lui représenta sa femme, avec plus de probité d'esprit, nous-même nous ne l'avions pas gardé . . .

— Ça c'est [1] vrai, admit M. Lepoupin. Personne ne voudra garder ça . . . Eh bien, il faut le bazarder. C'est la seule façon de s'en débarrasser.

Il s'en fut donc avec ce cuivre obstiné chez un marchand de curiosités.

— C'est moderne! fit ce commerçant, dédaigneusement.

— Je le sais bien, reconnut M. Lepoupin. Vous ne me l'apprenez pas . . . Je vous demande seulement ce que vous en offrez.

— Cent cinquante francs.

— Cent cinquante francs! dit M. Lepoupin. Vous dites? . . .

Ça l'impressionnait: un objet dont il n'aurait pas donné cinq sous.

— C'est le bout du monde. Voyez-vous, une machine comme ça, ç'est un article qui valait dans les trente-cinq francs avant la guerre. Mais il y a le métal. Le cuivre a monté.

— Et, interrogea M. Lepoupin, est-ce qu'il montera encore?

— Il y a des chances.

— Comment, s'écria Mme Lepoupin, une demi-heure plus tard, tu me rapportes ce . . . ce crachoir!

[1] Ça c'est = c'est (colloquial and emphatic).

— Ma chère amie, répondit M. Lepoupin, il paraît que c'est un place-ment.

QUESTIONS

1. Chez qui les Corbulon achètent-ils tout ce qu'ils ont chez eux? 2. Pour quelle raison? 3. Quelles habitudes ont-ils conservées et quel est leur principe? 4. Chez qui le vase a-t-il terminé son odyssée? 5. Qui a reconnu le vase immédiatement? 6. De quelle façon M. Lepoupin suggère-t-il de s'en débarrasser? 7. Où M. Lepoupin porte-t-il le vase? 8. Combien le marchand lui en offre-t-il? 9. Pourquoi la valeur du vase a-t-elle augmenté? 10. Qu'est-ce que M. Lepoupin décide et pourquoi?

IDIOMATIC EXPRESSIONS

bazarder   to sell (at low price)
dans les   around, about
d'autre part   on the other hand
en évidence   conspicuously
il faut   we must
il s'en fut   he went (*only used in the past definite*)
le bout du monde   the utmost
(une) machine (*colloquial*)   gadget
se débarrasser   to get rid of
se rappeler   to remember, recall
s'y connaître   to be a connoisseur
une fois pour toutes   once and for all
vous ne me l'apprenez pas   you are not telling *me*

Lesson *5*

Grammar and Usage

I. THE PARTITIVE PRONOUN *EN*

The pronoun **en** expresses the ideas *some, any, some of it (them), any of it (them)* whether expressed or understood in English. **En** MUST be used whenever its antecedent is preceded by **un, une, de, du, de la, des; en** is placed immediately before the verb (or the auxiliary in compound tenses), but it follows the verb in the imperative affirmative: **Prenez-en**, but **n'en prenez pas.**

Avez-vous des cigarettes? — Oui, j'en ai. J'en ai assez. J'en ai beaucoup. J'en ai acheté ce matin.	Have you any cigarettes? — Yes, I have (some). I have enough (of them). I have many (of them). I bought some this morning.
Avez-vous besoin de votre auto? — Oui, j'en ai besoin.	Do you need your car? — Yes, I do. (I have need of it.)

WARNING   In English, *of it, of them* are often omitted after adverbs of quantity, after numbers, and after the pronouns *several* (**plusieurs**) and *a few* (**quelques-uns**). **En** is never omitted in French.

Avez-vous une automobile?	Have you a car?
J'en ai une.	I have one (of them).
Ils en ont plusieurs.	They have several (of them).
Elle en a trois.	She has three (of them).
Avez-vous assez de viande?	Have you enough meat?
Nous en avons assez.	We have enough (of it).

[I]

In the following sentences, replace the object by **en.**

EXAMPLE   Nous avons besoin de cigarettes.
           Nous en avons besoin.

1. Nous avons trop de travail.
2. Ils ont acheté trois commodes.
3. Ses parents ont plusieurs autos.
4. Nous nous servons d'un dictionnaire.
5. Les enfants boivent du lait.
6. Elle veut de la viande.
7. Nous avons vu deux hélicoptères.
8. Cette enfant a mangé beaucoup de gâteaux.
9. Vous avez besoin d'aide.
10. Le chien se méfie des déménageurs.

II. AGREEMENT OF ADJECTIVES

1. Adjectives agree in gender and number with the noun they qualify; predicate adjectives agree with the subject of the verb: **un homme heureux; une femme heureuse; elles sont heureuses.**

2. When two or more feminine nouns are qualified by the same adjective, the adjective is feminine plural. When the nouns are all masculine or of two genders, the adjective is masculine plural.

Ma sœur et ma cousine sont très jolies.	My sister and my cousin are very pretty.
Mon père et mon oncle seront contents.	My father and my uncle will be happy.
une robe et un chapeau élégants	a stylish dress and hat

For the formation of the feminine and plural of adjectives, see Appendix II, pages 371–73.

[II]

Complete the following sentences, making all necessary changes.

1. Son père est satisfait.
2. Sa mère _____.
3. Ses oncles _____.
4. Ses tantes_____.
5. Le médecin et l'avocat_____.
6. Le médecin et sa fille _____.
7. La mère et sa fille_____.
8. La mère et son fils _____.

III. POSITION OF ADJECTIVES

The position of adjectives used as predicates is the same as in English.

Elle est heureuse.	She is happy.
Il est resté tranquille.	He remained quiet.

The position of adjectives used as epithets is variable and may depend on such factors as euphony, emphasis, shades of meaning, etc. However, the position of certain adjectives is relatively fixed and the following rules can be applied to the majority of cases.

1. Adjectives which normally follow the noun:

a. Adjectives of color, shape, and other physical characteristics; nationality, religion, class, political groups; and present and past participles used as adjectives.

une table ronde	a round table
de l'eau chaude	hot water
l'industrie américaine*	American industry
une porte ouverte	an open door
la marée montante	the rising tide

* Adjectives of nationality, religion, etc., which are capitalized in English are not capitalized in French. However, nouns of nationality are capitalized: **un Américain.**

b. Adjectives denoting a distinguishing quality or characteristic:

une femme intelligente	an intelligent woman
un homme habile	a skillful man
une leçon facile	an easy lesson
un enfant curieux	a curious child
des animaux cruels	cruel animals

2. Adjectives which precede the noun:

a. Adjectives used figuratively (if placed after the noun, the meaning is literal).

Literally		*Figuratively*	
des gants chauds	warm gloves	**une chaude réception**	a warm reception
une rue sombre	a dark street	**un sombre complot**	a dark plot

b. Adjectives qualifying a proper name or a noun followed by a proper name.

mon sympathique ami Dupré	my likable friend Dupré
le subtil Verlaine	the subtle Verlaine
l'habile docteur Fabre	the skillful Doctor Fabre

3. The following common adjectives usually precede the noun they qualify:

beau	grand	long	petit
bon	gros	mauvais	pire
dernier	jeune	meilleur	prochain
gentil	joli	moindre	vieux
			vilain

Bon. When **bon** precedes the nouns **homme, femme, garçon, fille,** it means *good-natured, easy-going,* but it may also imply condescension. To mean *good* in the sense of *kindhearted,* **bon** is placed after these nouns. **Un bonhomme** in one word (plural **des bonshommes**) means *chap, fellow.*

Grand. **Un grand homme** means *a great man,* **un homme grand** means *a tall man.* **Grand** means *great* also when it is followed by such words as **écrivain** (*writer*), **savant** (*scientist*), **chef** (*leader, chief*), **roi** (*king*), etc. Followed by other nouns, **grand** means *big, large, tall.*

Jeune. **Un jeune homme** means a *young man* or *youth.* The plural is **des jeunes gens** which may also mean *young people* of both genders. **Jeune** implying " still young " or " not yet old " is placed after the noun.

Une jeune fille. The word **fille,** except when it means *daughter,* is not used without a qualifier: **une jeune fille, une jolie fille, une fille intelligente,** etc. **Une jeune fille** (plural **des jeunes filles**) means a girl in her late teens or early twenties. **Fille** used alone is derogatory.

Prochain with divisions of time follows the noun. **Dernier** also follows divisions of time when *last* means just past; but when **dernier** means *last* in a series, it precedes the noun: **la semaine dernière** (*last week*), **la dernière semaine de mes vacances** (*the last week of my vacation*).

4. Certain adjectives may precede the noun:

a. When a quality is not a distinguishing characteristic but is merely added to the noun as a descriptive epithet: **une charmante femme, un excellent homme, un magnifique spectacle, un célèbre avocat.**

b. When a descriptive epithet and a noun are associated in meaning through an accepted conception: **un cruel tyran** (tyrants are usually cruel), **une violente tempête, un riche banquier** (bankers are supposed to be rich), **une rare occasion, nos braves troupes** (our troops are always brave), etc.

Used after the noun, the above adjectives (in *a* and *b*) would stress the quality as a distinguishing characteristic of the subject. When in doubt about the place of such adjectives it may be safer to use them after the noun.

5. When a noun is qualified by more than one adjective, each adjective retains its position according to the rules given above. When all of them must follow, the adjective immediately preceding the noun in English is the first to follow the noun in French.

une gentille petite fille	a nice little girl
une petite fille intelligente	an intelligent little girl
un manteau noir élégant	an elegant black coat

6. Adjectives joined by a conjunction follow the general rule, except that if one must follow the noun, both must follow.

une femme jolie et charmante	a pretty and charming woman
un homme riche et généreux	a rich and generous man
un petit garçon bien élevé et poli	a well-brought up and polite little boy

7. Adjectives followed by a prepositional complement must follow the noun as in English.

un homme facile à contenter	a man easy to please
un élève digne d'éloges	a student worthy of praise

8. The preposition **de** is used before an adjective after indefinite pronouns such as **quelqu'un, quelque chose, personne, rien, quelques-uns,** etc., and when the adjective refers to the pronoun **en.**

quelqu'un de charitable*	someone charitable
quelque chose de pas cher	something inexpensive
Il n'y a rien de certain.	There is nothing certain.
J'en ai trouvé beaucoup de cassés.	I found many broken ones.
Nous en connaissons une d'intéressante.	We know an interesting one.

* Note that **de** as used in these sentences has the meaning of **qui** + **être: quelqu'un qui est charitable, beaucoup qui ont été cassés.**

9. Most French adjectives may be used as nouns by placing an article (or a possessive or demonstrative adjective) before them.

Le blanc lui va bien.	White is becoming to her.
une (cette) petite	a (this) little one

[III]

Reword the following sentences, placing the adjective before or after the noun as needed.

EXAMPLE   Cette femme est jolie.
C'est une jolie femme.

1. Ce meuble est beau.
2. Cette histoire est incroyable.
3. Ce tapis est bleu.
4. Cette tirade est longue.
5. Cette eau est fraîche.
6. Ce garçon est maladroit.
7. Cette idée est mauvaise.
8. Ce député est communiste.
9. Cette chanson est vieille.
10. Cette invention est anglaise.

[IV]

Place the adjective in its proper place.

EXAMPLE   Furieuse: une femme — une envie de rire.
Une femme furieuse. Une furieuse envie de rire.

1. Amère: une boisson — une vérité.
2. Heureuse: une fillette — une rencontre.
3. Triste: un homme — une nouvelle.
4. Noble: une famille — une pensée.
5. Doux: un souvenir — un vin.
6. Sombre: une couleur — un drame.

[V]

Place the adjective in its proper place and supply the definite article if needed.

EXAMPLE   Remarquable: votre ami Dupont.
Votre remarquable ami Dupont.

1. Ingénieux: le docteur Durand.
2. Judicieux: Salomon.
3. Vertueux: Hippolyte.
4. Douce: France.
5. Aimable: notre oncle Jérôme.
6. Preux: Roland.

[VI]

Summarize the following descriptions, using the adjective given before them.

EXAMPLE   Grand: un homme qui mesure six pieds.
Un homme grand.

1. Dernière: la semaine qui vient de passer.
2. Grand: un roi qui est fameux.
3. Violent: un homme qui se fâche facilement.
4. Jeune: un garçon de onze ans.
5. Prochain: le mois qui vient.
6. Dernière: la semaine finale.
7. Violente: une grosse tempête.
8. Braves: nos soldats.
9. Bon: un garçon au grand cœur.
10. Jeune: un homme d'une trentaine d'années.

[VII]

Place the adjective before the noun with which it is commonly associated.

EXAMPLE   Violent: un tempérament — un orage.
Un tempérament violent. Un violent orage.

1. Rare: une occasion — un timbre.
2. Riche: un financier — un pays.
3. Cruel: un tyran — un sort.
4. Puissant(e): une locomotive — un roi.
5. Braves: nos soldats — des hommes.
6. Lente: une ascension — une personne.

[VIII]

In the following phrases remove the verb and put the adjectives in their correct place.

EXAMPLE   Une histoire qui est longue et intéressante.
Une histoire longue et intéressante.

1. Un petit garçon qui est espiègle.
2. Une mer qui est bleue et calme.
3. Un chapeau neuf qui est chic.
4. Une boisson fraîche qui est délicieuse.

5. Un chasseur qui est habile et prudent.
6. Une femme qui est jeune et jolie.
7. Une terre hostile qui est inexplorée.
8. Une nouvelle auto qui est blanche.

[IX]

Reword the following sentences by removing the second clause.

EXAMPLE   Nous voulons quelque chose qui soit utile.
Nous voulons quelque chose d'utile.

1. Nous n'avons vu personne qui soit intéressant.
2. Ils cherchent quelqu'un qui soit intelligent.
3. Nous voudrions quelque chose qui soit neuf.
4. Vous en avez un qui est cher.
5. Elle en a acheté beaucoup qui sont nouveaux.
6. Connaissez-vous quelqu'un qui soit aimable?
7. J'ai vu quelque chose qui est remarquable.
8. Il n'y a rien qui ne soit impossible.

IV. POSITION OF ADVERBS

1. Adverbs generally retain the position they have in the English sentence.

Il fait *déjà* nuit.	It is *already* dark.
Nous lui parlerons *personnellement*.	We shall speak to him *personally*.
Il n'est pas allé à l'école *hier*.	He did not go to school *yesterday*.
Hier il a plu toute la journée.	*Yesterday* it rained all day.

Note, however the following differences:
a. An adverb cannot be placed between the verb and its subject.

Je vais *rarement* à Paris.	I *seldom* go to Paris.
Il sait *à peine* ce qu'il fait.	He *hardly* knows what he is doing.

However, if an adverb refers to the subject or is set off from it by commas, it may be placed between the subject and the verb.

Jean *aussi* sait la nouvelle.	John *also* knows the news.
Son frère, *cependant*, l'ignore.	His brother, *however*, does not know it.

b. **Beaucoup, trop, peu, encore, bien, mal,** and most adverbs of manner are normally placed immediately after the verb they modify; **assez** precedes the adjective or adverb it modifies.

Ils grondent *trop* **leurs enfants.**	They scold their children *too much.*
J'aime *beaucoup* **cette symphonie.**	I like this symphony *a lot.*
Parle-t-il *assez* **distinctement?**	Does he speak distinctly *enough?*
Cette poire n'est pas *assez* **mûre.**	This pear is not ripe *enough.*

2. In compound tenses very commonly used adverbs (listed in Appendix III) are placed, as are a number of English adverbs, between the auxiliary verb and the past participle. Adverbial phrases and many adverbs ending in –ment follow the past participle.

Il a très bien parlé.	He spoke very well.
Il est déjà parti.	He has already left.
Nous avons presque fini.	We have almost finished.
Elle a marché lentement.	She walked slowly.

[X]

Reword the following sentences, placing the adverb in its proper place in the sentence.

EXAMPLE Il boit du vin. (rarement)
Il boit rarement du vin.

1. Nous le connaissons. (à peine)
2. Elle sait cela. (déjà)
3. Il met son chapeau de cette façon. (toujours)
4. Il vit, même sans argent. (bien)
5. Vous travaillez après vos classes! (encore)
6. Il nage bien cette année. (assez)
7. Elle accueille les gens. (aimablement)
8. Ils sortent ces jours-ci. (beaucoup)

[XI]

Reword the following sentences, placing the adverb in its proper place in the sentence.

1. Nous l'avons vu. (souvent)
2. Il a dormi la nuit dernière. (mal)
3. Elle a mis la table. (rapidement)
4. Nous avons bu. (peu)
5. J'ai vécu en France. (longtemps)
6. Il était parti à huit heures. (déjà)
7. Ils n'ont pas fini de se préparer. (encore)
8. Elle a réprimandé son fils. (sévèrement)

V. COMPARATIVE AND SUPERLATIVE

1. The comparative is formed by using **plus** (*more*), **moins** (*less*), **aussi** (*as, so*) before the adjective or the adverb. **Si** may be used instead of **aussi** in a negative comparison. **Autant** (*as much, as many*) is used in quantitative comparisons. **Autant, plus,** and **moins** are adverbs of quantity and therefore require **de** before the noun in a quantitative comparison. *Than* and *as* introducing the second term of a comparison are both translated **que.**

Il est plus heureux que Pierre.	He is happier than Pierre.
Nous le voyons moins souvent.	We see him less often.
Il est aussi grand que son père.	He is as tall as his father.
Vous n'êtes pas aussi (si) généreux que votre sœur.	You are not so generous as your sister.
Il ne voyage pas autant que moi. *	He does not travel as much as I.
J'ai autant de travail que lui. *	I have as much work as he.
Notre nouvelle maison a plus (moins) de pièces que la vôtre.	Our new house has more (fewer) rooms than yours.

* Note the use of disjunctive pronouns after **que** (see Table, page 152).

2. The comparative of the following adjectives and adverbs is irregular:

Adjectives

bon, good	**meilleur,** better
mauvais, bad	**plus mauvais** *or* **pire,** * worse
petit, little, small	**plus petit,** smaller, **moindre,** lesser, slighter

Adverbs

bien, well	**mieux,** better
mal, badly	**plus mal** *or* **pis,** worse
peu, little	**moins,** less

* The distinction between **plus mauvais** and **pire** is somewhat subtle. At this stage the following distinction will suffice: **plus mauvais** is not used with abstract nouns. **Plus mal** and **pis** are more or less interchangeable, but **plus mal** is more commonly used.

NOTE   In English *little, better,* and *worse* may be adjectives or adverbs. Be careful to use the proper word in French: **un** *petit* **garçon qui mange** *peu,* **un** *meilleur* **livre, il parle** *mieux.*

3. The superlative is formed by placing **le, la, les,** or a possessive adjective before the comparative of the adjective. The superlative of an adverb is formed by placing **le** (invariable) before the comparative of the adverb.

mon plus vieux chapeau	my oldest hat
le moins intéressant	the least interesting
Voici celui que j'aime le mieux.	Here is the one I like best.

De is used with the complement of a superlative, regardless of what the English preposition may be.

la plus belle maison de la rue	the prettiest house on the street.
le meilleur élève de la classe	the best student in the class
Il marche le plus vite de tous.	He walks the fastest of all.

NOTE 1   Adjectives that follow the noun must also follow it when used in the comparative or superlative.

| un élève plus paresseux | a lazier student |
| mes pensées les plus intimes | my most intimate thoughts |

NOTE 2   *More than, less than* before a number are translated **plus de, moins de: J'en ai plus (moins) de cent.** *I have more (less) than a hundred.*

[XII]

Reword the following sentences so that they have a regular comparative construction.

EXAMPLE   Jean est grand mais Henri l'est davantage.
Henri est plus grand que Jean.

1. La boulangère est aimable mais la bouchère l'est davantage.
2. Mon frère a du courage, Jacques en a moins.
3. Son ami est antipathique, il l'est aussi.
4. Sa mère a du charme, elle en a autant.
5. Ce commerçant-là est honnête, ce commerçant-ci l'est aussi.
6. Notre chien est gentil mais notre chat l'est davantage.
7. Vous avez du travail mais nous en avons plus.
8. Cet abri-là est sûr mais cet abri-ci l'est moins.

[XIII]

Make the following descriptions comparative.

EXAMPLE   Un bon livre.
Un meilleur livre.

1. Un travail bien fait.
2. Un petit détail.
3. Une mauvaise idée.

4. Un devoir mal écrit.
5. Une remarque de peu d'importance.
6. Une bonne raison.
7. Nous vivons bien.
8. Un petit enfant.

[XIV]

Reword the following sentences so that the adjective is in the superlative form. Make all necessary changes.

EXAMPLE   Connaissez-vous un élève très intelligent dans votre classe?
Connaissez-vous l'élève le plus intelligent de votre classe?

1. Il pense que la jeunesse est une bonne époque dans la vie.
2. Elle est sortie portant son vieux chapeau.
3. C'est un des édifices impressionnants de notre ville.
4. Il fait parfois des remarques moins originales.
5. Voilà une réponse que j'aime bien.
6. C'est un de mes petits soucis.
7. L'été est une saison agréable de l'année.
8. Il nous a donné une mauvaise excuse.

VERB REVIEW

What are the principal parts of **mettre, vivre** (Table 1); **voir, boire** (Table 2)? What forms of **boire** and **voir** cannot be derived from the principal parts?

Conjugate the above verbs in all simple tenses.

Vocabulary Distinctions

New
Neuf, Nouveau

Neuf, always placed after the noun, means brand-new or little used or worn.

Portera-t-elle sa robe neuve?	Will she wear her new dress?
Nous habitons dans un immeuble neuf.	We live in a new (newly built) apartment house.

Nouveau used before the noun means new in the sense of new to the owner, different, recently acquired, not previously existing. **Nouveau** after the noun means new on the market, of the latest style, novel. (This use of **nouveau** after the noun is very limited and, unless emphasis is desired, **nouveau** before the noun is much more common and will apply to most situations where **neuf** would not be used.)

Les nouveaux paquebots sont très rapides.	The new liners are very fast.
Avez-vous visité son nouvel appartement?	Have you visited his new apartment?
Il a acheté une nouvelle auto.	He bought a new car. (*second hand, but new to him*)
un livre nouveau	a new book (*just appeared on the market*)

Adjectives which change meaning according to position

A few adjectives change meaning according to their position. The most common are listed below.

	Before the noun	*After the noun*
ancien	former	ancient, antique
brave*	worthy, good	brave
certain	certain (*indefinite*)	unquestionable, sure
cher	dear, beloved	expensive
différent	different, various, sundry	different, not alike, not the same
maigre	scanty, meager	lean, thin
méchant	naughty, nasty	wicked
pauvre	poor, to be pitied	poor, indigent
propre	own	clean
sale	nasty, unpleasant, foul	dirty, unclean
simple	simple, mere	simple, not complicated
vrai	real, genuine	true, true to facts

* See this lesson, Section 4, page 75.

A few
Quelques, Quelques-uns

A few, as an adjective, is translated **quelques**. *A few, a few of them*, as pronouns, are translated **quelques-uns**.

Il a invité quelques amis.	He invited a few friends.
Il en a invité quelques-uns.	He invited a few (of them).
Quelques-uns ne sont pas venus.	A few of them did not come.

NOTE The pronoun *some* (*some of*, *some of them*) meaning a certain number (synonymous with *a few*) is also translated **quelques-uns**.

Quelques-unes de mes fleurs sont mortes.	Some (a few) of my flowers died.
Quelques-unes sont très belles.	Some (of them) are very pretty.

Few, Little
Peu

Few used as a pronoun is translated **peu**. *Little* used as an adverb modifying a verb is also **peu**.

Beaucoup ont essayé, peu ont réussi.	Many tried; few succeeded.
Il travaille peu.	He works little.

Few and *little*, used as adverbs of quantity, are both translated **peu de**.

Nous connaissons peu de gens.	We know few people.
Il a peu de patience.	He has little patience.

A little is **un peu** (with **de** before a noun).

Nous le connaissons un peu.	We know him a little.
Donnez-moi un peu d'eau.	Give me a little water.

Such
Tel, Si

Tel, as an adjective, agrees in gender and number with the noun it qualifies. **Un, une,** or **de** (*plural*) generally precede **tel** when **tel** does not introduce a comparison.

Il ne s'attendait pas à une telle chance.	He did not expect such luck.

The construction *I need such a man* (*such men*) *as you, I need a man* (*men*) *like you,* must be translated **j'ai besoin d'un homme tel (d'hommes tels) que vous.**

Si is an adverb used to modify an adjective. **Un, une,** or **de** precede **si** if the adjective precedes the noun. But if the adjective modified by **si** is one that follows the noun, the article retains its normal position before the noun.

Je ne savais pas que vous aviez de si beaux livres.	I did not know that you had such fine books.
Nous n'avons jamais vu un puits si profond.	We have never seen such a deep well.
Je ne veux pas que vous achetiez des cravates si chères.	I do not want you to buy such expensive ties.

Another
Un autre, Encore

Un autre means *another* in the sense of *a different one*. **Encore** means *an additional one*.

Prenez un autre crayon, celui-ci est cassé.	Take another pencil; this one is broken.
En voici un autre.	Here is another (one).*
Voulez-vous encore un morceau de viande?	Will you have another piece of meat?
En voici encore un.	Here is another one.*

* *One* need not be translated when **un autre** is used.

(The) More (less) . . .
Plus (moins) . . .

Observe the French constructions in the following examples:

Plus je le connais, plus (moins) je l'aime.	The more I know him, the more (less) I like him.
Plus il est heureux, plus je suis jaloux de lui.	The happier he is, the more jealous I am of him.
Plus vous marcherez vite, plus tôt vous arriverez.	The faster you walk, the sooner you will arrive.
Ses traductions sont de plus en plus bonnes (mauvaises).	His translations are better and better (worse and worse).
Il courait de plus en plus vite.	He ran faster and faster.
Vous faites de moins en moins attention.	You pay less and less attention.

More
Plus, Davantage

Davantage, rather than **plus,** is used when *more* ends a statement or a clause. **Davantage** may not be modified by another adverb, except **bien** *(much)* and **encore** *(still)*.

Vous devriez vous reposer davantage.	You ought to rest more.
Il n'a pas assez de pain, donnez-lui-en davantage.	He does not have enough bread, give him some more.
Elle vous plairait bien davantage si vous la connaissiez mieux.	You would like her much more if you knew her better.

More than and *more* + noun are translated **plus que** and **plus de,** rarely **davantage que** or **davantage de.** *More* modifying an adjective or an adverb is always translated **plus.**

Il travaille plus que vous.	He works more than you.
Vous devriez vous reposer un peu plus.	You ought to rest a little more.
Donnez-lui plus de pain.	Give him more bread.
Ils sont plus généreux que vous.	They are more generous than you.

[XV]

Reword the following sentences using the correct form of **neuf** or **nouveau.**

EXAMPLE   Ils ont acheté une auto d'occasion.
Ils ont acheté une nouvelle auto.

1. Voici une maison qui vient d'être bâtie.
2. Ils ont emménagé dans un autre appartement.
3. Il n'est pas content de son complet: son grand frère l'a porté avant lui.
4. Ses parents lui ont acheté un complet.
5. Nous avons une autre concierge.
6. C'est une méthode qui vient d'être inventée.
7. Mes souliers, que j'ai achetés hier, me font mal aux pieds.
8. C'est une manie qu'il n'avait pas avant.

[XVI]

Put the adjective in its proper place and translate.

EXAMPLE   Ancien: un condisciple — un meuble.
Un ancien condisciple. A former classmate.
Un meuble ancien. An antique piece of furniture.

1. Sale: un temps — un verre.
2. Cher: un article — mon ami.
3. Maigre: une pitance — un garçon.
4. Méchant: un chien — un enfant.
5. Propre: sa main — l'assiette.
6. Pauvre: un animal — un pays.
7. Ancien: un monument — un marin.
8. Différents: deux visages — les amis.

[XVII]

Replace **des** or **certains** by **quelques** or **quelques-uns.**

EXAMPLE   Certaines de ses réponses sont correctes.
Quelques-unes de ses réponses sont correctes.

1. Nous avons feuilleté des journaux.
2. Certains d'entre eux étaient intéressants.
3. La compagnie a envoyé des déménageurs.
4. Certains n'ont rien fait du tout.
5. Certaines de mes amies sont allées à la plage.
6. Sur cette route il y a des virages dangereux.
7. Certains sont arrivés en retard.
8. Nous avons rencontré des amis au café.

[XVIII]

Replace **beaucoup** or **bien** by **peu** or **un peu,** thus giving the opposite meaning.

EXAMPLE Cet enfant a beaucoup de courage.
Cet enfant a peu de courage.

1. Nous les avons beaucoup vus cet été.
2. Beaucoup sont partis à temps.
3. Il y a beaucoup d'appartements à louer.
4. Achetez du vin et donnez-m'en beaucoup.
5. Nous les connaissons bien.
6. Quand il écrit il fait beaucoup de fautes.
7. Il passe beaucoup de temps à étudier.
8. J'en voudrais beaucoup, s'il vous plaît.

[XIX]

Complete the following sentences, making all necessary changes.

1. Nous n'avons jamais vu une telle écriture.
   _____ homme.
   _____ un homme si intéressant.
   _____ rencontré _____.
   _____ patient.
   _____ une mère _____.
   _____ lu un tel roman.
   _____ histoire.
   _____ conte.

2. Il achète un autre fauteuil pour son salon.
   _____ canapé _____.
   _____ livre _____ bibliothèque.

Il ajoute encore un _____ à _____.

_____ tableau _____ collection.

_____ buste _____.

_____ un autre_____.

_____ bibelot _____.

_____ timbre _____.

_____ lettre.

3. Plus j'étudie, moins je comprends.

_____ plus _____.

Moins _____.

Plus vous parlez _____.

_____ moins _____.

4. Ses explications deviennent de plus en plus claires.

_____ compréhensibles.

___ réponses _____.

_____ de moins en moins _____.

_____ intelligentes.

5. Il travaille moins qu'eux et il gagne davantage.

_____ plus _____.

_____ autant _____.

_____ plus que son frère.

IDIOMATIC EXPRESSIONS

à temps in time	**se fâcher** to get angry
... d'occasion second hand ...	**se méfier (de)** to distrust, beware
(un) garçon au grand cœur a big-hearted boy	**s'il vous plaît** please
(un) homme d'une trentaine d'années a man about thirty	**(mes) souliers (me) font mal aux pieds** (my) shoes hurt (my) feet

Riquet

ANATOLE FRANCE

Le terme étant venu, M. Bergeret quittait avec sa sœur et sa fille la vieille maison ruinée de la rue de Seine pour s'aménager dans un appartement de la rue Vaugirard. Ainsi en avait décidé Zoé et les destins. Durant les longues heures du déménagement, Riquet errait tristement dans l'appartement dévasté. Ses plus chères habitudes étaient contrariées. Des hommes inconnus, mal vêtus, injurieux et farouches troublaient son repos et venaient jusque dans la cuisine fouler aux pieds son assiette et son bol d'eau fraîche. Les chaises lui étaient enlevées à mesure qu'il s'y couchait et les tapis tirés brusquement de dessous son pauvre derrière qui, dans sa propre maison, ne savait plus où se mettre.

Disons à son honneur qu'il avait d'abord tenté de résister. Lors de l'enlèvement de la fontaine, il avait aboyé furieusement à l'ennemi. Mais à son appel personne n'était venu. Il ne se sentait point encouragé, et même à n'en point douter, il était combattu. Mademoiselle Zoé lui avait dit sèchement: « Tais-toi donc! » Et mademoiselle Pauline avait ajouté: « Riquet, tu es ridicule! »

Renonçant désormais à donner des avertissements inutiles et à lutter seul pour le bien commun, il déplorait en silence les ruines de la maison et cherchait vainement de chambre en chambre un peu de tranquillité. Quand les déménageurs pénétraient dans la pièce où il s'était réfugié, il se cachait par prudence sous une table ou sous une commode qui demeuraient encore. Mais cette précaution lui était plus nuisible qu'utile, car bientôt le meuble s'ébranlait sur lui, se soulevait, retombait en grondant et menaçait de l'écraser. Il fuyait, hagard et le poil rebroussé, et gagnait un autre abri, qui n'était pas plus sûr que le premier.

QUESTIONS

1. Pour quelles deux raisons M. Bergeret déménage-t-il? 2. Que faisait Riquet pendant les longues heures du déménagement? 3. Décrivez les déménageurs. 4. Qu'est-ce qu'ils avaient fait dans la cuisine? 5. A quel moment Riquet a-t-il aboyé? 6. Que lui ont dit Pauline et Zoé? 7. Qu'est-ce que Riquet déplorait en silence? 8. Où cherchait-il vainement un peu de tranquillité? 9. Où essayait-il de se cacher? 10. Qu'arrivait-il alors?

IDIOMATIC EXPRESSIONS

à mesure que as fast as, in proportion as
à n'en point douter beyond all question, beyond doubt
s'ébranler to start moving
fouler au pied to trample on
le poil rebroussé (his) hair standing up

lors de at the time of
s'aménager to move into
se réfugier to take refuge, shelter
se taire to keep quiet, be silent, stop talking
se soulever to rise
le terme (*here*) end of the lease

Lesson **6**

Grammar and Usage

I. REFLEXIVE AND RECIPROCAL VERBS

A. Reflexive verbs.

1. Reflexive verbs are generally used as in English to denote an action performed and borne by the subject. The reflexive pronouns **me, te, se, nous, vous, se** precede the verb (the auxiliary in compound tenses) except in the affirmative imperative, when they follow.

Elle se blâme.	She blames herself.
Il s'est brûlé.	He burned himself.
Elles s'habillent.	They are dressing (themselves).*
Regardez-vous dans la glace.	Look at yourself in the mirror.

* Sometimes the reflexive pronoun is understood in English; it always must be expressed in French.

NOTE Do not confuse *myself, himself,* etc., used as reflexive pronouns with the same words used for emphasis. The latter are translated **moi-même, lui-même,** etc. (see Lesson 10, page 155).

2. When an action is performed by the subject on a part of his own body, a reflexive verb is used in French and the definite article is used instead of a possessive.

Elle se brosse les cheveux.	She brushes her hair.

However, if the part of the body is modified by an adjective, except for **droit** (*right*) or **gauche** (*left*), the reflexive pronoun is not used and the possessive adjective is used, as in English.

Elle brosse ses beaux cheveux blonds.   She brushes her beautiful blond hair.
  but
Il s'est cassé le bras droit.   He broke his right arm.

3. Reflexive verbs used idiomatically in French.

   a. Certain verbs are essentially reflexive, i.e., they are not used without the reflexive pronoun, such as: **se moquer de** (*to make fun of*), **se repentir** (*to repent*), **s'enfuir** (*to flee*), etc. For a list of the commoner of these verbs, see Appendix I, Part VI.

   b. A few verbs, when they are used reflexively, change their meaning to a greater or lesser extent and become essentially reflexive, such as: **agir** (*to act*) and **s'agir de** (*to be a question of*), **servir** (*to serve*) and **se servir de** (*to use*), etc. These are listed in Idiomatic Expressions and Vocabulary, in the Vocabulary Distinctions, and in the end Vocabularies.

   c. A number of direct transitive verbs are used reflexively when the action remains within the subject, such as **se lever, se préparer, se hâter, s'imaginer,** etc.

Il a réveillé son frère au milieu de la   **Il s'est réveillé au milieu de la nuit.**
  nuit.
J'ai arrêté l'auto devant la porte.   **L'auto s'est arrêtée devant la porte.**

   Some of these verbs correspond to the English form *to get* (*become*) + past participle or adjective: **s'inquiéter,** *to get worried;* **se fâcher,** *to get angry,* etc.

   NOTE   With the idiomatically reflexive verbs the reflexive pronoun is considered a direct object. Exceptions: **se rendre compte, se plaire, s'imaginer,** where the reflexive pronoun is an indirect object.

B. Reciprocal verbs.

   Reciprocal verbs in French are identical in form to the reflexive verbs. **L'un l'autre** (*each other*) or **les uns les autres** (*one another*) are added after the verb only to avoid ambiguity, when the nature of the verb does not show clearly whether the action is reciprocal or reflexive.

Ils s'écrivent souvent.   They write each other often.
Elles se blâment l'une l'autre (les unes   They blame each other (one another).
  les autres).
Elles se blâment.   They blame themselves.

   With verbs requiring a prepositional complement, the preposition is inserted between **l'un** and **l'autre** or **les uns** and **les autres;** à and de contract with the article in the usual manner.

Ils se méfient l'un de l'autre (les uns   They distrust each other (one another).
des autres).

[I]

Reword the following sentences so that the action is performed on the
subject.

EXAMPLE   La mère brosse les cheveux de l'enfant.
La mère se brosse les cheveux.

1. Le barbier rase la barbe du client.
2. La fillette coupe les cheveux de sa poupée.
3. Le boxeur a cassé la main droite de son adversaire.
4. L'enfant lave le chien dans la baignoire.
5. La mère lave les cheveux blonds de l'enfant.
6. Ce garçon maladroit a coupé la main gauche de son frère.
7. En jouant elle a cassé la jambe de sa poupée.
8. Elle nettoie les mains couvertes de peinture de l'enfant.

[II]

Restate the following sentences, making them reciprocal. Add **l'un
l'autre** when necessary to avoid ambiguity.

EXAMPLE   Il lui téléphone et elle lui téléphone.
Ils se téléphonent.
Il la félicite et elle le félicite.
Ils se félicitent l'un l'autre.

1. Elle lui écrit et il lui écrit.
2. Je le blâme et il me blâme.
3. Il la présente à ses parents et elle le présente à ses parents.
4. Il l'aime et elle l'aime.
5. Il la regarde avec plaisir et elle le regarde avec plaisir.
6. Tu lui parles et il te parle.
7. Sans le faire exprès j'ai fait de la peine à Jean et il m'a fait de la peine.
8. Il lui a fait mal et elle lui a fait mal.

II. THE AUXILIARY IN COMPOUND TENSES

1. The compound tenses of all transitive verbs and of most of the intransitive verbs are formed with **avoir.** (A transitive verb is one that takes
an object, direct or indirect; an intransitive verb is one that cannot be
followed by an object.)

2. **Etre** is used to form the compound tenses of: *— take avoir when dir. obj* [handwritten]

a. The following intransitive verbs:

aller	monter ~	passer ~	revenir
arriver	mourir	rentrer~	sortir ~
descendre ~	naître	rester	tomber
entrer	partir	retourner	venir

and the compounds of **venir: devenir, intervenir, parvenir, survenir.** These verbs denote a change of place or location resulting from a motion, or they denote a state or change of state. Verbs like **courir** (*to run*), **marcher** (*to walk*), **sauter** (*to jump*) denote a mode of motion and are conjugated with **avoir.**

Nous sommes allés au Japon.	We went to Japan.
Il est mort le mois dernier.	He died last month.
but	
J'ai marché rapidement.	I walked fast.

b. All reflexive and reciprocal verbs.

Je me suis coupé.	I cut myself.
Ils se sont quittés.	They parted (left each other).

[III]

Put the following sentences in the past indefinite.

EXAMPLE   Il part ce matin.
          Il est parti ce matin.

1. Nous jugeons bon de partir.
2. Il s'inquiète sans raison.
3. Vous marchez trop vite.
4. Je reste à la maison.
5. Nous suivons ce cours aussi.
6. Il s'endort tard.
7. Nous courons jusqu'au bout de la rue.
8. Je tombe en courant.
9. Il pleut tout l'été.
10. Ils craignent de vous déplaire.

III. AGREEMENT OF THE PAST PARTICIPLE

1. The past participle of intransitive verbs conjugated with **être** agrees in gender and number with the subject.

Elle est venu*e.*   She came.
Ils sont arrivé*s.*   They have arrived.
Elles sont parti*es.*   They have left.

2. The past participle of verbs conjugated with **avoir** agrees only with the PRECEDING direct object.

Voici *les fleurs* que nous avons achet*ées.*   Here are the flowers we bought.
Je ne *les* avais pas vu*es.*   I had not seen them.
Quelle *route* avez-vous pris*e*?   What road did you take?
  but
la dame à qui j'ai parlé (*indirect object*)   the woman to whom I spoke
Elle ne leur a rien dit. (*indirect object*)   She did not say anything to them.
Nous avons pris la nouvelle route.   We took the new road.
(*direct object follows the verb*)

NOTE   The past participle does not normally agree with the pronoun **en,** whatever the gender and number of its antecedent may be. **En** is not considered a direct object because it really means **de cela.**

3. The past participle of a verb followed by an infinitive may now remain invariable in all cases (Decree of the French Ministry of Education of 1901*). The past participle of impersonal verbs also remains invariable.

les enfants que j'ai vu jouer   the children I saw playing
La maison qu'il a fait bâtir est trop moderne.   The house he has had built is too modern.
Il a pris toutes les précautions qu'il a fallu.   He took all the precautions that were necessary.

* Previous to this decree, the rule for agreement was as follows: the past participle followed by an infinitive agrees with the preceding direct object when the latter is the object of the past participle: **La femme que j'ai entendue chanter** (I heard whom? The *woman* who was singing). But if the direct object is the object of the infinitive, the past participle remains invariable: **Les airs que j'ai entendu chanter** (I heard the tunes being sung, *not* the tunes singing). This rule was considered to be too subtle and is now optional.

REMAINS
INVARIABLE IF

4. Unless the basic verb requires an indirect object, the past participle of reflexive and reciprocal verbs agrees with the subject when NO DIRECT OBJECT IS PRESENT. (This includes the idiomatically reflexive verbs, since they are not used with a direct object, except **s'imaginer.**)

Elle s'est brûlé*e*.	She burned herself.
Elles se sont lev*ées*.	They got up.
Nous nous sommes quitté*s* à la gare.	We parted (left each other) at the station.
Une femme s'est évanoui*e*.	A woman fainted.
Les soldats se sont plaint*s* à leur colonel.	The soldiers complained to their colonel.
but	
Ils se sont écrit.	They wrote *to* each other.
Elle s'est dit qu'il était trop tôt.	She said *to* herself that it was too early.
Ils se sont nui.*	They harmed themselves.

* **Nuire** requires an indirect object (see Vocabulary Distinctions, Lesson 10, page 161).

When a DIRECT OBJECT IS PRESENT the past participle of reflexive and reciprocal verbs agrees with the preceding direct object (i.e., it follows the rule of verbs conjugated with **avoir**).

les gants qu'elles se sont acheté*s*	the gloves they bought themselves
Ils se les sont rendu*es*.	They returned them to each other.
but	
Elle s'est acheté des gants.	She bought herself some gloves.
Ils se sont rendu leur lettres.	They returned their letters to each other.

5. With a few exceptions, the past participle of essentially and idiomatically reflexive verbs agrees with the reflexive pronoun, i.e., with the subject. The exceptions are verbs such as **se rendre compte** (*to realize*), **se plaire** (*to enjoy oneself*), **s'imaginer** (*to imagine*), and a few uncommon verbs with which **se** is considered an indirect object.

Elles se sont moqué*es* de nous.	They made fun of us.

6. For the agreement of verbs with multiple subjects or multiple objects, use the rule given for the agreement of adjectives (see Lesson 5, Section II, page 73).

Mon père et ma mère sont partis.	My father and mother have left.
Voici la robe et le manteau que vous avez commandés.	Here are the dress and coat that you ordered.

[IV]

Put the following sentences in the past indefinite. Spell out the ending of the past participle.

EXAMPLE   Nous allons à la bibliothèque.
Nous sommes allés à la bibliothèque.   **Allés: é–s.**

1. Elle monte dans sa chambre.
2. Marie arrivera-t-elle à l'heure?
3. Ils partent de bonne heure.
4. Elles retournent chez elles.
5. La bonne entre dans le magasin.
6. Mes amis restent une semaine chez moi.
7. Les jeunes filles entrent dans le restaurant.
8. Les jeunes gens passent par Paris.
9. Les passagers descendent rapidement.
10. Ils reviennent les mains vides.

[V]

Put the following sentences in the past indefinite. Spell out the ending of the past participle.

EXAMPLE   Voici les meubles que nous achetons.
Voici les meubles que nous avons achetés.   **Achetés: é–s.**

1. Voici le problème que je ne comprends pas.
2. Quelles fleurs mettez-vous sur la table?
3. Voilà le journal. Le lirez-vous?
4. Vous la comprenez, n'est-ce pas?
5. Nous les écoutons avec attention.
6. Il aime les jours qu'il passe à la campagne.
7. Voici la table qu'il fait lui-même.
8. Je corrigerai le devoir qu'il écrit.
9. Quelle boîte ouvrira-t-il?
10. Quelles bêtises dit-elle?

[VI]

Put the following sentences in the past indefinite. Spell out the ending of the past participle.

EXAMPLE   Nous leur parlons.
Nous leur avons parlé.   **Parlé: é.**

1. Vous irez voir Marie et vous lui direz cela, n'est-ce pas?
2. Ma mère, à qui je le demande, dira oui.
3. Voici mes sœurs. Je leur apprendrai la nouvelle.

4. Je verrai Pauline et je lui parlerai.
5. Voici des fruits. Nous en achèterons.
6. Voilà des fleurs. Elle en mettra sur la table.
7. Il fait tous les efforts qu'il faut.
8. Je lui montrerai la robe que je fais faire.

[VII]

Put the following sentences in the past indefinite. Spell out the ending of the past participle.

EXAMPLE   Elles se regardent dans la glace.
Elles se sont regardées dans la glace.   **Regardées: é–e–s.**

1. Elle se met à rire.
2. Ils se brossent les cheveux.
3. Elles se disent des injures.
4. Monique s'inquiète de son retard.
5. Elles se serrent cordialement la main.
6. Ils se font des politesses.
7. Nous nous détournons du droit chemin.
8. Les ouvrières se mettent en grève.

VERB REVIEW

What are the principal parts of **suivre, craindre** (Table 1); **courir, pleuvoir** (Table 2)? What forms of **courir** and **pleuvoir** cannot be derived from the principal parts? What other verbs are conjugated like **craindre**?

Conjugate these verbs in all simple tenses.

Vocabulary Distinctions

To leave
Partir, Quitter, Laisser

Partir is an intransitive verb (conjugated with **être**) meaning *to depart, to go away, to leave* (*from, for*). It CANNOT be followed by a direct object.

Il est parti il y a une heure.   He left an hour ago.
Nous partons pour Chicago.   We are leaving for Chicago.

Quitter is a transitive verb meaning *to leave* (*a place, a person*); it MUST be followed by a direct object.

| Il a quitté la ville. | He left the city. |
| J'ai quitté ma femme à une heure. | I left my wife at one o'clock. |

Laisser, also transitive, is used in the sense of *to leave behind, to abandon, to leave* (*something*).

Il nous a laissé sans argent.	He left us without money.
Ne laissez pas votre auto devant la porte.	Do not leave your car in front of the door.
Nous laisserons les enfants à la maison.	We shall leave the children at home.

To go
S'en aller, Partir, Aller

To go used in the sense of *to go away* or *to leave* must be translated **s'en aller** or **partir.**

Pourquoi vous en allez-vous?	Why are you going (leaving)?
Est-elle déjà partie?	Has she gone (left) already?
Allez-vous-en.	Go away.

NOTE   In compound tenses **en** precedes the auxiliary in **s'en aller.** However, **il s'en est allé** sounds stilted and **il s'est en allé** is commonly used in conversation, or **il est parti.**

Aller meaning *to go to a place* is used in the same way as in English, but if the destination is not shown in the same clause, **y** (*there*) must be used before the verb, even though *there* might be omitted in English. (For reasons of euphony **y** is omitted before the future or the present conditional: **j'irai** instead of **j'y irai.**)

Où allez-vous?	Where are you going?
Je vais au bureau de poste.	I am going to the post office.
Y allez-vous tout de suite?	Are you going (there) immediately?
Votre sœur y est allée ce matin.	Your sister went there this morning.

To return
Rendre, Retourner, Revenir, Rentrer

Rendre means *to give back.* **Retourner*** means *to go back* to a place mentioned. **Revenir*** means *to come back* from or to a place. **Rentrer*** means *to come* (*back*) *home* or *in, to go* (*back*) *home* (**à la maison** or **chez** with a disjunctive pronoun may be omitted after **rentrer**).

* Conjugated with **être.**

Il veut retourner en Europe.	He wants to return (go back) to Europe.
Il est revenu à New York la semaine dernière.	He returned (came back) to New York last week.
Nous revenons de France.	We are returning (coming back) from France.
Il va pleuvoir, rentrons (à la maison).	It is going to rain; let us go in (go home).
Elle est rentrée tard hier soir.	She came in late last night.
Vous ne m'avez pas rendu mon dictionnaire.	You did not return (give back) my dictionary.

To stop
S'arrêter, Arrêter, Cesser

S'arrêter is a reflexive verb meaning *to stop*. **S'arrêter de** before an infinitive is intransitive and means *to stop* in the sense of ceasing a motion, or denotes an activity which is interrupted for a time. **Arrêter** is transitive and is used when *to stop* is followed by a direct object. It also means *to arrest*. **Cesser** (**de** before an infinitive) is used when *to stop* means *to bring to an end, come to an end,* or *discontinue.* **Cesser** does not usually apply to a verb of motion.

Nous nous sommes arrêtés au coin de la rue.	We stopped at the corner of the street.
Il s'est arrêté de parler.	He stopped talking.
J'ai arrêté la voiture au coin de la rue.	I stopped the car at the corner of the street.
Ils ont arrêté le voleur.	They arrested the thief.
Cesse de taquiner ton frère.	Stop teasing your brother.
L'orage a cessé.	The storm stopped.

To remember
Se rappeler, Se souvenir de

Se rappeler is used with a direct object; it is not used when referring to persons. **Se souvenir** requires **de** before its object; it is used for persons as well as for things or facts. Both verbs introduce an infinitive with **de,** but **de** is not generally used when **se rappeler** is followed by a perfect infinitive. Both verbs introduce a dependent clause with **que.**

Vous rappelez-vous (souvenez-vous de) son nom?	Do you remember his name?
Je me le rappelle (je m'en souviens).	I do (remember it).
Souvenez-vous (rappelez-vous) d'acheter des timbres.	Remember to buy some stamps.

Vous souvenez-vous (rappelez-vous) que nous allons au théâtre ce soir?	Do you remember that we are going to the theater tonight?
Je ne me rappelle pas (d')avoir dit cela.	I do not remember having said that.

Note also: **rappeler à quelqu'un de faire quelque chose**, *to remind someone to do something*. **Rappeler** meaning *to recall, call back, call again* is used with a direct object of the person.

Voulez-vous rappeler à votre père d'acheter des cigarettes.	Will you remind your father to buy cigarettes.
Rappelez-lui aussi que nous n'avons plus de pain.	Remind him also that we are out of bread.
Rappelez l'élève qui vient de sortir.	Call back the student who has just left.

Se douter de, Douter de

Douter de means *to doubt, to question*. **Se douter de (que)** means *to suspect, surmise, to have an idea of*. To suspect (someone) in the sense of *to be suspicious of* is translated **soupçonner** with a direct object.

Il doute de la sagesse de cette décision.	He doubts the wisdom of this decision.
Moi, je n'en doute pas.	*I* do not doubt it.
Je me doutais de sa malhonnêteté.	I suspected his dishonesty.
Vous en doutiez-vous?	Did you (suspect it)?
Il ne se doutait pas que vous étiez parti.	He did not suspect that you had left.
Nous soupçonnons la bonne d'avoir cassé le vase.	We suspect the maid of having broken the vase.
Il est très confiant, il ne soupçonne pas le mal.	He is very trusting; he does not suspect evil.

Se servir de, Servir de, Servir à, Servir

Se servir de means *to use*, also *to help oneself to*. **Servir de** means *to serve as*. **Servir à** means *to be used for, to be of use*. **Servir** means *to serve*.

Il se sert de mon stylo.	He is using my fountain pen.
Servez-vous de légumes.	Help yourself to vegetables.
Il m'a servi de guide.	He served as a guide to me.
A quoi sert cette machine?	What is this machine used for?
Cela pourrait servir à quelqu'un.	This could be of use to someone.
Puis-je vous servir de la viande?	May I serve you some meat?

[VIII]

In the following sentences, replace **partir** by **s'en aller.**

EXAMPLE   Il part dans une heure.
Il s'en va dans une heure.

1. Pourquoi part-elle si vite?
2. Ils sont partis sans dire un mot.
3. Nous partions tous les matins à la même heure.
4. Je ne sais pas quand elle partira.
5. Si nous pouvions, nous partirions.
6. Partez!
7. Nous ne voulons pas partir.
8. Elle est partie en claquant la porte.

[IX]

In the following sentences, replace **partir de** by **quitter.**

EXAMPLE   Je suis parti de la maison à midi.
J'ai quitté la maison à midi.

1. Le train part de la gare à huit heures.
2. Nous sommes partis du magasin sans payer.
3. Nous partirons de l'hôtel demain.
4. Jean est parti de la bibliothèque.
5. Il part toujours du bureau à la même heure.
6. Les autobus partent de l'aéroport toutes les heures.
7. Le voyageur est parti de la ville sans regrets.
8. La journée finie, le commerçant part de sa boutique.

[X]

Complete the following sentences.

1. Le docteur a quitté ses amis à deux heures.
   _____ sa femme_____.
   _____ ses malades _____.
   _____ l'hôpital_____.
   _____ ses collègues _____.

2. Le garagiste a laissé mon auto devant la maison.
   Mon amie _____.
   _____les enfants à _____.

_____ ses lunettes _____.

_____le chien _____.

_____ sortir sans collier.

[XI]

Of the two imperatives given after the first statement, choose the one that is most appropriate.

EXAMPLE   Vous avez mon livre?   (Retournez-le. Rendez-le-moi.)
Rendez-le-moi.

1. Vous voulez aller de nouveau en France.   (Retournez-y. Rentrez-y.)
2. Vous nagez trop loin.   (Revenez. Retournez.)
3. La maison n'est pas loin.   (Revenons. Rentrons.)
4. C'est vous qui avez mon stylo.   (Rendez-le-moi. Retournez-le.)
5. Tu peux sortir mais . . .   (Ne rentre pas trop tard. Ne retourne pas trop tard.)
6. Vous n'êtes pas resté assez longtemps en Espagne.   (Retournez-y. Revenez-y.)
7. Tes parents t'attendent à la maison.   (Reviens vite. Rentre vite.)
8. Ces cigarettes sont à Jacques.   (Rendez-les-lui. Retournez-les.)

[XII]

Complete the following sentences.

1. L'agent a arrêté le voleur.
   Le détective_____.
   _____ le meurtrier.
   _____ sa voiture.
   _____ sa motocyclette.

2. Le facteur s'est arrêté devant la maison.
   _____ l'hôtel.
   L'autobus _____.
   Le touriste _____.
   _____de lire son guide.
   _____ regarder_____.
   _____ a cessé _____.

[XIII]

Reword the following sentences, replacing **se souvenir (de)** by **se rappeler** or **se rappeler de** as needed.

EXAMPLE   Je ne me souviens pas de votre nom.
          Je ne me rappelle pas votre nom.

1. Il se souvient de cet incident.
2. Te souviens-tu de ce voyage?
3. La bonne se souvient d'aller chez le boucher.
4. Souvenez-vous de me rendre mes notes.
5. Il se souvient qu'il doit sortir.
6. Nous ne nous souvenons pas de vous y avoir vus.
7. Tu te souviens du titre du film, n'est-ce pas?
8. Souviens-toi de ta promesse.

[XIV]

Reword the following sentences, using **douter de.**

EXAMPLE   Il n'est pas sûr de ses forces.
          Il doute de ses forces.

1. Nous ne sommes pas sûrs de son courage.
2. Nous n'en sommes pas sûrs.
3. Vous n'êtes pas sûr de cela.
4. Elle n'a pas confiance en lui.
5. Je n'ai pas confiance en ma mémoire.
6. Ils ne sont pas sûrs de son honnêteté.
7. Ils n'ont pas confiance en la justesse de son jugement.
8. Je ne suis pas sûr de cela.

[XV]

Complete the following sentences.

1. Nous nous doutons de sa réaction quand il entendra cela.
   _____ verra _____.
   Je _____.
   _____ ses amis.
   Vous _____.
   _____ joie _____.

2. Je me doute qu'il sera heureux de les voir.
   _____ surpris _____.
   _____ vous___.
   _____ enchanté _____.

3. On se sert d'un stylo pour écrire.

    _____ marteau __ clouer.

    _____ couteau __ couper.

    _____ verre ___ boire.

    _____ réveil ___ se réveiller.

    _____ pinceau __ peindre.

4. Un stylo sert à écrire.

    __ marteau __ clouer.

    ___ couteau __ couper.

    __ verre ___ boire.

    __ réveil ____ réveiller.

    __ pinceau __ peindre.

5. Cette table sert de bureau à l'étudiant.

    Mon frère _____ guide _____.

    _____ interprète _____.

    Ma sœur _____ secrétaire __ mon père.

    Ma mère _____ chauffeur __ mes petits frères.

IDIOMATIC EXPRESSIONS

avec attention   attentively
claquer la porte   to slam the door
de bonne heure   early
de nouveau   again
(les) efforts qu'il faut   necessary efforts
être à   belong to
faire de la peine à   to grieve someone, hurt the feelings of
juger bon   to deem advisable
les mains vides   empty-handed
sans le faire exprès   without doing it on purpose
se faire des politesses   to exchange compliments
se mettre en grève   to go on strike
se serrer la main   to shake hands
s'inquiéter (de)   to worry (about), get worried

Riquet
(*suite*)

Et ces incommodités, ces périls même, étaient peu de chose auprès des peines qu'endurait son cœur. En lui, c'est le moral, comme on dit, qui était le plus affecté.

Les meubles de l'appartement lui représentaient, non des choses inertes, mais des êtres animés et bienveillants, des génies favorables, dont le départ présageait de cruels malheurs. Plats, sucriers, poêlons et casseroles, toutes les divinités de la cuisine; fauteuils, tapis, coussins, tous les fétiches du foyer, ses lares et ses dieux domestiques, s'en étaient allés. Il ne croyait pas qu'un si grand désastre pût jamais être réparé. Et il en recevait autant de chagrin qu'en pouvait contenir sa petite âme. Heureusement que, semblable à l'âme humaine, elle était facile à distraire et prompte à l'oubli des maux.

Durant les longues absences des déménageurs altérés, quand le balai de la vieille Angélique soulevait l'antique poussière du parquet, Riquet respirait une odeur de souris, épiait la fuite d'une araignée, et sa pensée légère[1] en était divertie. Mais il retombait bientôt dans sa tristesse.

Le jour du départ, voyant les choses empirer d'heure en heure, il se désola. Il lui parut spécialement funeste qu'on empilât le linge dans de sombres caisses. Pauline, avec un empressement joyeux, mettait ses robes dans une malle. Il se détourna d'elle, comme si elle accomplissait une œuvre mauvaise. Et rencogné au mur, il pensait: « Voilà le pire! C'est la fin de tout! » Et, soit qu'il crût que les choses n'étaient plus quand il ne les voyait plus, soit qu'il évitât seulement un pénible spectacle,[2] il prit soin de ne pas regarder du côté de Pauline.

QUESTIONS

1. Qu'est-ce que les meubles de l'appartement représentaient à Riquet?
2. Nommez quelques-uns des fétiches et divinités de la maison. 3. Qu'est-ce que leur départ présageait? 4. En quoi la petite âme de Riquet était-elle semblable à l'âme humaine? 5. Qu'est-ce qui divertissait sa pensée? 6. Qu'est-ce qui lui a paru particulièrement funeste? 7. Que faisait Pauline de ses robes? 8. Pourquoi Riquet s'est-il détourné d'elle? 9. Que pensait-il? 10. Pourquoi évitait-il de regarder du côté de Pauline?

IDIOMATIC EXPRESSIONS

auprès de compared to
d'heure en heure hour by hour
du côté de in the direction of
peu de chose trifle, very little
prompt à l'oubli quick to forget

rencogné au mur huddled against the wall
se désoler to become distressed
se détourner to turn away

---

[1] **sa pensée légère,** *his little mind.*
[2] **soit que . . ., soit que . . .,** *whether . . . or whether . . .*

Lesson 7

Grammar and Usage

I. THE PAST DEFINITE

The past definite, like the past indefinite (Lesson 3), indicates that an action took place and was completed at a given or implied moment in the past, but with the following differences:

The past indefinite denotes a completed action which took place in a period of time extending into the present, or an action whose effects may still be felt. However, in conversation, letter writing, accounts of current events, informal narratives or speeches, it is also used now regardless of the period in which the action took place or of its effects upon the present.

The past definite is used in historical works, novels, short stories, memoirs, orations, or any form of sustained narrative, to present successions of completed actions which took place WHOLLY in the past. The events are viewed as having little or no relation to the present. This does not mean that the past indefinite is not used in literary works. It may be used when the writer wishes to place the events in a certain perspective in time, and of course it is used in dialogues.

Vers trois heures, un aide de camp arriva, apportant un ordre. On nous fit reprendre nos armes; nos tirailleurs se répandirent dans la pleine; nous les suivîmes lentement, et au bout de vingt minutes, nous vîmes tous les avant-postes russes se replier vers la redoute. Une batterie d'artillerie vint s'établir à notre droite, une autre à notre gauche. Elles commencèrent un feu rapide sur l'ennemi, qui riposta énergiquement, et, bientôt, la redoute disparut sous des épais nuages de fumée.

(Mérimée: *L'Enlèvement de la redoute*)

Towards three o'clock an aide-de-camp arrived, bringing an order. We were made to take up our arms again; our riflemen spread out in the plain; we followed them slowly, and, at the end of twenty minutes, we saw the Russian outposts fall back towards the redoubt. An artillery battery came to take position on our right, another on our left. They started a rapid fire on the enemy, who returned it in earnest, and soon the redoubt disappeared under thick clouds of smoke.

The event, which took place several years before, is viewed by the narrator as belonging to a period of his life completely in the past and having no relation with the present; he uses the past definite as would an historian in relating a battle. But, in a letter to his family, or in a report, written shortly after the event, the narrator would have used the past indefinite.

Malgré les mauvais succès de ses armes infortunées, si on a pu le vaincre, on n'a pas pu le forcer; comme il n'a jamais refusé ce qui était raisonnable et juste étant vainqueur, il a toujours rejeté ce qui était faible et injuste étant captif.	Despite the ill success of his hapless arms, if they were able to defeat him, they were unable to bend him; just as he never refused what was reasonable and just when victorious, he always rejected what was weak and unjust when a captive.

(Bossuet: *Oraison funèbre d'Henriette-Marie de France*)

Bossuet uses the past indefinite here because the tragic death of Henriette-Marie's husband is still present in all memories and its effects still may be felt by many.

The past indefinite is also used rather than the past definite to recall briefly historical events which are not a part of a sustained narrative.

Quand Napoléon est-il né?	When was Napoleon born?
Il est né en 1769.	He was born in 1769.
Jeanne d'Arc a battu les Anglais à Orléans.	Joan of Arc defeated the English at Orléans.

Inasmuch as the past definite is seldom used in conversation, letter writing, informal narratives, etc., the student will not use it in the exercises. In composition writing he will use it when directed to do so by his instructor. In any case, he should learn its conjugation in order to be able to identify it in his reading.

II. THE IMPERFECT

While the past indefinite (and definite) denotes the completion of the action, the main characteristic of the imperfect is the aspect of continuity or noncompletion of the action at a given or implied moment in the past. It is essential that this concept be clearly understood since in English the same form of the verb may express both the completed and the incompleted action: "He lived in Paris" may mean, according to the context, "he was living in Paris" (**il vivait à Paris**), or "he has lived in Paris" (**il a vécu à Paris**).

1. The imperfect is used:

a. To show that an action was going on, or that a state was already in existence, either when another action took place (first three examples) or at a specified moment in the past (last two examples).

Que *disiez-vous* quand je suis entré?	What *were you saying* when I came in?
Il *vivait* à Paris quand la guerre a éclaté.*	He *lived* (*was living*) in Paris when the war broke out.
Un monsieur est venu pendant que vous *étiez* à la réunion.	A gentleman came while you *were* at the meeting.
Il *lisait* encore à minuit.	He *was* still reading at midnight.
Elle n'*était* pas chez elle ce matin.	She *was* not home this morning.

* Compare this example with **Il a vécu à Paris pendant cinq ans** (*He lived in Paris for five years*), where the action was completed, and both its beginning and end can be visualized: hence the past indefinite.

Note that the form *was* (*were*) + present participle is translated by the imperfect.

b. To describe a state, state of mind, characteristic, condition or circumstance existing in the past without any indication of a beginning or an end.

Il était tard et cependant nous n'avions pas sommeil.	It was late and yet we were not sleepy.
Il pleuvait et nous n'avions pas de parapluie.	It was raining and we had no umbrella.
C'était une femme bonne et charitable.	She was a good and charitable woman.
Je ne savais pas la nouvelle.	I did not know the news.
Nous espérions le voir.	We hoped to see him.

NOTE Verbs like **penser, croire, espérer, savoir, vouloir,** etc., are used in the imperfect when they indicate a state of mind for which no beginning or end can be visualized. But when these verbs are used to denote an act of the mind which took place at some moment in the past or as a separate occurrence, the past indefinite is used.

Il *croyait* que vous étiez ici.	He thought (*all the while*) that you were here.
Il *a cru* que tout était perdu.	He thought (*just at that moment*) that all was lost.
Elle *savait* très bien de quoi il s'agissait.	She knew very well (*all the time*) what it was about.
Elle *a su* immédiatement ce qu'il fallait faire.	She knew immediately (*one occurrence*) what must be done.
Je *pensais* à vous.	I was thinking of you.
J'*ai* souvent *pensé* à vous.	I thought of you often. (*on a number of separate occasions*)

c. To describe an action or condition that was customary or that recurred an unspecified number of times, or recurred at regular intervals;
also to describe a condition that existed during an unspecified period of
time and ceased at some moment in the past.

A la pension nous nous levions tous les jours à sept heures.	At boarding school we used to get up at seven o'clock every day.
Cet été je lisais toute la matinée et l'après-midi je faisais de longues promenades.	This summer I would read all morning and in the afternoon I would take long walks.
Pendant la guerre il écrivait à sa femme toutes les semaines.	During the war he used to write to his wife every week.
Elle était si jolie quand elle était jeune.	She was (used to be) so pretty when she was young.

Note that the forms *used to* + infinitive and *would* + infinitive are translated in French by the imperfect.

2. From the examples in the preceding section it appears that, whereas
certain past verb forms in English have only one possible translation,
others are translated sometimes by the imperfect, sometimes by the past
indefinite.

There is no hesitation for the following English forms:

Perfect: I have spoken.

Imperfect: { I was speaking. I used to speak. I would speak.

Past Indefinite: **J'ai parlé.**

Imperfect: **Je parlais.**

But there might be some hesitation with the following forms which may
express the perfect or the imperfect:

I spoke { (?) **J'ai parlé.** *or* (?) **Je parlais.**

I did not speak. { (?) **Je n'ai pas parlé.** *or* (?) **Je ne parlais pas.**

Did I speak? { (?) **Ai-je parlé?** *or* (?) **Parlais-je?**

The kind of action expressed by the English verb will be clear from the
context, but in French the proper tense must be used to convey the thought
accurately. Besides applying the explanations given in Section 1, the fol-

lowing rule of thumb may safely be used in a good many cases: substitute for the doubtful verb the form *was* (*doing*), *used to* (*do*), or *would* (*do*); if the substitution is possible and consistent with the meaning, even though it may sound clumsy, use the imperfect in French; otherwise use the past indefinite.

Last time I *saw* her, she *looked* tired.	*Saw* = *was seeing, used to see?* No. Then the past indefinite. *Looked* = *was looking?* Yes. Then the imperfect.
We *did not go* to the movies last Saturday.	*Did not go* = *were not going, did not use to go?* No. Then the past indefinite.
When she was in college, she *spoke* French very well, but she *did not speak* so fluently as her brother.	*Spoke* = *used to speak?* Yes. Then the imperfect. *Did not speak* = *did not use to speak?* Yes. Then the imperfect.
He *liked* children and sometimes *played* with them for hours.	*Liked* = *was liking* (state of mind)? Yes. Then imperfect. *Played* = *would play?* Yes. Then imperfect.

3. *The imperfect and the past indefinite (or definite) in narratives.* In a narrative the imperfect serves to describe the background for the action: description of the characters; conditions and circumstances already in existence; happenings which did not contribute to the progress of the action or were going on while the action itself was at a standstill. The progress of the action, i.e., what actually *took place*, is expressed by the past indefinite in an informal narrative, and usually by the past definite in sustained or formal narratives.

Example of a formal narrative (past definite and imperfect):

Dès la gare, ils *furent consternés* par la bousculade des gens dans la salle des bagages, et le tumulte des voitures enchevêtrées devant la sortie. Il *pleuvait.* On ne *pouvait* trouver de fiacre. Il *fallut* courir loin, les bras cassés par les paquets trop lourds. Aucun cocher ne *répondait* à leurs appels. Enfin, ils *réussirent* à en arrêter un, qui *menait* une vieille patache d'une saleté repoussante. En hissant leurs paquets, ils *laissèrent tomber* un rouleau de couvertures dans la boue.

Right from the station, they *were dismayed* by the jostling crowd of people in the baggage room, and the noise of tangled vehicles in front of the exit. It *was raining.* They *could* not find a cab. They *had* to run a long distance, their arms broken by the too heavy bundles. No driver *would answer* their calls. Finally, they *succeeded* in stopping one who *drove* a rickety old coach of a repelling filthiness. While loading their bundles, they *dropped* a roll of blankets in the mud.

Il pleuvait, on ne pouvait trouver, ne répondait, qui menait describe the conditions and circumstances of the background of the action; **ils furent consternés, il fallut courir, ils réussirent, ils laissèrent tomber** express the action.

Example of an informal narrative (past indefinite and imperfect):

Hier nous *sommes allés* **à la pêche. Il** *faisait* **froid et le ciel** *était* **couvert, la mer** *était* **agitée, l'un de nous** *avait* **le mal de mer, et, comme de plus, le poisson ne** *mordait* **pas, nous** *avons* *décidé* **de rentrer.**	Yesterday we *went* fishing. It *was* cold and the sky *was* overcast, the sea *was* rough, one of us *was* seasick, and, since furthermore the fish *were* not *biting*, we *decided* to return.

A good example of the descriptive imperfect may be found in the Readings of Lessons 5 and 6. After the first two sentences which inform us of what had taken place before the story began, the story makes no progress for about forty lines. Those forty lines are devoted entirely to the description of Riquet's distress and its causes.

4. The immediate past: **venir de** (*to have just*).

Venir de is used in the present to mean *has just*, in the imperfect to mean *had just*.

Il vient d'arriver.	He has just arrived.
Il venait d'arriver.	He had just arrived.

5. The imperfect in conditional sentences.

In the **si** (*if*) clause of a conditional sentence with a result clause in the conditional, the imperfect is used to translate the forms *should* or *were to* + infinitive, *were*, or the English imperfect.

Serait-il plus heureux s'il était riche?	Would he be happier if he were rich?
Si vous lui donniez cette montre, il en prendrait bien soin.	If you gave (should, were to give) him this watch, he would take good care of it.

[I]

Put the verb of the main clause in the imperfect and the verb of the subordinate clause in the past indefinite.

EXAMPLE   Jean parle au moment où ils entrent.
                Jean parlait au moment où ils sont entrés.

1. Nous en parlerons quand vous viendrez.
2. Henri sera déjà là quand nous arriverons.
3. Le chien aboie quand des visiteurs arrivent.
4. Nous ferons une promenade quand ils viendront.
5. Nous n'avons pas le cœur à rire quand nous voyons nos notes.
6. Il sera prêt à partir quand vous viendrez le chercher.
7. Il est fatigué quand la journée se termine.
8. Il fait froid quand il commence à neiger.
9. Elle sera triste quand ils partiront.
10. Nous commencerons à préparer le dîner au moment où vous arriverez.

[II]

Put the following sentences in the imperfect.

EXAMPLE   Il fait beau ce matin.
           Il faisait beau ce matin.

1. Il est midi et pourtant nous n'avons pas faim.
2. J'éprouve une vive inquiétude.
3. C'est un chien abandonné.
4. Le voleur est en prison.
5. L'enfant se méfie du chien.
6. Elle a peur d'ouvrir la porte.
7. Nous connaissons ces gens-là.
8. Marie tient à vous voir.
9. Il aime beaucoup le théâtre.
10. Il neige et nous n'avons pas de bottes.

[III]

Put the following sentences in the imperfect and translate.

EXAMPLE   Nous nous levons chaque matin à sept heures.
           Nous nous levions chaque matin à sept heures.
           We used to get up at seven every morning.

1. M. Bergeret fait une promenade tous les matins.
2. Quand nous sommes en vacances nous nous levons assez tard.
3. Il prend le métro tous les jours à la même heure.
4. Ce garçon fait continuellement des fautes d'inattention.
5. Il s'agit de savoir qui a raison.
6. Nous connaissons très bien cet homme.

7. Nous lui parlons souvent.
8. Tous les mois nous rendons visite à nos grands-parents.
9. L'enfant se tait toujours quand ses parents parlent.
10. Il ne comprend jamais rien.

[IV]

The following ten sentences are a short narrative in the present. Read them through first, then put them in the past.

1. Ce matin il fait beau.
2. Le soleil brille.
3. L'air est doux.
4. Jean décide d'aller à l'université à pied.
5. En traversant la rue il aperçoit des amis.
6. Ils sont à la terrasse d'un café.
7. Ils parlent de leurs cours.
8. Ils s'interrompent en voyant Jean.
9. Jean vient les rejoindre.
10. Lui et ses amis se retrouvent souvent à ce café.

[V]

Reword the following sentences using **il vient de** or **il venait de** and translate.

EXAMPLE   Il m'a téléphoné à l'instant.
           Il vient de me téléphoner.
           He has just called me up.

1. Il arrivait à Paris quand nous l'avons rencontré.
2. Il nous a parlé il y a quelques minutes.
3. Il a terminé ses examens et il est heureux.
4. Il avait vu des amis qu'il connaissait de longue date.
5. Il était sorti quand sa femme est arrivée.
6. Il est parti à l'instant.
7. Il était rentré et se sentait assez fatigué.
8. Il nous a raconté ce qui s'est passé.

[VI]

Put the verb in the present in the imperfect and the verb in the future in the conditional.

EXAMPLE   Si vous faites cela j'en serai très heureux.
           Si vous faisiez cela j'en serais très heureux.

1. S'il m'en croit, il n'en dira rien.
2. Si tu fais attention tu t'en tireras.
3. Si elle voit cette pièce elle en sera enchantée.
4. Si vous vous taisez nous vous en serons reconnaissants.
5. Si j'ai le temps je le ferai.
6. Si elle travaille sérieusement elle aura de meilleurs notes.
7. S'il le sait il vous le dira.
8. Si vous me prêtez ce livre cela m'aidera beaucoup.

III. THE PERFECT SUBJUNCTIVE

In a subordinate clause requiring the subjunctive, the perfect subjunctive (see Appendix I, Section I) translates the English past and future perfect, or an English subjunctive when the main clause is in the present indicative. The time expressed by the verb in the subjunctive (or by the verb and an expression of time) is therefore past or future perfect in relation to the tense of the verb in the main clause.

Je suis heureux que vous soyez venu.	I am happy that you came.
Il craint que vous n'ayez pas compris.	He fears that you did not understand.
Je doute qu'ils aient fini quand vous arriverez.	I doubt that they will have finished when you arrive.

[VII]

Reword the following sentences so that you will use a perfect subjunctive in the subordinate clause.

EXAMPLE   Vous êtes venu. J'en suis heureux.
Je suis heureux que vous soyez venu.

1. Ils sont arrivés en retard. Je le crains.
2. Elle les a vus. Nous en sommes enchantés.
3. Vous n'avez pas compris. Il en a peur.
4. Vous l'avez entendu? J'en doute.
5. Tu as manqué ton train. Elle en est désolée.
6. L'enfant s'est bien conduit. La mère en est heureuse.
7. Le chien s'est caché dans la malle? Nous en doutons.
8. Ils auront terminé à temps. Nous en sommes heureux.
9. Elles seront déjà parties à cette heure-là. Je le crains.
10. Tu auras fini avant son arrivée. Nous en serions enchantés.

VERB REVIEW

What are the endings of the imperfect? With what other tense are these endings used?

What are the principal parts of **connaître, conduire** (Table 1); **savoir, prendre** (Table 2)? What forms of **savoir** and **prendre** cannot be derived from the principal parts? What other verbs are conjugated like **connaître?** Conjugate these verbs in all simple tenses.

Vocabulary Distinctions

To take, Bring, Carry
Porter, Mener, Prendre

Porter and its compounds can only be used in the sense of *carrying.* **Mener** and its compounds are used in the sense of *leading, accompanying,* and usually apply only to persons and animals, or to objects capable of motion.

Portez cette lettre à la poste.	Take this letter to the post office.
Menez Jean chez le tailleur.	Take John to the tailor's.
Menez le cheval à l'écurie.	Take (lead) the horse to the stable.

Apporter, amener mean *to bring to, bring* (*with, along*).

Apportez le thé au salon.	Bring the tea to the living room.
Apportez votre violon.	Bring your violin (with you).
Il amènera ses amis.	He will bring his friends (along).
J'ai amené la voiture devant la porte.	I brought the car in front of the door.

Emporter, emmener mean *to take away, carry away, take with* (*along*).

Il a emporté une valise.	He took a suitcase (with him).
Emportez ces assiettes.	Take these plates away.
Je vous emmènerai au théâtre.	I shall take you (with me) to the theater.
Je sors, voulez-vous que j'emmène le chien?	I am going out; do you want me to take the dog?
Emmenez ces enfants, ils font trop de bruit.	Take those children away; they are making too much noise.

NOTE   The difference between **mener** and **emmener** may sometimes be very slight, but the prefix **em–** strongly suggests *with, along, away.* When *away* is meant, **emmener** must be used. **Mener** cannot be used unless a destination is given in the same clause. Study the examples above and below.

Il l'a mené chez le coiffeur. (*or* **emmené**)	He took him to the barber (with him).
Si je vais au marché, je vous emmènerai. (*not* **mènerai**)	If I go to the market, I shall take you (along) with me.
Le colonel a mené son régiment au combat.	The colonel led his regiment into battle.

NOTE   **Conduire** may be used instead of **mener** in most cases, but **conduire** has no compounds with **a–** or **en–**: **Le colonel a conduit son régiment au combat.**

Prendre is used when *to take* means *to seize, lay hold of, use, choose, absorb*, etc., and when no carrying or leading from one place to another is involved. (For the impersonal *it takes*, see Lesson 11, page 180.)

Prenez votre chapeau. (**Emportez votre chapeau.**)	Take your hat. (Take your hat *with you*.)
Elle m'a pris tout mon argent.	She took all my money.
Nous avons pris l'autobus.	We took the bus.
Je prendrai un verre de bière.	I shall take a glass of beer.

Monter, Descendre, Passer, Sortir, Rentrer, Retourner

The intransitive verbs **monter, descendre, passer,** and less frequently, **sortir, rentrer, retourner** (see Lesson 6) may also be used transitively with a direct object (they are then conjugated with **avoir**) and with the following meanings:

monter, to take, bring, carry up (upstairs)	**sortir,** to take out
	rentrer, to bring in
descendre, to take, bring, carry down (downstairs)	**retourner,** to turn over (*i.e., upside down*)

Je vais vous monter votre déjeuner.	I am going to carry up your breakfast (to you).
Il a descendu un vieux tableau du grenier.	He brought down an old painting from the attic.
Elle a sorti son porte-monnaie de son sac.	She took her purse out of her bag.
Il va pleuvoir, rentrez les chaises.	It is going to rain; bring in the chairs.
N'oubliez pas de retourner les matelas.	Do not forget to turn over the mattresses.

Monter and **descendre** are used transitively also in the expressions **monter l'escalier,** *to go up the stairs,* and **descendre l'escalier,** *to go down the stairs.*

WARNING Be sure to use **être** in compound tenses when the above verbs are used intransitively: **il est sorti, il est descendu,** *he came out, he went down.*

Verb + *Back*
Re–

In the English locution verb + *back*, *back* is frequently expressed in French by adding the prefix **re–** to the verb (**r–** when the verb begins with a vowel): **mettre** (*to put*), **remettre** (*to put back*); **apporter** (*to bring*), **rapporter** (*to bring back*); **prendre** (*to take*), **reprendre** (*to take back*); etc. **Ramener** may mean both *to take back* or *to bring back*. **Reconduire** means *to take back*, also *to escort* or *see someone home, to the door*, etc.

The prefix **re–** may also indicate repetition (see Lesson 20): **refaire,** *to do again;* **redonner,** *to give again.*

To be
Faire

Faire with the impersonal subject **il** is used to translate *to be* in expressions describing weather, atmospheric or light conditions.

Quel temps fait-il?	What is the weather?
Il fait beau (temps).	The weather is good (*or* fine).
Il fait mauvais (temps).	The weather is bad.
Fait-il très chaud?	Is it very hot?
Il fait bon (*or* doux).	It is mild.
Il fait clair (*or* jour).	It is light (daylight).
Il fait sombre (*or* noir).	It is dark (pitch black).

The following adjectives used with *to be* are translated by **faire** plus a partitive noun: *sunny,* **du soleil;** *windy,* **du vent;** *foggy,* **du brouillard;** *lightning,* **des éclairs;** *stormy,* **de l'orage** (**faire de l'orage** translates also *to storm*). Remember that the partitive is expressed by **de** alone after an adverb of quantity or in a general negation.

Il fait beaucoup de vent.	It is very windy.
Il ne fait pas d'éclairs.	It is not lightning.

To rain, to snow, and *to freeze* are translated **pleuvoir, neiger,** and **geler.** *To thunder* is **faire du tonnerre** or **tonner.**

Note also the following construction with a modified noun:

Il fait *un* temps splendide.	The weather is splendid.
Il fait *un* vent terrible.	It is terribly windy.

[VIII]

Reword the following sentences using the imperative **menez** or **portez.**

EXAMPLE   Cet enfant doit aller chez le dentiste.
            Menez cet enfant chez le dentiste.

1. Donnez ce paquet à votre mère.
2. Le chien doit aller chez le vétérinaire.
3. Monique doit aller au parc avec les autres enfants.
4. Votre petit frère doit aller chez le coiffeur.
5. Mettez cette lettre à la poste.
6. Rendez ce livre à la bibliothèque.
7. Cet enfant doit se coucher.
8. Donnez ce journal à votre frère.

[IX]

Reword the following sentences using the imperative **amène** or **apporte.**

EXAMPLE   Tes amis peuvent venir.
            Amène tes amis.

1. Tu auras besoin de ta bicyclette demain.
2. Mets les fruits dans la cuisine.
3. Invite tes camarades.
4. Donne-moi cette pantoufle tout de suite, Riquet!
5. Nous aurons besoin de l'auto à midi.
6. Dis à Jean de venir si tu le vois.
7. Donne-moi le livre qui est sur la chaise.
8. Dis à Marie de venir si elle en a envie.

[X]

Reword the following sentences using the imperative **emportons** or **emmenons.**

EXAMPLE   Nous avons besoin de notre valise.
            Emportons notre valise.

1. Appelons le chien puisque nous allons nous promener.
2. Nous avons besoin de ces verres à la cuisine.
3. Invitons nos amis au théâtre.
4. Rangeons tous ces cahiers.
5. Enlevons la malle.

6. Allons avec les enfants au parc.
7. Demandons à Jacques de venir avec nous.
8. Nous avons besoin de nos livres.

[XI]

Reword the following sentences using the direct object supplied in parentheses and make all necessary changes.

EXAMPLE   Elle est descendue en courant.   (l'escalier)
Elle a descendu l'escalier en courant.

1. Elle est sortie du garage.   (la voiture)
2. Nous sommes retournés tout de suite.   (le coussin)
3. Jean est descendu avec peine.   (la valise)
4. Etes-vous rentré avant l'orage?   (la chaise longue)
5. Marie est montée rapidement.   (l'escalier)
6. Le déménageur est descendu.   (le meuble)
7. Il est sorti à regret.   (son porte-monnaie)
8. Elle est passée, en courant.   (le pont)

[XII]

Reword the following sentences.

EXAMPLE   Le jour se lève.
Il fait clair.

1. Le tonnerre roule.
2. La nuit tombe.
3. Le vent souffle.
4. L'orage éclate.
5. La pluie tombe.
6. Le brouillard est épais.
7. Le soleil brille.
8. Le temps est doux.
9. Les éclairs brillent.
10. La neige tombe.

IDIOMATIC EXPRESSIONS

à l'instant   immediately
aller à pied   to walk
aller se promener   to go for a walk
avoir envie de   to feel like

avoir le cœur à   to be in a mood to
(la) chaise longue   lounging chair
de longue date   for a long time
(une) faute d'inattention   careless mistake
ranger   to put in order, tidy up
rendre une visite   to call on, pay a call
s'agir de   to be a question (matter) of
se conduire   to behave
se passer   to happen
se terminer   to come to an end
tenir à   to be anxious to, to insist on, to be fond of
tout de suite   at once
venir (aller) chercher   to come (go) to get

Riquet
(*suite*)

En allant et venant, Pauline remarqua l'attitude de Riquet. Cette attitude était triste. Elle la trouva comique et se mit à rire. Et, en riant, elle
l'appela: « Viens! Riquet, viens! » Mais il ne bougea pas de son coin et
ne tourna pas la tête. Il n'avait pas en ce moment le cœur à caresser sa
jeune maîtresse et, par un secret instinct, par une sorte de pressentiment,
il craignait d'approcher de la malle béante. Elle l'appela plusieurs fois.
Et, comme il ne répondait pas elle alla le prendre et le souleva dans ses
bras. « Qu'on est donc malheureux, » lui dit-elle, « qu'on est donc à
plaindre! » Son ton était ironique. Riquet ne comprenait pas l'ironie. Il
restait dans les bras de Pauline inerte et morne, et il affectait de ne rien
voir et de ne rien entendre. « Riquet, regarde-moi! » Elle fit trois fois
cette prière et la fit trois fois en vain. Après quoi, simulant une violente
colère: « Stupide animal, disparais, » et elle le jeta dans la malle dont
elle renversa le couvercle sur lui. A ce moment sa tante l'ayant appelée,
elle sortit de la chambre laissant Riquet dans la malle.

Il y éprouvait une vive inquiétude. Il était à mille lieues de supposer
qu'il avait été mis dans cette malle par simple jeu et par plaisanterie.
Estimant que sa situation était déjà assez fâcheuse, il s'efforça de ne point
l'aggraver par son imprudence. Et il resta quelques instants immobile,
sans souffler. Puis il jugea utile d'explorer sa prison ténébreuse. Il tâta
avec ses pattes les jupons et les chemises sur lesquels il avait été si misé-
rablement précipité, et il y chercha quelque issue pour sortir de ce lieu

redoutable. Il s'y appliquait depuis deux ou trois minutes quand M. Bergeret, qui s'apprêtait à sortir, l'appela:

— Viens, Riquet, viens. Nous allons faire une promenade sur les quais ... Viens, Riquet! ... Où est le chien? Riquet! Riquet! ...»

QUESTIONS

1. Qu'est-ce que Pauline a remarqué en allant et venant? 2. Pourquoi s'est-elle mise à rire? 3. Où était Riquet? 4. Pourquoi n'a-t-il pas obéi à l'appel de sa maîtresse? 5. Qu'est-ce que Pauline lui a dit sur un ton ironique? 6. Qu'est-ce que Riquet affectait de faire? 7. Combien de fois Pauline lui-a-t-elle demandé de la regarder et avec quel résultat? 8. Qu'est-ce que Pauline a fait alors? 9. Qu'est-ce que Riquet éprouvait et pourquoi? 10. Qu'est-ce qu'il a fait après quelques instants?

IDIOMATIC EXPRESSIONS

à mille lieues de   far from
à plaindre   to be pitied
allant et venant   going back and forth
s'apprêter   to get ready
s'approcher   to go (come) near

Lesson 8

Grammar and Usage

I. THE PAST ANTERIOR

1. After conjunctions of time (**aussitôt que, quand, lorsque, après que,** etc.), the past anterior (past definite of the auxiliary + past participle) is used for the English pluperfect to denote that an action was completed before another action, expressed by the PAST DEFINITE, took place. It is used in formal speech or narrative.

Dès que le ministre *eut signé* le courrier, sa secrétaire *l'emporta.*	As soon as the minister *had signed* the mail, his secretary took it away.
Nous ne *sortîmes* de notre abri qu'après que les gardes *eurent quitté* la forêt.	We *came* out of our shelter only after the guards *had left* the forest.

NOTE Sometimes in English a perfect is used where the past anterior would be used in French: *As soon as the minister signed.* . . . Here, *had* is understood, but in French it must be expressed by the past anterior.

2. A super-compound form of the past anterior (past indefinite of the auxiliary + past participle) is used in correlation with a verb in the PAST INDEFINITE. It occurs in conversation, letter writing, i.e., whenever the past indefinite is used.

Dès que le ministre *a eu signé* le courrier sa secrétaire *l'a emporté.*

Nous ne *sommes sortis* de notre abri qu'après que les gardes *ont eu quitté* la forêt.

Sitôt que *j'ai eu acquis* quelques notions de physique, *j'ai remarqué* combien elles diffèrent des principes dont on s'est servi jusqu'à présent. (Descartes: *Discours sur la méthode*)

NOTE The super-compound form may not be used with reflexive or passive verbs.

123

[I]

Change the following sentences from the written to the spoken or more informal style.

EXAMPLE   Dès que je lui eus parlé il partit.
Dès que je lui ai eu parlé il est parti.

1. Lorsqu'il eut fini ses devoirs il me les montra.
2. Dès qu'il eut délivré le chien celui-ci s'enfuit.
3. Aussitôt que Riquet eut trouvé la pantoufle il la rapporta.
4. Après que Guillaume eut battu Harold à Hastings les Normands envahirent l'Angleterre.
5. Dès qu'ils eurent déjeuné ils retournèrent au bureau.
6. Quand il eut entendu notre réponse, il réfléchit longtemps.

II. THE PLUPERFECT

1. The French pluperfect (imperfect of the auxiliary + past participle) expresses the English pluperfect to indicate that an action had occurred sometime in the past. (See Section I above for cases where the past anterior is used instead.) The pluperfect may be used in correlation with a verb in any past tense except, of course, the past anterior.

Je ne savais pas que vous *aviez déménagé.*	I did not know you *had moved.*
Vous a-t-il dit qu'il *avait perdu* son passeport?	Did he tell you that he *had lost* his passport?
Je ne m'*étais* pas *rendu* compte qu'il *avait fait* une erreur.	I *had* not *realized* that he *had made* an error.
Il *avait* déjà *quitté* son bureau quand nous avons téléphoné.	He already *had left* his office when we telephoned.
Lorsque nous *avions* bien *travaillé* pendant le mois, le patron nous donnait un jour de congé.	When we *had worked* well during the month, the boss would give us a day off.

NOTE   Inasmuch as the French past anterior and pluperfect are both rendered by the English pluperfect, the translation of the English pluperfect when it follows a conjunction of time may sometimes cause hesitation. Remember that:

a. The past anterior may not normally be used with any tense but the past definite (or the past indefinite, see Section I above) in the main clause.

b. The past anterior indicates that an action has taken place and been completed once or, if more than once, a specific number of times. When an action has recurred an unspecified number of times or may be considered habitual, the pluperfect is used. Compare:

Quand le ministre *eut* (*a eu*) *signé* le courrier sa secrétaire l'*emporta* (l'*a emporté*). (*one particular occurrence*)
Quand le ministre *avait signé* le courrier sa secrétaire l'*emportait.* (*customary occurrence*)

Après que nous *avons eu sonné* trois fois, le portier nous *a ouvert.*	After we *had rung* three times, the porter *opened* the door for us.

2. The pluperfect is used as in English in the **si** (*if*) clause of a conditional sentence when the result clause is in the past conditional.

Je serais arrivé plus tôt *si je n'avais pas manqué* l'express de 21 h. 15.	I would have arrived earlier *if I had not missed* the 9:15 P.M. express.

[II]

In the following sentences change the past anterior to the pluperfect and the past definite to the imperfect, thereby making the action habitual.

EXAMPLE   Quand ils eurent mangé ils firent la sieste.
Quand ils avaient mangé ils faisaient la sieste.

1. Quand la nuit fut tombée le brouillard s'étendit sur la vallée.
2. Dès que la cloche eut sonné la classe commença.
3. Lorsqu'il eut dicté le courrier sa secrétaire l'emporta.
4. Après que sa mère l'eut grondé, le fils se mit à pleurer.
5. Dès qu'il eut fini son travail il rentra directement chez lui.
6. Aussitôt qu'on eut donné le signal la course commença.

[III]

Reword the following sentences, putting the verb of the main clause in the past indefinite or past conditional, and the verb of the subordinate clause in the pluperfect.

EXAMPLE   Nous leur disons qu'elle est arrivée.
Nous leur avons dit qu'elle était arrivée.
Je vous le donnerais si je l'avais.
Je vous l'aurais donné si je l'avais eu.

1. Ils nous écrivent qu'elle est bien arrivée.
2. Comment savez-vous que Jean s'est fait mal?
3. Vous ne trouvez pas le journal car il l'a pris.

4. Je vous dis qu'il est parti.
5. Il ignore que vous l'avez fait.
6. Il viendrait s'il le pouvait.
7. Elle rirait si elle comprenait.
8. J'irais vous voir si j'avais le temps.
9. Nous leur écririons si nous avions leur adresse.
10. Il vous le dirait s'il le savait.

III. THE PAST TENSES WITH *DEPUIS*

1. With **depuis** or **il y avait ... que** (past form of **il y a ... que**) the imperfect is used to show that an action or condition which had begun in the past was still going on, or was still in existence, at a given moment also in the past. The imperfect in such a case translates the English progressive form *had been doing*, or *had been* (state, condition).

Il y avait deux heures que je *dormais* **quand il m'a réveillé.**
I *had been sleeping* for two hours when he woke me up.

Depuis quand l'*attendiez***-vous?**
How long *had* you *been waiting* for him?

Il *était* **en Europe depuis six mois quand sa firme l'a rappelé à New York.**
He *had been* in Europe for six months when his firm recalled him to New York.

But the pluperfect is used, as it is in English:
a. When the action had not occurred for, or since, a stated time.

Je ne l'*avais* **pas** *vu* **depuis plusieurs mois.**
I *had* not *seen* him for several months.

b. When the action had not been carried through to a moment in the past, or had occurred at intervals.

Il m'a dit qu'il *avait été* **très occupé depuis le début de l'année.**
He told me that he *had been* very busy since the beginning of the year. (*but not continuously and no longer so at the moment he spoke*)

J'*avais essayé* **plusieurs fois de le voir depuis qu'il était rentré de voyage.**
I *had tried* several times to see him since he had returned from his trip.

2. In Lesson 1, we saw that the present is used with **depuis** and its synonyms when an action which began in the past is still going on in the present. But the past indefinite is used to translate the English past or the present perfect:

a. When the action has not occurred for, or since, a stated time.

Je ne l'*ai* pas *vu* depuis plusieurs mois.   I *have* not *seen* him for several months.

b. When the action has not been carried through to the present, or has occurred at intervals.

J'*ai* été très occupé depuis que nous nous sommes vus.	I *have been* very busy since we saw each other.
J'*ai* essayé trois fois de lui téléphoner depuis ce matin.	I *tried* three times to telephone him since this morning.

3. A rule of thumb for the tense to use with **depuis** and synonymous expressions:

The forms *have been doing* and *had been doing* are translated by the present and the imperfect, respectively.

The forms *have done*, or *did*, and *had done* are translated by the past indefinite and the pluperfect, respectively.

In French as in English, sometimes either form can be used with a difference in emphasis:

Il n'*a* pas *mangé* depuis huit jours.	He *has* not *eaten* for eight days.
Il ne *mange* pas depuis huit jours.	He *has* not *been eating* for eight days.

[IV]

From the two statements given to you, form a sentence using **il y avait** + a period of time that will be their logical consequence. After completing all eight sentences with **il y avait** do the same with **depuis**.

EXAMPLE   J'étudiais le piano. Après deux ans j'y ai renoncé.
Il y avait deux ans que j'étudiais le piano quand j'y ai renoncé.
J'étudiais le piano depuis deux ans quand j'y ai renoncé.

1. Il attendait ses amis. Après une demi-heure ils sont arrivés.
2. Nous étions au bord de la mer. Après huit jours nos parents nous ont rejoints.
3. Marie jouait. Au bout d'un quart d'heure sa mère l'a appelée.
4. J'étais à Paris. Au bout de quinze jours j'ai reçu votre lettre.
5. Il pleuvait. Après plusieurs heures le temps s'est éclairci.
6. Elle se reposait mais après quelques minutes Riquet la réveilla en aboyant.

7. M. Bergeret habitait dans cette maison. Après vingt ans il a déménagé.
8. La ville était occupée par les Allemands. Au bout de trois ans les Alliés la libérèrent.

IV. THE INFINITIVE AND THE PERFECT INFINITIVE AFTER PREPOSITIONS

1. The infinitive, not the present participle, is used in French after all prepositions except one: the preposition **en** (*while*), which is followed by the present participle. (Other meanings of **en** before a present participle are given in Lesson 19.)

Il l'a dit sans réfléchir.	He said it without thinking (it over).
Nous le verrons avant de partir.	We shall see him before leaving.
but	
Il s'est fait mal en jouant.	He hurt himself while playing.

2. The perfect infinitive (**avoir** or **être** + past participle) must be used to denote a prior action whether or not a perfect participle is used in English. The perfect infinitive is always required after **après**.

Il est parti sans avoir dit un mot.	He left without having said a word.
Elle a été punie pour avoir cassé la lampe.	She was punished for breaking (having broken) the lamp.
Je vous rejoindrai après avoir téléphoné.	I shall join you after telephoning (after having telephoned).

[V]

Replace **en** by the preposition supplied in parentheses.

EXAMPLE   En entrant.   (pour)
     Pour entrer.

1. En se battant.   (sans)
2. En lisant.   (avant de)
3. En tenant.   (après)
4. En riant.   (sans)
5. En s'engageant.   (après)
6. En faisant la cuisine.   (pour)
7. En s'approchant.   (de)
8. En prenant.   (pour)
9. En changeant d'avis.   (après)
10. En se chaussant.   (pour)

VERB REVIEW

What are the principal parts of **battre, rire** (Table 1); **tenir, mourir** (Table 2)? What forms of **tenir** and **mourir** cannot be derived from the principal parts? Which other verb is conjugated like **tenir?** Conjugate these verbs in all simple tenses.

Vocabulary Distinctions

To tell
Raconter, Dire

Raconter is used when *to tell* means to relate or tell in detail, to tell (all) about, to make a story of, to tell a story. In other cases, *to tell* is expressed by **dire,** which conveys the meaning *to inform* or *to order.*

L'explorateur a raconté ses aventures.	The explorer told about (related) his adventures.
Il leur a raconté un conte de fée.	He told them a fairy tale.
but	
Dites-lui que nous sommes ici.	Tell her that we are here.
Vous ne m'avez pas dit à quelle heure vous êtes rentré.	You did not tell me at what time you came home.
Dites-lui de venir immédiatement.	Tell him to come immediately.

Note the difference between:

Racontez-moi ce qui s'est passé. (*at length with all the details*)
Dites-moi ce qui s'est passé. (*briefly, the essential facts*)

To know
Savoir, Connaître

Savoir is used when *to know* means to know through the mind, to know about, be aware of, know thoroughly, know by heart or through study. **Savoir** is <u>not</u> used when *to know* has as a direct object a person, an animal, or a concrete object.

Il sait que nous sommes arrivés.	He knows that we have arrived.
Je sais la réponse.	I know the answer.
Savez-vous ce que c'est que ce monument?	Do you know what that monument is?
Il sait son histoire de France.	He knows his French history.
Je sais où il habite.	I know where he lives.

Connaître is used when *to know* means to be acquainted or familiar with, to know by sight, to recognize. **Connaître** must have a noun or a pronoun as a direct object; it cannot be followed by a subordinate clause.

Je ne connaissais pas cette rue.	I did not know that street.
Qui est cette dame? La connaissez-vous?	Who is that lady? Do you know her?
Je connais ce poème.*	I know this poem. (I recognize it.)
Je connais cette histoire.	I know (have heard) this story.
Connaissez-vous ce monument? (*recognition*)	
Savez-vous ce que c'est? (*knowledge*)	

* **Je sais ce poème** would mean that you know it well enough to recite it.

To know how: When *to know how* followed by an infinitive means the ability to do something, *how* is not expressed in French.

Elle sait chanter.	She knows how to sing. (*can*)
Il ne sait pas faire la cuisine.	He does not know how to cook. (*can't*)

But when *to know how* means in what way or manner, by what means, or for what reason, or when it is followed by a verb in a finite form, *how* is expressed by **comment.**

Nous savons comment vous avez raté cette affaire.	We know how (the reason why) you bungled that transaction.
Je ne sais pas comment me débarrasser de lui.	I don't know how (by what means) to get rid of him.

Can
Savoir, Pouvoir

When *can* means *to know how*, it is translated by **savoir;** otherwise, it is translated by **pouvoir.**

Savent-ils jouer au tennis?	Can they (do they know how to) play tennis?
Oui, mais ils ne peuvent pas jouer ce matin.	Yes, but they cannot (are unable to) play this morning.

Can, May
Pouvoir

Can (*be able to*) and *may* (*have permission to*) are both translated by **pouvoir.** Study carefully the translation of the following English forms, paying particular attention to the use of tenses.

You may come in.	Vous pouvez entrer.
I cannot promise anything.	Je ne peux rien promettre.
You can (may) do it tomorrow.	Vous pourrez le faire demain.
We shall be able to help you.	Nous pourrons vous aider.
Could you help me now?	Pourriez-vous m'aider maintenant?
You could have (might have) done it yesterday.	Vous auriez pu le faire hier.
I could not (was unable to) come.	Je n'ai pas pu venir. (*Or*, Je ne pouvais pas venir.)
We had been unable to (could not) find a taxi.	Nous n'avions pas pu trouver de taxi.

Note that *could*, according to the case, may be translated by the conditional present or by a past tense of the indicative. *Might* and *could have* (*might have*) are translated by the present and past conditional, respectively.

May meaning *it may be that* is translated **il se peut que** followed by the subjunctive.

They may come to see you.	Il se peut qu'ils viennent vous voir.
They might come early.	Il se pourrait qu'ils viennent de bonne heure.
They may have arrived already.	Il se peut qu'ils soient déjà arrivés.
They may not come at all.	Il se peut qu'ils ne viennent pas du tout.

To learn, To teach
Apprendre

Apprendre means *to teach* when the following two elements are both present: the person (or animal) taught, expressed by an indirect object, and the matter taught, expressed by a direct object or an infinitive introduced by **à**. Otherwise **apprendre** means *to learn*.

Elle apprend l'histoire de France à ses enfants.	She is teaching French history to her children.
J'apprends à mes élèves à organiser leur travail.	I teach my students (how*) to organize their work.
Elle apprend l'histoire de France.	She learns French history.
Ils apprennent à organiser leur travail.	They learn (how*) to organize their work.

* *How* normally is not expressed in French before an infinitive, but it is expressed when followed by a verb in a finite form.

| Les élèves ont appris (il a appris à ses élèves) *comment* les abeilles font le miel. | The students learned (he taught his students) *how* bees make honey. |

Enseigner may be used to translate *to teach* instead of **apprendre. Enseigner** MUST be used if only the matter taught is given.

J'enseigne les mathématiques.   I teach mathematics.

To marry
Se marier, Epouser

To marry meaning *to get (be) married* is translated **se marier.** *To marry someone* is translated **épouser** or **se marier avec.**

Elle s'est mariée au printemps.	She married (got *or* was married) in the spring.
Elle a épousé un ingénieur. (Elle s'est mariée avec un ingénieur.)	She married an engineer.

Marier may be followed by a direct object when *to marry* means *to give in marriage, unite in marriage.*

Ils ont marié leur fille à un officier de marine.	They married their daughter to a naval officer.
Le pasteur qui les a mariés est un vieil ami de la famille.	The minister who married them is an old friend of the family.

[VI]

Summarize the following sentences with **Racontez-le(la)-lui** or **Dites-le(la)-lui.**

  EXAMPLE   Elle voudrait connaître cette histoire.
      Racontez-la-lui.

1. Nous ne voulons pas le voir.
2. Il aimerait connaître cette légende.
3. Il veut savoir quelle aventure vous est arrivée.
4. Pouvez-vous lui faire savoir ce qui s'est passé, aussi brièvement que possible?
5. Pouvez-vous lui faire savoir ce qui s'est passé sans rien omettre?
6. Je voudrais qu'il revienne.
7. L'enfant veut entendre cette histoire.
8. Nous n'en savons rien.

[VII]

Reword the following sentences, replacing the verb of the main clause by the correct form of **savoir** or **connaître.**

  EXAMPLE   Il croit que vous êtes ici.
      Il sait que vous êtes ici.

1. Nous regardons les gens qui viennent d'entrer.
2. Vous comprenez très bien ce que je veux dire.
3. J'habite cette partie de la France.
4. Ils disent qu'elles doivent arriver à midi.
5. Tu ignores ce qui s'est passé.
6. Nous voulons visiter ce monument.
7. Vous rappelez-vous où est ce monument?
8. Elle écoute cette longue histoire.

[VIII]

Reword the following sentences using **sait** or **sait comment**.

EXAMPLE   Jean joue du piano.
          Jean sait jouer du piano.

1. Hélène fait la cuisine.
2. Elle a vu de quelle façon il s'est conduit.
3. Henri nage depuis l'âge de quatre ans.
4. Il est tout à fait capable de leur répondre.
5. Jacques joue au bridge.
6. Il se rend compte de quelle façon vous êtes arrivé.
7. Son ami conduit une auto.
8. Ma mère a vu de quelle façon c'est arrivé.

[IX]

Translate.

1. You might try.
2. He was unable to hear.
3. We shall be able to cook.
4. He could not come near.
5. They may come.
6. They might come.
7. They had been unable to open the door.
8. Could you change your mind?

[X]

Complete the following sentences.

1. Ce professeur enseigne la physique.
   _____ l'histoire européenne.
   _____ les mathématiques.

_____ la chimie.
_____ l'algèbre.
_____ l'espagnol.

2. L'étudiant apprend la physique.
_____ l'histoire européenne.
_____ les mathématiques.
_____ la chimie.
_____ l'algèbre.
_____ l'espagnol.

3. Le professeur apprend la physique à l'étudiant.
_____ l'histoire _____.
_____ les mathématiques_____.
_____ la chimie_____.
_____ l'algèbre _____.
_____ l'espagnol _____.

4. Elle s'est mariée au mois de juin.
_____ mai.
_____ juillet.
_____ août.
_____ avec un ingénieur.
_____ avocat.
_____ médecin.
_____ lui.

5. Elle a épousé un ingénieur.
_____ avocat.
_____ médecin.
_____ professeur.
_____ boxeur.
_____ commerçant.

6. Les parents ont marié leur fille à un boucher.
_____ boulanger.
_____ déménageur.
_____ pâtissier.
_____ agent.

7. Le prêtre a marié ce jeune couple.

   Le curé _____.

   Le rabbin _____.

   Le pasteur _____.

   Le maire _____.

IDIOMATIC EXPRESSIONS

changer d'avis   to change one's mind
faire la cuisine   to do the cooking
se chausser   to put on one's shoes
s'éclaircir   to clear up
s'engager   to commit oneself, enlist
se faire mal   to hurt oneself
tout à fait   entirely

Riquet
(*suite*)

« Où est le chien? » demanda M. Bergeret à Pauline qui revenait portant une pile de linge.

— Papa, il est dans la malle.

— Comment est-il dans la malle, et pourquoi y est-il? demanda M. Bergeret.

— Parce qu'il était stupide, répondit Pauline.

M. Bergeret délivra son ami. Riquet le suivit jusqu'à l'antichambre en agitant la queue. Puis une pensée traversa son esprit. Il rentra dans l'appartement, courut vers la jeune fille, et ce n'est qu'après l'avoir embrassée tumultueusement en signe d'adoration qu'il rejoignit son maître dans l'escalier. Il aurait cru manquer de sagesse et de religion en ne donnant pas ces marques d'amour à une personne dont la puissance l'avait plongé dans une malle profonde.

Dans la rue, M. Bergeret et son chien eurent le spectacle lamentable de leurs meubles domestiques étalés sur le trottoir. Riquet frotta de ses pattes les jambes de son maître, leva sur lui ses beaux yeux affligés, et son regard disait:

« Toi naguère si riche et si puissant, est-ce que tu serais devenu pauvre? Est-ce que tu serais devenu faible, ô mon maître? Tu laisses des hommes couverts de haillons vils envahir ton salon, ta chambre à coucher, ta salle à manger, se ruer sur tes meubles et les traîner dehors, traîner dans l'escalier ton fauteuil et le mien, le fauteuil où nous nous reposions tous les soirs, et bien souvent le matin, à côté l'un de l'autre. Je l'ai entendu gémir dans les bras des hommes mal vêtus, ce fauteuil qui est un grand fétiche et un esprit bienveillant. Tu ne t'es pas opposé à ces envahisseurs. Si tu n'as plus aucun des génies qui remplissaient ta demeure, si tu as perdu jusqu'à ces petites divinités que tu chaussais, le matin, ces pantoufles que je mordillais en jouant, si tu es indigent et misérable, ô mon maître, que deviendrai-je? »

QUESTIONS

1. Quelles deux questions M. Bergeret a-t-il posées à sa fille? 2. Qu'est-ce que Pauline a répondu à la deuxième question? 3. Qu'est-ce que Riquet a fait avant de suivre son maître dans l'escalier? 4. Pourquoi? 5. Qu'est-ce que M. Bergeret et son chien ont trouvé sur le trottoir? 6. Que pense Riquet de ce spectacle? 7. Par qui M. Bergeret a-t-il laissé envahir son appartement? 8. Quel grand fétiche Riquet a-t-il entendu gémir? 9. Avec quelles petites divinités Riquet aimait-il jouer le matin? 10. Que conclut-il?

IDIOMATIC EXPRESSIONS

à côté l'un de l'autre   side by side
agiter la queue   to wag the tail
(une) marque d'amour   token of love
se ruer   to hurl oneself

Lesson **9**

Grammar and Usage

I. PERSONAL PRONOUNS

TABLE OF CONJUNCTIVE PRONOUNS

Subject		Direct Object		Indirect Object		Reflexive (direct or indirect object)	
je	I	me	me	me	to me	me	myself
tu	thou	te	thee	te	to thee	te	thyself
il	he	le	him, it	lui	to him	se	himself (it-)
elle	she	la	her, it	lui	to her	se	herself (it-)
on*	one						
nous	we	nous	us	nous	to us	nous	ourselves
vous	you	vous	you	vous	to you	vous	yourselves
ils	they	les	them	leur	to them	se	themselves
elles	they	les	them	leur	to them	se	themselves

and the conjunctives **y** and **en**

* The pronoun **on** is used to translate the indefinite *one, we, you, they, people* when there is no definite antecedent mentioned.

On n'est pas toujours heureux.   One is not always happy.
On ne sait jamais.   You never know. (One never knows.)

A. Personal pronoun objects.

1. Pronoun objects and reflexive pronouns immediately precede the verb except in the imperative affirmative. They retain the same position whether the verb is in the interrogative or in the negative. In compound tenses the pronouns precede the auxiliary verb.

Je le vois, mais je ne la vois pas.	I see him, but I don't see her.
Ne le voyez-vous pas sur la table?	Don't you see it on the table?
Je lui ai parlé.	I spoke to him (her).
Leur avez-vous parlé?	Did you speak to them?
Ne nous dérangez pas.	Don't disturb us.
Se blâme-t-elle?	Does she blame herself?

2. Position of pronoun objects when more than one are used with the same verb:

a. Me, te, se, nous, vous precede **le, la, les.**

Il nous les enverra. Il me l'a vendu.	He will send them to us. He sold it to me.
Vous les a-t-il donnés?	Did he give them to you?
Ne nous la racontez pas.	Don't tell it to us.

b. Le, la, les precede **lui, leur.**

Je les lui rendrai.	I shall return them to him (her).
Nous ne la lui avons pas montrée.	We did not show it to him (her).
Ne le leur prêtez pas.	Do not lend it to them.

NOTE   In translating from English to French be careful to distinguish whether the pronoun object called for is direct or indirect.

Give her this ring. (*i.e., to her*)	**Donnez-lui cette bague.**

B. Y and en.

The conjunctives **y** and **en,** used as adverbs or pronouns, follow all other pronoun objects, and **en** always comes last.

Je les y ai vus.	I saw them there.
Ne lui en donnez pas.	Don't give him any.
Nous l'y avons invité.	We invited him to it.
Ils nous y en enverrons.	They will send us some there.

1. Y as an adverb means *there.* It refers to a place mentioned or re-places a noun preceded by a preposition of place such as **dans, sur, à, chez,** etc. **Y** must be expressed in French whether *there* (*in it, on it,* etc.) is expressed or understood in English.

Viendrez-vous à New York la semaine prochaine? — Oui, j'y viendrai.	Will you come to New York next week? — Yes, I shall come (there).
Est-il dans son bureau? — Non, il n'y est pas.	Is he in his office? — No, he is not (there).

Sont-ils allés en Europe? — Non, ils n'y sont pas allés.	Did they go to Europe? — No, they did not.
Avez-vous mis mes mouchoirs dans ma commode? — Je les y ai mis.	Have you put my handkerchiefs in my bureau? — I have.
Madame est-elle chez elle? — Je crois qu'elle y est.	Is Madame at home? — I believe she is (at home).

NOTE 1   Notice that in English the auxiliary verb may be sufficient to answer a question, but in French the complete verb must be repeated with the necessary conjunctive pronouns.

Ce train s'arrête-t-il à Paris? — Tous les trains s'y arrêtent.	Does this train stop at Paris? — All trains do.
A-t-on rapporté mes chemises? — Oui, on les a rapportées.	Did they bring back my shirts? — Yes, they did.

NOTE 2   When *there* has no antecedent, **là** must be used instead of **y**.

Le colonel est-il là?	Is the colonel there?

REMINDER   As mentioned earlier (Lesson 6, page 99), **y** is omitted before the future and present conditional of **aller: nous y allons,** but **nous irons.**

2. Y as a pronoun means *to it* (*them*). But because of the differences in the use of prepositional complements in French and in English, it may also translate *in it, on it, about it,* etc., or *it* alone. With rare exceptions **y** is not used for persons. It is used:

a. As an indirect object when the antecedent is a thing or an abstract noun. (The indirect object pronouns **lui** and **leur** are used for persons and animals.)

Ce livre appartient-il *à la bibliothèque*? — Oui, il *y* appartient.*	Does this book belong to the library? — Yes, it belongs to it.
La guerre a-t-elle nui *à vos affaires*? — Elle *y* a beaucoup nui.	Did the war harm your business? — It harmed it a lot.
C'était *un beau mariage; y* étiez-vous invité?	It was a beautiful wedding; were you invited to it?

* Compare: **Ce livre appartient-il à votre père? — Oui, il *lui* appartient.**

b. As the object of verbs requiring **à** before their complement.

Ce chien a l'air méchant, ne vous y fiez pas. (se fier à)	This dog looks mean; don't trust it.
Quelle bonne surprise! Je ne m'y attendais pas. (s'attendre à)	What a good surprise! I did not expect it.

Je ne tiens pas à le voir, y tenez-vous? (tenir à)	I am not anxious to see him, are you?
Avez-vous réfléchi à ce qu'il vous a dit? — J'y ai réfléchi. (réfléchir à)	Did you think over what he said? — I did.
Pourquoi n'avez vous pas essuyé vos pieds? — Excusez-moi, je n'y ai pas pensé. (penser à)	Why didn't you wipe your feet? — Forgive me, I did not think of it.
Elle est toujours en retard, mais j'y suis habitué. (être habitué à)	She is always late, but I am used to it.
N'aimez-vous pas la peinture? — Mais si, je m'y intéresse beaucoup. (s'intéresser à)	Don't you like painting? — Yes certainly, I am very much interested in it.

NOTE The antecedent of **y** may be a noun, an infinitive, a clause, or a sentence.

Occasionally the antecedent of **y** as a pronoun may be a preposition of place + a noun in expressions where no place is involved.

Puis-je compter *sur* votre aide? — Vous pouvez y compter.	May I depend on your help? — You may.
Cette affaire est mauvaise, n'y mettez pas d'argent. (y = dans cette affaire)	This business is poor; don't put any money in it.

3. **En** as an adverb means *from there.*

Est-il toujours à Florence? — Non, il en est revenu hier.	Is he still in Florence? — No, he came back (from there) yesterday.

4. **En** as a pronoun is used:

a. As a partitive pronoun for persons or things (see Lesson 5, Section I, page 72).

b. With verbs and idiomatic expressions which require **de** before their complement. In such cases, **en** usually cannot refer to persons, except collectively or when a noun is taken in a general indefinite sense, as in the last example. The antecedent of **en** may be a noun (thing or animal), a phrase, a clause, or an infinitive.

Puis-je emprunter votre auto? — Je regrette, je vais m'en servir. (se servir de)	May I borrow your car? — I am sorry, I am going to use it.
Ce taureau est dangereux, ne vous en approchez pas. (s'approcher de)	This bull is dangerous; don't go near it.
Il est tard; vous en rendez-vous compte? (se rendre compte de)	It is late; do you realize it?

Se doute-t-il que je suis venu? — Il s'en doute. (se douter de)	Does he suspect that I came? — Yes, he does.
Vous chargez-vous de le faire partir? — Je m'en charge. (se charger de)	Do you undertake to make him leave? — I do.
Avez-vous besoin de domestiques? — Non, nous n'en avons pas besoin. (avoir besoin de)	Do you need servants? — No, we don't need any.

C. Pronoun objects with the imperative affirmative.

All the pronoun objects follow the verb in the imperative affirmative. The direct object precedes the indirect, **y** and **en** come last.

Me and **te** become **moi** and **toi,** but when followed by **en,** they become **m'** and **t'.** (**M'y** and **t'y** are not used.)

Donnez-le-moi.	Give it to me.
Donnez-les-nous.	Give them to us.
Donnons-leur-en.	Let us give them some.
Donnez-m'en.	Give me some.
Regardez-les.	Look at them.
Regardez-moi.	Look at me.

[I]

In the following sentences replace the noun objects by pronouns and make all necessary changes.

EXAMPLE   Nous envoyons la lettre à Marie.
Nous la lui envoyons.

1. Elle n'a pas donné de vin à l'homme.
2. Il avait montré le tableau aux enfants.
3. Racontes-tu ton aventure à Jean?
4. Vous avons-nous récité ce poème?
5. Il t'envoie des chocolats.
6. Je vous expliquerai les règles.
7. Elle ne se coupe pas les cheveux.
8. Se rappelle-t-il l'histoire?
9. Nous n'avons pas envoyé la lettre à nos parents.
10. J'ai expliqué la règle à Jean.
11. N'a-t-il pas raconté ses aventures à ses amis?
12. N'avez-vous pas lu ma lettre à votre sœur?

[II]

Answer the following questions according to the cue given in parentheses, using **y.**

EXAMPLE   Viendrez-vous chez Jean?   (Oui)
        Oui, j'y viendrai.

1. Etes-vous allé en Europe?   (Non)
2. Les a-t-elle mis sur le bureau?   (Oui)
3. Est-il retourné en classe?   (Oui)
4. Les avez-vous vus au cinéma?   (Non)
5. Les a-t-elle laissés dans l'auto?   (Oui)
6. A-t-elle enfermé le chien dans la malle?   (Oui)
7. Les avez-vous retrouvés au café?   (Non)
8. Est-il arrivé à Paris?   (Oui)

[III]

Replace the prepositional complements by **y.**

EXAMPLE   L'enfant tient à son ours.
        L'enfant y tient.

1. Nous nous attendions à votre visite.
2. Je ne me fie pas beaucoup à ce cheval.
3. Elle pense à ce que vous lui avez dit.
4. Cet étudiant s'intéresse beaucoup aux mathématiques.
5. A votre place, je ne compterais pas sur cet argent.
6. Nous ne pouvons pas nous habituer à son sans-gêne.
7. Vous ne croyez pas à tous ces mensonges.
8. Nous ne pouvons rien à cela.

[IV]

Answer the following questions affirmatively, using **en.**

EXAMPLE   Venez-vous de Paris?
        Oui, j'en viens.

1. Est-il rentré d'Europe?
2. Reviendra-t-elle bientôt de la bibliothèque?
3. Vient-elle de New York?
4. Venez-vous de chez lui?
5. Vient-il du magasin?
6. Revenez-vous de la campagne?
7. Revient-elle du théâtre?
8. Revient-il d'Angleterre?

[V]

Answer the following questions according to the cue in parentheses, using **en.**

EXAMPLE   Vous servez-vous de votre stylo?   (Oui)
Oui, je m'en sers.

1. Manquez-vous d'argent?   (Oui)
2. Ne peut-il pas se passer de tabac?   (Non)
3. Ont-ils besoin de vos conseils?   (Non)
4. Ne se rend-elle pas compte de son erreur?   (Si)
5. Ne se doute-t-il pas de votre arrivée?   (Si)
6. L'enfant s'est-il approché du chien?   (Oui)
7. Jean se chargera-t-il de nos bagages?   (Oui)
8. Souffre-t-il de votre silence?   (Non)

II. NOUN OBJECTS

Noun objects follow the verb. The direct object comes before the indirect, unless the direct object is qualified by a clause.

Avez-vous prêté votre plume à Jean?	Did you lend John your pen? (Did you lend your pen to John?)
Prêtez à Jean la plume dont vous ne vous servez pas.	Lend John the pen which you are not using.

[VI]

Replace the noun objects by pronouns.

EXAMPLE   Donnez le livre à Jean.
Donnez-le-lui.

1. Envoyez des nouvelles à vos parents.
2. Ecrivez-moi cette histoire.
3. Donne-moi du pain.
4. Ecoutons ce programme.
5. Pardonne cette sottise aux enfants.
6. Laissez votre journal à Marie.
7. Donnez-nous des fruits.
8. Prête ton crayon à Jean.

[VII]

Replace the pronoun objects by **le livre** and **mon frère**.

EXAMPLE   Le lui avez-vous prêté?
Avez-vous prêté le livre à mon frère?

1. Nous le lui avons envoyé.
2. Ils ne le lui ont pas décrit.
3. Le lui montrerez-vous?
4. Ne le lui avez-vous pas emprunté?
5. Le lui rendras-tu?
6. Il ne veut pas le lui donner.

[VIII]

Replace all objects by the suitable pronoun.

EXAMPLE   Ils obéissent à leurs parents.
Ils leur obéissent.

1. Avez-vous répondu à ce télégramme?
2. Ils ont résisté aux gendarmes.
3. Ils ont résisté à tous nos efforts.
4. Nous avons parlé de nos projets à nos parents.
5. Vous avez dit à Jean de venir, n'est-ce pas?
6. Nous enverrons nos bagages à la gare.
7. Je me passe de son aide.
8. N'avez-vous pas donné votre adresse à vos amis?
9. Vous rendez-vous compte de l'heure qu'il est?
10. Rendez le livre à votre professeur.
11. Avez-vous compris ce qu'ils ont dit?
12. Avez-vous compris les explications?

III. THE NEUTER CONJUNCTIVE PRONOUN *LE*

The neuter **le** (invariable) corresponds to the English *it, so, to,* expressed or understood. It is used:

a. When the antecedent is an adjective or a noun used adjectively in French (see Lesson 4, page 58). But if the noun is not adjectival, a regular personal pronoun is used.

Sont-ils *généreux?* — Ils *le* sont.	Are they generous? — They are.
Etes-vous *couturière?* — Je *le* suis.	Are you a seamstress? — I am.
but	
Etes-vous la couturière? — Je *la* suis.	Are you the seamstress? — I am (she).

b. When the antecedent is a direct object clause or a direct object infinitive.

Savez-vous *ce qui se passe?* — Je *le* sais.	Do you know what is going on? — I know (it).
Croyez-vous *qu'il réussira?* — Je *le* crois.	Do you think he will succeed? — I think so.
Espèrent-ils *aller en France?* — Ils *l'*espèrent.	Do they hope to go to France? — They hope so.
Leur avez-vous permis *de sortir?** — Je *le* leur ai permis.	Did you allow them to go out? — I allowed them to.

* Do not confuse **de** introducing the subordinate infinitive of a direct transitive verb (**permettre quelque chose**) with **de** following verbs which cannot have a direct object, be it a noun or an infinitive, such as **se charger de, s'abstenir de, douter de,** etc. With these verbs **en** is used, not **le: Vous chargez-vous de le prévenir? — Je m'en charge** (se charger de quelque chose).

NOTE   An infinitive introduced by **à** is almost never a direct object: **Il consent à vous aider? — Il y consent.** A common exception: **il a demandé à partir? — Il l'a demandé.**

[IX]

Answer the following questions affirmatively using the neuter pronoun **le.**

EXAMPLE   Avez-vous promis de le faire?
Oui, je l'ai promis.

1. Croyez-vous ce qu'elle nous raconte?
2. Est-elle jolie?
3. Leur avez-vous dit d'entrer?
4. Pensez-vous que ce soit vrai?
5. Est-il médecin?
6. Désirez-vous qu'ils partent?
7. Entendez-vous ce qu'ils disent?
8. A-t-il promis de revenir?

VERB REVIEW

What are the principal parts of **coudre, fuir** (Table 1); **s'asseoir** (Table 2)? What form of **s'asseoir** cannot be derived from the principal parts? What is the alternate conjugation of **s'asseoir?**

Conjugate these verbs in all simple tenses.

Vocabulary Distinctions

Avoir in idiomatic expressions

1. Avoir plus a noun is used in the following expressions denoting physical, mental, or moral feelings experienced by the subject.

avoir faim, soif, sommeil, chaud, froid	to be hungry, thirsty, sleepy, warm, cold
avoir peur (de)	to be afraid (of, to)
avoir honte (de)	to be ashamed (of, to)
avoir envie de	to feel like, long for
avoir hâte de	to long to, be eager to
avoir confiance (en)	to trust, have confidence (in)
avoir besoin (de)	to need
avoir l'intention de	to intend, have the intention (to)
avoir de la chance	to be lucky

NOTE   Literally these expressions mean: *to have* (experience) hunger, thirst, heat, fright, desire, need, etc.

But when a state or a quality is expressed, the verb **être** and an adjective are used.

La soupe est chaude.	The soup is hot.
Il était froid et hautain.	He was cold and haughty.
Elle est trop confiante.	She is too confident.
Je suis fatigué.	I am tired.

2. Avoir quelque chose: *to be the matter.*

USED PERSONALLY

Avez-vous quelque chose?	Is something the matter with you?
Qu'avez-vous?	What is the matter with you?
Je n'ai rien.	Nothing is the matter with me.
Jean a quelque chose.	Something is the matter with John.

USED IMPERSONALLY

Qu'y a-t-il (qu'est-ce qu'il y a)?	What is the matter?
Y avait-il quelque chose?	Was something the matter?
Il n'y avait rien.	Nothing was the matter.

3. Avoir mal à: *to have a . . . ache, a sore . . .*

J'ai mal aux dents.	I have a toothache.
Il a mal à la gorge.	He has a sore throat.

4. Avoir l'air (de): *to appear, seem, look, look like.*

Avoir l'air, without **de,** is used before an adjective. **Avoir l'air de** is used before an infinitive or a noun.

Vous avez l'air fatigué.	You look tired.
Elle a l'air d'une folle.	She looks like a madwoman.
Il n'a pas l'air de comprendre.	He does not seem to understand.
Est-il content? Il n'en a pas l'air.*	Is he pleased? He does not look it.
Vous avez l'air d'avoir faim.†	You seem (to be) hungry. (You look hungry.)

* En is used in all cases, whether the antecedent is a noun, an infinitive, or an adjective.
† Note that after avoir l'air de, avoir must be retained before faim, soif, froid, etc.

NOTE The impersonal *it seems, it appears* are translated **il semble, il paraît.** Avoir l'air cannot be used impersonally.

There is, There are   *Here is, Here are*
Il y a, Voilà   **Voici**

Il y a states the existence. **Voilà** and **voici** point out.

Il y a des fleurs sur la table.	There are flowers on the table.
Y avait-il beaucoup de monde?	Were there many people?
Il n'y aura personne.	There will be nobody there.
Voilà (voici) votre père.	There (here) is your father.

Here (there) he (it) is   *Here is some*
Le voici (voilà)   **En voici**

Voici and **voilà** being contractions of **vois ici** and **vois là** (*see here, see there*), a direct object pronoun or **en** is used for the object pointed out, in the same position as with a verb.

Les voici, nous voici, la voilà.	Here they are, here we are, there she is.
Vous voulez une plume? En voici une. En voilà une autre. En voici deux. En voici plusieurs.	You want a pen? Here is one. There is another. Here are two. Here are several.
Voulez-vous ce livre? Le voici.	Do you want this book? Here it is.

NOTE **Voilà** is more commonly used than **voici**, unless **voici** and **voilà** are used in contrast. **Le voilà, voilà vos amis** may mean *here it is, here are your friends* as well as *there it is, there are your friends.*

To be . . . years old
Avoir . . . ans

In expressions referring to age the verb **avoir** is used. The word *old* is not translated, but **an(s)** must always be expressed in French, even when *year(s)* is omitted in English.
How old . . .? is translated **quel âge . . .?**

Quel âge avez-vous?	How old are you?
J'ai quarante ans.	I am forty (years old).
Quel âge aura votre sœur en octobre?	How old will your sister be in October?
Le docteur doit avoir près de quarante cinq ans.	The doctor must be nearly forty-five.
Il a commencé à travailler à l'âge de quinze ans.	He began to work at the age of fifteen.

To be . . . years older (*younger*) is expressed by **avoir . . . ans de plus (de moins)** or **être de . . . ans plus (moins)** **âgé**, less commonly used.

J'ai trois ans de plus que vous.	I am three years older than you.
Elle a environ cinq ans de moins que son mari.	She is about five years younger than her husband.

Under . . ., over . . .: **moins de . . ., plus de . . .**

Elle a moins (plus) de quarante ans.	She is under (over) forty.

NOTE   *To be young* (*old*) without mention of years is translated **être jeune, être vieux (âgé)**. **Agé** is used rather than **vieux** in a comparison of relative ages.

Il est très jeune.	He is very young
Elle est vieille.	She is old.
but	
Elle est plus âgée que vous.	She is older than you.

[X]

Reword the following sentences, using idiomatic expressions for the physical, mental, or moral feelings expressed in each sentence.

EXAMPLE   J'ai mal dormi.
J'ai sommeil.

1. Je n'ai pas mangé depuis plusieurs heures.
2. Quelque chose m'effraie.
3. J'ai fait quelque chose dont je ne suis pas fier.
4. Je me fie à quelque chose.
5. Je n'ai pas bu depuis plusieurs heures.
6. Il fait quatre-vingt-dix (degrés).
7. Il m'arrive une chose inespérée.
8. Il gèle et j'ai oublié mon manteau.

[XI]

Complete the following sentences.

1. Qu'avez-vous? Vous avez l'air fatigué.
   _____ triste.
   Avez-vous quelque chose? _____.
   _____ d'avoir maigri.
   _____ sommeil.
   Qu'y a-t-il? _____.
   _____ d'une folle.
   _____ perdu.
   Qu'est-ce qu'il y a? _____.

2. Il a l'air d'avoir mal aux dents.
   _____ à la gorge.
   _____ tête.
   _____ au pied.
   _____ bras.
   _____ aux yeux.

3. Avez-vous besoin de crayons? En voici un.
   _____ plusieurs.
   _____ deux.
   _____ Il y en a ____ sur mon bureau.
   _____ beaucoup _____.
   _____ plusieurs _____.
   _____ dans l'autre pièce.

4. Voulez-vous mon livre? Le voici.
   _____ voilà.
   _____ mes _____.
   _____ voici.
   _____ les voir? _____.
   _____ le _____.
   _____ la _____.

IDIOMATIC EXPRESSIONS

à votre place in your place
enfermer to lock up
ne pouvoir rien à cela nothing one can do about it
(le) sans-gêne over-familiarity

s'attendre à to expect
se charger de to take care of
se fier (à) to trust
s'habituer à to get used to
(la) sottise foolish act, foolishness

A Cheval

GUY DE MAUPASSANT

Les pauvres gens vivaient péniblement des petits appointements du mari. Deux enfants étaient nés depuis leur mariage, et la gêne première était devenue une de ces misères humbles, voilées, honteuses, une misère de famille noble qui veut tenir son rang quand même.

Hector de Gribelin avait été élevé en province, dans le manoir paternel, par un vieil abbé précepteur.[1] On n'était pas riche, mais on vivotait en gardant les apparences.

Puis, à vingt ans, on lui avait cherché une position, et il était entré commis à quinze cents francs, au ministère de la Marine. Il avait échoué sur cet écueil comme tous ceux qui ne sont point préparés de bonne heure au rude combat de la vie, tous ceux qui voient l'existence à travers un nuage, en qui on n'a pas développé dès l'enfance des aptitudes spéciales, des facultés particulières, une âpre énergie à la lutte, tous ceux à qui on n'a pas remis une arme ou un outil dans la main.

Ses trois premières années de bureau furent horribles.

Il avait retrouvé quelques amis de sa famille, vieilles gens attardés et peu fortunés aussi, qui vivaient dans les rues nobles, les tristes rues du faubourg Saint-Germain;[2] et il s'était fait un cercle de connaissances.

Etrangers à la vie moderne, humbles et fiers, ces aristocrates nécessiteux habitaient les étages élevés de maisons endormies. Du haut en bas de ces demeures, les locataires étaient titrés; mais l'argent semblait rare au premier comme au sixième.

Les éternels préjugés, la préoccupation du rang, le souci de ne pas déchoir, hantaient ces familles autrefois brillantes, et ruinées par l'inaction des hommes. Hector de Gribelin rencontra dans ce monde une jeune fille noble et pauvre comme lui, et l'épousa.

Ils eurent deux enfants en quatre ans.

QUESTIONS

1. Où Hector de Gribelin avait-il été élevé? 2. Par qui? 3. Quel était la situation pécuniaire de ses parents et comment vivaient-ils? 4. A quel âge et à quels appointements Hector était-il entré au ministère de la Marine? 5. Donnez une ou deux raisons pour lesquelles sa situation ne

[1] I.e., **un vieil abbé qui lui servait de précepteur.**
[2] **le faubourg Saint-Germain,** old aristocratic section of Paris.

s'était pas améliorée.   6. Qui avait-il retrouvé à Paris?   7. Où vivaient
ces vieilles gens?   8. Quel était leur principal souci?   9. Qu'est-ce qui a
ruiné ces familles autrefois brillantes?   10. Qui Hector a-t-il épousé?

IDIOMATIC EXPRESSIONS

à cheval   on horseback
attardé   behind the times
du haut en bas   from top to bottom
(les) étages élevés   upper floors
(la) gêne première   first (financial) difficulties
peu fortuné   not well off
quand même   in spite of all, just the same
vivoter   to live poorly, live from hand to mouth

Grammar and Usage

I. DISJUNCTIVE PRONOUNS

TABLE OF DISJUNCTIVE PRONOUNS

	Singular		*Plural*
moi	me (I)	nous	us (we)
toi	thee (thou)	vous	you (you)
lui, elle	him, her (he, she)	eux, elles	them (they)
soi*	oneself, himself		

* Soi corresponds to the indefinite *oneself, himself, ourselves,* etc.

On ne pense qu'à soi.	We think only of ourselves. (One thinks only of oneself.)
Chacun pour soi.	Each one for himself.

The disjunctive pronouns are used in the following ways:

1. As object of a preposition.

après lui, devant elle, pour eux, avec nous, sans moi, de moi, sur vous	after him, in front of her, for them, with us, without me, of me, on you

2. When the verb is understood.

Qui est là? — Moi, nous, eux.	Who is there? — I, we, they.
Qui punirez-vous? — Elle.	Whom will you punish? — Her.
Qui a fait cela? — Pas moi.	Who did that? — Not I.

3. As subject, when qualified or separated from the verb.

Moi aussi je le sais.	I also know it.
Lui seul peut vous aider.	He alone can help you.
Eux, si patients d'ordinaire, (ils) se sont fâchés.	They, so patient usually, got angry.

NOTE   The subject is repeated in the form of a regular pronoun subject, except with **lui** or **eux** when its repetition is not compulsory.

4. To stress the subject or the object (shown in italics in the English sentences). In the case of the object, both the conjunctive and the disjunctive pronouns are used.

Moi, j'avais deviné juste.	*I* had guessed right.
Vous, vous n'avez rien compris.	*You* understood nothing.
Lui, il le sait. (Lui le sait.)	*He* knows it.
Ne me regardez pas, moi.	Don't look at *me*.
Dites-le-lui, à lui pas à moi.	Tell it to *him*, not to me.
Pourquoi la grondez-vous, elle plutôt que lui?	Why do you scold *her* rather than him?

5. In compound subjects. When these compound subjects are of different persons, they are usually summed up by a plural conjunctive pronoun subject. They must always be summed up when the verb is in the interrogative.

Vous et moi, nous le ferons.	You and I shall do it.
Vous, lui et moi, nous le savons.	You, he, and I know it.
Vous et eux, avez-vous compris?	Did you and they understand?
Paul et elle iront à Paris.	Paul and she will go to Paris.
Marie et lui, partiront-ils?	Will he and Mary leave?

NOTE   The compound subjects are summed up in the order of precedence of persons: first, second, third.

Vous + moi (nous) = nous
Vous + lui + moi (nous) = nous ⎰ First + second (+ third) = first
Vous + lui = vous   Second + third = second

6. For compound objects. These compound objects are summed up in a plural conjunctive pronoun object placed before the verb, using the same order of precedence as that for compound subjects.

Il nous l'a dit, à vous et à moi.	He said it to you and (to) me.
Je vous regarde, vous et lui.	I am looking at you and at him.
Je les vois, eux et leurs sœurs.	I see them and their sisters.
Vous parle-t-il, à vous et à elle?	Does he speak to you and (to) her?

7. When **me, te, se, nous, vous** are direct objects, a disjunctive pronoun is used to express the indirect object.

Il nous a adressé à vous.	He sent us to you.
Elle m'a présenté à lui.	She introduced me to him.
Ils se sont présentés à eux.	They introduced themselves to them.
but	
Nous vous l'avons adressé.	We sent him to you.
Elle me les a présentés.	She introduced them to me.

8. With verbs and expressions requiring **à** before their complement (a prepositional complement, not to be confused with the indirect object), such as: **penser à, tenir à, s'intéresser à, se fier à, faire attention à,** etc., and with verbs of motion.

Il s'intéresse à moi.	He is interested in me.
Je me suis habitué à lui.	I got used to him.
Je pense souvent à elle.	I think of her often.
Nous faisons attention à vous.	We are paying attention to you.
Laissez-les venir à moi.	Let them come to me.

NOTE   Although the disjunctive pronouns are normally used to refer to persons, they may occasionally be used to refer to animals, depending on the extent the animal is personified.

Pensez-vous à votre chien? — J'y pense *or* Je pense à lui.	Are you thinking of your dog? — I am thinking of it *or* I am thinking of him.

9. With verbs and expressions requiring **de** before their complement, unless the antecedent is used in a general indefinite sense or collectively, in which case **en** replaces the disjunctive pronoun (see Lesson 9, page 140).

Elle ne se souvient pas de moi.	She does not remember me.
Vous chargerez-vous de lui?	Will you take care of him?
Pouvez-vous vous passer des domestiques ce soir? — Je ne peux pas me passer d'eux.	Can you do without the servants tonight? — I can't do without them.
but	
Pouvez-vous vous passer de domestiques? — Je m'*en* passe très bien.	Can you do without servants? (*in general*) — I do without them very well.

10. After **ce** + **être,** and after **que** in **ne ... que** or in comparisons.

Est-ce lui? — Ce n'est pas lui.	Is it he? — It is not he.
Ce sont eux.	It is they.
C'était elle.	It was she.
Il ne regarde qu'elle.	He looks only at her.
Il est plus jeune que moi.	He is younger than I.

11. To form the emphatic pronouns **moi-même, toi-même, lui-même,** etc. (*myself, thyself, himself*, etc.).

Je lui parlerai moi-même.   I shall speak to him myself.

NOTE Do not confuse the emphatic *myself*, etc., with the reflexive pronoun indicating that the subject is receiving the action of the verb: *I hurt myself.*

[I]

Replace the noun by a disjunctive pronoun.

EXAMPLE Nous sommes arrivés après nos amis.
          Nous sommes arrivés après eux.

1. Nous irons avec votre sœur.
2. Qui est venu? Jean.
3. Marie, si soigneuse d'ordinaire, a taché sa robe.
4. Qui a fait cela? Maurice et Jacques.
5. Partez sans Henri.
6. Son frère aussi sait le français.
7. Qui est entré? Jeanne.
8. Mais le professeur, impatienté, nous a dit de nous taire.
9. Nous le ferons pour vos cousines.
10. Qui te l'a dit? Mon camarade.

[II]

Make the following sentences emphatic by using a disjunctive pronoun.

EXAMPLE Je ne sais pas.
          Moi, je ne sais pas.

1. Vous avez toujours raison.
2. Il ne sait jamais se taire.
3. Je me suis fâché.
4. Nous ne nous en sommes pas aperçus.
5. Pourquoi la grondez-vous?
6. Tu n'es jamais à l'heure.
7. Ils ne comprennent jamais rien.
8. Je voudrais bien.

[III]

Replace the following compound subjects and objects by disjunctive pronouns. Make all necessary changes.

EXAMPLE Jean et moi, nous le ferons.
         Lui et moi, nous le ferons.
         Je parle à Jean et à Marie.
         Je leur parle à lui et à elle.

1. Vous et mes amis pourrez venir ensemble.
2. Elle regarde le professeur et les élèves. *Elle la regarde lui et eux*
3. Henri et Janine sont arrivés en retard.
4. J'ai rencontré Paul et Hélène au cinéma.
5. Marie et moi, nous sommes dans la même classe.
6. Vous, mon père et moi, nous sommes du même avis.
7. Il nous l'a envoyé à ma femme et à moi.
8. Je l'ai répété à mes sœurs et à mes frères.

[IV]

Replace the noun object by a disjunctive pronoun.

EXAMPLE   Il se plaint à sa mère.
          Il se plaint à elle.

1. Nous nous fions à notre guide.
2. Faites attention au bébé.
3. Il s'est rendu au général.
4. Nous nous en remettons à vos parents.
5. Il pense à Marie.
6. Ne vous comparez pas à vos sœurs.
7. Il se confie à son ami.
8. Je me suis adressé à Jacques.

[V]

Replace the noun object by a disjunctive pronoun or by **en**.

EXAMPLE   Ils rient de leur ami.
          Ils rient de lui.

1. Que pensez-vous de Marcel?
2. Il se plaint d'ennemis imaginaires.
3. Elle se souvient très bien des enfants.
4. Elle a toujours eu besoin de domestiques.
5. Il tient de ses parents.
6. C'est impossible de se débarrasser de ce garçon!
7. Elle est si vaine qu'elle ne peut se passer d'admirateurs.
8. Ne vous moquez pas de votre sœur.

[VI]

Reword the following sentences, using **ce + être** and replacing the subject by the correct disjunctive pronoun.

EXAMPLE Il arrive.
C'est lui.

1. Ils arrivent.   3. Nous arrivons.   5. Vous arrivez.   7. Tu arrives.
2. J'arrive.   4. Elle arrive.   6. Elles arrivent.   8. Il arrive.

[VII]

In the following sentences replace the noun or clause by a disjunctive pronoun.

EXAMPLE Il est plus grand que Marie.
Il est plus grand qu'elle.
Il comprend mieux le français que vous ne* le comprenez.
Il comprend mieux le français que vous.

1. Nous n'avons vu que Pierre.
2. Elle est moins aimable que son frère.
3. Nous sommes aussi avancés que ton camarade.
4. Il n'aime que Simone.
5. Vous écrivez mieux que je n'écris.
6. Il travaille moins que tu ne travailles.
7. Il se trompe plus souvent que nous ne nous trompons.
8. Je me repose autant que vous vous reposez.

* Expletive **ne** is optional.

[VIII]

Make the following sentences emphatic.

EXAMPLE Il le fera.
Il le fera lui-même.

1. Ils sont venus.
2. Dites-le-lui!
3. Tu le feras.
4. Jean leur a écrit.
5. Je l'ai préparé.
6. Elles y sont entrées.
7. Allons-y!
8. Elle a mis l'auto en marche.

II. THE SUBJUNCTIVE AFTER CONJUNCTIONS

1. The subjunctive is used after conjunctions or conjunctive locutions expressing:

a. Purpose: **pour que, afin que** (*in order that, so that*).

b. Time limit: **avant que** (*before*), **jusqu'à ce que** (*until*), **en attendant que** (*until, while waiting for*).

c. Concession: **bien que, quoique** (*although*), **malgré que** (*in spite of the fact that*).

d. Condition or restriction: **à moins que** (*unless*), **pourvu que** (*provided that*).

e. Negation: **sans que** (*without*).

f. Fear: **de peur que, de crainte que** (*for fear that*).

(A list of conjunctions and conjunctive locutions requiring the subjunctive is given in Appendix III, page 377.)

a. Je parle lentement afin que vous compreniez mieux.

I speak slowly so that you may understand better.

b. Il travaillera jusqu'à ce que vous rentriez.

He will work until you come back.

Nous aurons fini avant que vous partiez.

We shall have finished before you leave.

c. Il ne vous punira pas cette fois bien que vous le méritiez.

He will not punish you this time, although you deserve it.

Quoiqu'il soit riche il n'est pas généreux.

Although he is rich, he is not generous.

d. Il le fera pourvu que vous l'aidiez.

He will do it provided you help him.

Nous viendrons à moins que nous (ne*) soyons retenus ou qu'il† (ne) pleuve.

We shall come unless we are detained or unless it rains.

Que vous le permettiez ou non, il n'en fera qu'à sa tête.

Whether you permit it or not, he will have his own way.

e. Il l'a pris sans que je (ne*) m'en aperçoive.

He took it without my noticing it.

f. Je ne sortirai pas de crainte qu'elle (ne*) vienne pendant mon absence.

I shall not go out for fear that she may come during my absence.

* Expletive **ne** is optional (see Lesson 16, page 261).
† **Que** alone is used to repeat a conjunction previously used in the same sentence.

2. The conjunctive locutions **de sorte que, de façon que, de manière que** (*so that, in such a way that*) are followed by the indicative to indicate results, by the subjunctive to denote purpose.

J'ai parlé de manière que tout le monde a compris.	I spoke in such a way that everybody understood.
Il est arrivé de bonne heure de sorte qu'il a pu trouver de bonnes places.	He arrived early, so he was able to find good seats.
but	
Donnez-lui votre adresse de façon qu'il puisse venir vous voir.	Give him your address so that he can come to see you.

NOTE 1   **Jusqu'à ce que** with the verb **attendre** is usually replaced by **que.**

Attendez (jusqu'à ce) que j'aie fini.	Wait until I have finished.

NOTE 2   Do not confuse the conjunctions **pour que, afin que, avant que, sans que,** etc., with the prepositions **pour, afin de, sans,** etc., which are used before an infinitive when its subject is the same as that of the main verb.

[IX]

Connect the two sentences with the conjunction or locution in parentheses, placing it after the first sentence. Make all necessary changes.

EXAMPLE   Ne le lui dites pas. Elle le répètera.   (de crainte que)
Ne le lui dites pas de crainte qu'elle ne le répète.

1. Je ne le crois pas. Elle me l'a dit.   (bien que)
2. Parlez-lui lentement. Il vous comprendra.   (pour que)
3. Reposez-vous. Je reviens.   (en attendant que)
4. Il écoute. Il n'en a pas l'air.   (quoique)
5. Je viendrai. Vous me téléphonerez.   (à moins que)
6. Elle n'a pas osé sortir. Il pleut.   (de crainte que)
7. Ils sont partis. Je le sais.   (sans que)
8. Fais-le! Nous nous fâchons.   (avant que)
9. Je vous le dis. Vous n'êtes pas surpris.   (afin que)
10. Les fleurs pousseront. Vous les cueillez.   (à moins que)

[X]

Connect the two sentences with the conjunctive locution in parentheses, placing it after the first sentence. Make all necessary changes.

EXAMPLE   Il n'a pas écouté. Il n'a rien compris.   (de sorte que)
Il n'a pas écouté de sorte qu'il n'a rien compris.

1. Il expliquera cela clairement. Vous comprendrez.   (de manière que)
2. Elle a mal répondu. Son père s'est fâché.   (de sorte que)

3. Nous les avons prévenus. Ils savent à quoi s'attendre. (de façon que)
4. Vous avez agi. Tout le monde vous en veut. (de manière que)
5. Nous avons tout fini. Vous n'aurez pas trop à faire. (de sorte que)
6. Ecrivez-leur. Ils ne seront pas sans nouvelles. (de façon que)
7. Ils se sont promenés sous la pluie. Maintenant ils ont un rhume. (de sorte que)
8. Il parle et gesticule. Vous le remarquerez. (de manière que)

VERB REVIEW

What are the principal parts of **bouillir, conclure** (Table 1); **cueillir** (Table 2)? What forms of **cueillir** cannot be derived from the principal parts? Conjugate these verbs in all simple tenses.

Vocabulary Distinctions

Complements of verbs

A certain number of verbs require a direct object in French and an indirect object or a prepositional complement in English, and vice versa. The most common of these verbs are listed below.

1. Verbs requiring a prepositional complement in English which are used with a direct object in French.

to wait for	**attendre**	to hope for	**espérer**
to look for	**chercher**	to call for	**faire venir**
to ask for	**demander***	to pay for	**payer**†
to listen to	**écouter**	to look at	**regarder**
to send for	**envoyer chercher**		

* See Section 2.
† Note the various constructions with **payer:**

payer quelque chose	to pay for something
payer quelqu'un (*no other object*)	to pay someone
payer quelqu'un pour faire quelque chose	to pay someone to do something
payer quelque chose à quelqu'un (*direct and indirect objects*)	to pay someone (for) something
payer pour quelqu'un	to pay for (instead of) someone
Je n'ai pas assez d'argent, pouvez-vous payer pour moi?	I don't have enough money; can you pay for (instead of) me?
but	
Combien avez-vous payé ce tapis?	How much did you pay for this rug?

2. Verbs which in French require the indirect object of the person spoken to or referred to.

to teach someone	⎫	apprendre à quelqu'un	⎫ (à faire
to teach someone	⎪	enseigner à quelqu'un	⎬ quelque
	⎪		⎭ chose)
to advise someone	⎪	conseiller à quelqu'un	⎫
to forbid someone	⎪ (to do some-	défendre* à quelqu'un	⎪
to ask someone	⎬ thing)	demander à quelqu'un	⎪
to order someone	⎪	ordonner à quelqu'un	(de faire
to permit someone	⎪	permettre à quelqu'un	⎬ quelque
to promise someone	⎪	promettre à quelqu'un	chose)
to remind someone	⎭	rappeler à quelqu'un	⎪
to forgive someone	⎰ (for doing	pardonner à quelqu'un	⎪
to reproach someone	⎱ something)	reprocher à quelqu'un	⎭

* **Défendre** meaning *to defend* takes a direct object: **défendre quelqu'un.**

REMINDER The order of noun objects is direct before indirect.

Il a demandé un verre à la bonne.   He asked the maid for a glass.

3. Verbs taking a direct object in English which require an indirect object in French.

to escape	**échapper à**
to hurt (*physically*)	**faire mal à**
to obey (disobey)	**obéir (désobéir) à**
to harm	**nuire à**
to please (displease)	**plaire (déplaire) à**
to answer	**répondre à***
to resist	**résister à**
to resemble	**ressembler à**
to succeed (= to follow)	**succéder à**
to suit	**convenir à**
to survive	**survivre à**

* In the sense of *to say something*, **répondre** takes a direct object: **Répondez quelque chose.** But: **Il n'a pas répondu à la question.**

Also included in this category are idiomatic expressions with **faire +** noun: **faire peur à** (*to scare*), **faire honte à** (*to shame*), etc.

To think of
Penser à, Penser de, Songer à, Réfléchir

Penser à is used when *to think of* means *to bear in mind, to think about.*

Pensez-vous quelquefois à Marie? — Je pense à elle souvent.	Do you think of (about) Mary sometimes? — I think of her often.
Pense-t-il à ses examens? — Il y pense.	Does he think about his examinations? — He does.

Penser de is used when *to think of* means *to have an opinion of.*

Que pensez-vous de cette pièce?	What do you think of that play?
Je vous dirai ce que j'en pense.	I shall tell you what I think of it.
Connaissez-vous M. G.? Que pensez-vous de lui?	Do you know Mr. G.? What do you think of him?

Songer à is often used instead of **penser à** with the meaning of *to contemplate doing something, to consider doing something.*

Songe-t-il à lui donner cette place?	Does he think of giving him this position?

Remember that **penser à** and **songer à** are verbs which require a disjunctive pronoun when referring to persons (see page 154).

Réfléchir à is used when *to think* or *think about* means *to reflect, ponder, consider, think over,* and when it refers to facts. It implies more serious thinking than **penser**. **Réfléchir à** cannot be followed by an infinitive, or a noun of a person.

Réfléchissez à ce qu'il vous a dit.	Think over what he told you.
Il parle sans réfléchir.	He speaks without thinking (over what he is going to say).

To think
Croire

When *to think* means *to surmise, to believe,* **croire** is used rather than **penser,** particularly when used in the negative, in which case it is followed by a subjunctive.

Je crois qu'il est arrivé.	I think (believe) that he has arrived.
Je ne crois pas qu'il puisse vous aider.	I don't think (believe) that he can help you.

To play
Jouer de, Jouer à, Jouer

Jouer de is used in the sense of *to play an instrument;* **jouer à** in the sense of *to play games;* and **jouer** alone is used in all other cases.

Savez-vous jouer du violon?	Can you play the violin?
Il joue au golf et au tennis.	He plays golf and tennis.
Il joue bien son rôle.	He plays his part well.

To play, have a game of, in the sense of a set, a round, a hand of, is translated **faire une partie.**

Faisons une partie de tennis.	Let us have a game of tennis.
Je ferai une partie d'échecs.	I shall play a game of chess.

To have a game (of cards) is expressed by **faire un bridge (un piquet, une belotte,** etc.), used more commonly than **faire une partie de bridge,** etc.

Une partie means an informal game. A formal game is **un match.**

[XI]
Complete the following sentences.

1. Les voyageurs cherchent l'interprète.
   _____ écoutent _____.
   _____ demandent _____.
   _____ envoient chercher __.
   _____ font venir _____.
   _____ regardent _____.

2. Il a payé le garçon.
   _____ le chauffeur.
   _____ l'addition.
   _____ la note.
   _____ au caissier.
   _____ au vendeur.
   _____ pour son ami.
   _____ moi.
   _____ l'employé.
   _____ pour son travail.
   _____ qu'il travaille samedi.

3. Nous conseillons à l'enfant de lire.
   ____ défendrons _____.
   ____ avons demandé _____.

_____ ordonnons _____.
_____ permettons _____.
_____ avons promis _____.

4. Pierre fait mal à sa sœur.

_____ obéit _____.
_____ désobéit _____.
_____ déplaît _____.
_____ répond _____.
_____ résiste _____.
_____ ressemble _____.

[XII]

Replace the object by **y, en,** or the correct disjunctive pronoun.

EXAMPLE   Il pense à ses amis.
           Il pense à eux.

1. Que pensez-vous de ce livre?
2. Que pense-t-il de votre frère?
3. Nous songeons à aller en France.
4. Il pense à ses parents.
5. Il pense à son voyage.
6. Réfléchissez bien à ce que vous allez dire.
7. Dites-moi ce que vous pensez de Marie.
8. Vous ne songez pas à faire cela, n'est-ce pas?
9. Pensez-vous souvent à votre enfance?
10. Je préfère ne pas vous dire ce que je pense de votre conduite.

[XIII]

Complete the following sentences.

l. Je crois que oui.

_____ non.
_____ c'est vrai.
_____ possible.
__ ne __ pas _____.
_____ vrai.
Nous _____.

2. Nos amis jouent très bien du piano.

_____ violon.

Mon frère _____.

_____ de la clarinette.

_____ trompette.

_____ au tennis.

_____ golf.

Sa sœur_____.

_____ ping pong.

_____ la comédie.

_____ son rôle.

_____ fait une partie de tennis.

_____ dames.

_____ échecs.

IDIOMATIC EXPRESSIONS

d'ordinaire usually
en vouloir à to have a grudge against, be angry with
envoyer chercher to send for
faire une partie to have a game
je crois que oui (non) I think so (not)
s'apercevoir to notice, discover, become aware

(se) mettre en marche to start (an engine)
se moquer de to make fun of
s'en remettre à to rely on, to leave it to
se rendre to surrender
sous la pluie in the rain
tenir de to owe to, get from
tout le monde everyone, everybody

A Cheval

(*suite*)

Pendant quatre années encore, ce ménage, harcelé par la misère, ne connut d'autres distractions que la promenade aux Champs-Elysées, le dimanche, et quelques soirées au théâtre, une ou deux par hiver, grâce à des billets de faveur offerts par un collègue.

Mais voilà que, vers le printemps, un travail supplémentaire fut confié à l'employé par son chef, et il reçut une gratification extraordinaire de trois cents francs.

En rapportant cet argent, il dit à sa femme:

« Ma chère Henriette, il faut nous offrir quelque chose, par exemple une partie de plaisir pour les enfants. »

Et après une longue discussion, il fut décidé qu'on irait déjeuner à la campagne . . .

« Ma foi, s'écria Hector, une fois n'est pas coutume; nous louerons un break pour toi, les petits et la bonne, et moi je prendrai un cheval au manège. Cela me fera du bien. »

Et pendant toute la semaine on ne parla que de l'excursion projetée.

Chaque soir, en rentrant du bureau, Hector saisissait son fils aîné, le plaçait à califourchon sur sa jambe, et, en le faisant sauter de toute sa force, il lui disait:

« Voilà comment il galopera, papa, dimanche prochain, à la promenade. »

Et le gamin, tout le jour, enfourchait les chaises et les traînait autour de la salle[1] en criant:

« C'est papa à dada. »[2]

Et la bonne elle-même regardait monsieur d'un œil émerveillé, en songeant qu'il accompagnerait la voiture à cheval; et pendant tous les repas elle l'écoutait parler d'équitation, raconter ses exploits de jadis, chez son père. Oh! il avait été à bonne école, et, une fois la bête entre ses jambes, il ne craignait rien, mais rien!

QUESTIONS

1. Quelles étaient les seules distractions du ménage Gribelin? 2. Comment Hector a-t-il obtenu une gratification? 3. Qu'est-ce qu'il a proposé à sa femme? 4. Qu'est-ce qu'ils ont décidé? 5. Comment se rendront-ils à la campagne? 6. De quoi parlait-on toute la semaine? 7. Que faisait Hector chaque soir en rentrant du bureau? 8. Et que faisait le gamin? 9. De quoi Hector parlait-il pendant tous les repas? 10. Pourquoi disait-il qu'il ne craignait rien?

IDIOMATIC EXPRESSIONS

à bonne école well-trained, taught
à califourchon astride
(le) billet de faveur complimentary ticket
(un) break a four-wheeled high carriage
déjeuner à la campagne to have a picnic luncheon

ma foi oh! well!
(une) partie de plaisir outing
une fois n'est pas coutume once does not make a habit
voilà que it so happens

---

[1] **la salle,** short for **la salle à manger.**
[2] **dada,** child's word for **cheval.**

Lesson **11**

Grammar and Usage

I. RELATIVE PRONOUNS

TABLE OF RELATIVE PRONOUNS

qui	subject of the verb, *who, which*
que	direct object of the verb, *whom, which, that*
lequel, laquelle	
lesquels, lesquelles	object of a preposition, *whom, which*
qui	
quoi	
dont	*whose, of whom, of which*

1. Qui and **que**: see Lesson 1, page 5.

2. Lequel, laquelle, lesquels, lesquelles agree in gender and number with their antecedent. **Lequel, lesquels(–lles)** contract with the preposition **à** into **auquel, auxquels(–lles)**; with the preposition **de** into **duquel, desquels(–lles)**. **Laquelle** does not combine.

For persons, **qui** is generally preferred to **lequel, laquelle,** etc.

l'arbre sous lequel nous nous sommes reposés	the tree under which we rested
les livres sur lesquels vous comptiez	the books on which you were counting
un ami à qui (auquel) j'ai écrit	a friend to whom I wrote
les femmes avec qui (lesquelles) il se promène	the women with whom he is taking a walk

3. Quoi (for things) and **qui** (for persons) are used in statements and indirect questions when the pronoun has no antecedent.

Je devine à qui (quoi) vous pensez.	I can guess of whom (what) you are thinking.
Il m'a demandé de quoi (de qui) je me plaignais.	He asked me of what (whom) I complained.

4. The invariable **dont** (*whose, of whom, of which*), except as stated below, normally replaces **duquel, de laquelle, desquels, desquelles.**

le garçon dont le père est médecin	the boy whose father is a doctor
les étudiants dont vous parlez	the students of whom you are speaking
une situation dont je ne sais rien	a situation of which I know nothing

However, **duquel, de laquelle,** etc., must be used, not **dont,** when the antecedent is already modified by a prepositional complement. But if the prepositional complement is a possessive (**de** + noun), **dont** may be used in most cases without ambiguity.

J'ai parlé au professeur *avec les amis* duquel vous allez en Europe.	I spoke to the professor *with* whose *friends** you are going to Europe.
Voici l'arbre *au pied* duquel ils avaient caché leurs bijoux.	Here is the tree *at the foot* of which they had hidden their jewels.
La bonne des Gérard, dont vous vantez tant la cuisine, les a quittés.	The Gerards' maid, whose cooking you praise so much, left them.

* Literally, *with the friends of whom.* (As a rule of thumb: when *whose* is immediately preceded by a preposition, it must be translated **duquel, de laquelle,** etc.)

NOTE The order of words in the relative clause must be **dont** (or **duquel, de laquelle,** etc.) + subject + verb + object. In sentences with the relative *whose,* to avoid mistakes, replace *whose* by *of whom* or *of which;* this will give you the correct order of words for the translation into French.

the girl whose brother you know = the girl of whom you know the brother . . .
the man with whose son . . . = the man with the son of whom . . .

un livre dont j'ai oublié le titre	a book whose title I have forgotten (a book of which I have forgotten the title)

Remember to use **dont** to translate *which* or *whom* when the French verb or verbal expression in the relative clause requires **de** before its complement, i.e., **avoir besoin de, se servir de,** etc.

les domestiques dont nous avons besoin	the servants whom we need
le crayon dont je me sers	the pencil which I am using

NOTE **Dont** may not replace **duquel, de laquelle,** etc., when these are interrogative pronouns; therefore, **dont** may not be used in direct or indirect questions.

5. The relative adverb **où** usually replaces **lequel, laquelle,** etc., when the antecedent is a noun of place; the prepositions *in, on,* or *to* are not translated.

la maison où j'habite	the house in which I live
la ville où nous allons	the town to which we are going
le pays d'où je viens	the country from which I come
le village par où il est passé	the village through which he passed

Où is also a relative pronoun of time generally used instead of **quand** when the antecedent is a noun of time.

le jour où vous êtes venu	the day you came
la semaine où il a tant plu	the week when it rained so much

[I]

Make one sentence out of the two given, using the correct relative pronoun.

EXAMPLE   J'ai parlé à un étudiant. L'étudiant est un de vos amis.
L'étudiant à qui j'ai parlé est un de vos amis.
J'ai trouvé cela dans un livre. Le livre est à vous.
Le livre dans lequel j'ai trouvé cela est à vous.

1. Nous avons discuté cela avec un médecin. Le médecin est de notre avis.
2. Ils ont nagé dans un lac. Le lac est très profond.
3. Je pense à un poème. Le poème est bien connu.
4. Nous sommes arrivés par une petite route. La petite route était pittoresque.
5. Elle les a accueillis avec joie. Sa joie était évidente.
6. Il fait cette course pour sa voisine. La voisine est malade.
7. Nous comptions sur une lettre. La lettre n'est pas arrivée.
8. Elle écrit à un cousin. Le cousin est en Europe.

[II]

Reword the following sentences so that the meaning becomes less explicit, replacing the antecedent by a preposition + relative pronoun.

EXAMPLE   Il m'a dit que vous avez écrit à Marie.
Il m'a dit à qui vous avez écrit.

1. Je me demande si vous vous moquez de Jean ou de moi.
2. Nous savons que vous pensez à vos vacances.
3. Je crois deviner que vous parlez de notre professeur.
4. Elle sait que vous pensez à son frère.
5. Il sait que nous réfléchissons à ce qu'il a dit.
6. Nous avons deviné que vous parliez de ce film.
7. Elle se doute que vous riez de sa bêtise.
8. Ils veulent savoir si vous vous plaignez d'eux ou d'elles.

[III]

Make one sentence out of the two given, using the correct relative pronoun.

EXAMPLE Nous rêvions d'un voyage. Nous ne pourrons pas le faire.
Nous ne pourrons pas faire le voyage dont nous rêvions.

1. J'ai besoin du livre. Vous l'avez pris.
2. Vous parlez de la pièce. Nous l'avons vue.
3. Elle se sert du stylo. Le lui avez-vous prêté?
4. Je me méfie de ce garçon. Vous avez confiance en lui!
5. Vous vous plaignez de ces gens. Nous ne les connaissons pas.
6. Ils se moquent de cet homme. Nous l'estimons beaucoup.
7. Nous sommes fiers de vos progrès. Nous vous félicitons.
8. Vous pensez beaucoup de bien de cet avocat. Je le connais.

[IV]

Make one sentence out of the two given, using the correct relative pronoun.

EXAMPLE Nous avons fait la connaissance du docteur. Vous allez en classe avec sa fille.
Nous avons fait la connaissance du docteur avec la fille duquel vous allez en classe.

1. Rappelez-moi le nom de l'élève. Vous avez passé les vacances avec son frère.
2. Nous avons trouvé un mécanicien. Nous pouvons compter sur son habileté.
3. Cette nouvelle pièce vous plaira. Nous avons assisté aux répétitions.
4. Connaissez-vous ce banquier? J'aurais été ruiné sans son aide.
5. Il s'agit d'un excellent candidat. Je tiens beaucoup à son élection.
6. Ils ont trouvé un bel arbre. Ils ont pu déjeuner à l'ombre.

[V]

Make one sentence out of the two given, using the correct relative pronoun. Be careful to use the correct word order and to remove the possessive adjective or **en.**

EXAMPLE   Voici le magasin. Il m'en a donné l'adresse.
Voici le magasin dont il m'a donné l'adresse.

1. J'ignore le nom de l'étudiant. Vous avez pris son livre.
2. C'est un garçon honnête. On connaît sa réputation.
3. Voici une jeune fille. Vous connaissez son frère.
4. Reconnaissez-vous ce roman? Nous vous en avons lu des extraits.
5. C'est un homme bien connu. On vante sa probité.
6. Il m'a parlé de cet auteur. On vient de jouer sa première pièce.
7. Nous lui ferons visiter Paris. Nous en connaissons tous les quartiers.
8. Elle a joué la sonate. Nous en aimons tant le deuxième mouvement.

[VI]

Reword the following sentences using **voici** and **où.**

EXAMPLE   J'habite cet appartement.
Voici l'appartement où j'habite.

1. Nous allons déjeuner dans ce restaurant.
2. Il est passé par cette ville.
3. Elle demeure dans cette maison.
4. Ils sont allés à ce cinéma.
5. Il est tombé dans ce lac.
6. Nous sommes partis de cet aéroport.
7. Ils sont arrivés par la gare de l'Est.
8. Elle vient de ce village.

[VII]

Reword the following sentences, connecting them with **où.**

EXAMPLE   Il a pleuré ce jour-là. Ils sont partis.
Il a pleuré le jour où ils sont partis.

1. Nous y sommes allés cet été-là. Il a fait très chaud.
2. Nous l'avons vu à ce moment-là. Il arrivait.
3. Vous serez heureux ce jour-là. Vous aurez fini.
4. C'est arrivé cette semaine-là. Vous étiez absent.

5. Nous les avons vus à Paris cette année-là. Ils étaient en Europe.
6. La maison sera tranquille ce mois-là. Vous serez à la campagne.
7. Il est sorti à ce moment-là. Elle est entrée.
8. Vous vous souvenez de cet hiver? Il y a eu tant de neige.

II. THE CONDITIONAL AND THE CONDITIONAL SENTENCE

1. The conditional sentence, also sometimes called the sentence of hypothesis, is composed in French as in English of two parts: the **si** clause (*if* clause in English) which expresses a condition, a supposition, or an eventuality, and the clause which concludes the statement or expresses the result, usually called the result clause.

If the condition, supposition, or eventuality is considered as:	The tense of the indicative in the si clause will be:	The mood and tense in the result clause will be:
a. A real possibility in the present or future (expressed in English by the present, the present conditional, or sometimes by the future).	present	THE SAME AS IN ENGLISH
b. A real possibility in the past (expressed in English by the perfect or the present perfect).	past indefinite	

2. The mood and tenses that may be used in a conditional sentence are not limited to those already given in Lessons 1, 7, and 8. Almost any sequences that are possible in English are possible in French, depending on the idea to be expressed and on the time relationship between the two clauses. But the student must always bear in mind that:

a. Only four tenses of the indicative may be used normally in French in the si clause: the present, the past indefinite, the imperfect, and pluperfect. (The pluperfect subjunctive, which may be used in either clause, is strictly literary.)

b. That the English *if* clause may be replaced by the forms: *were I to do, should I do, had I done.* These forms must be translated by a si clause.

In order to determine the proper tense of the indicative to be used in the si clause, study the table and the examples given on pages 172–75.

a. **Si je suis en retard, attendez-moi.** If I am late, wait for me.
Si je suis en avance, je vous attendrai. If I am early, I shall wait for you.

Vous n'aurez pas fini avant minuit si vous ne commencez pas tout de suite. You will not have finished before midnight if you don't begin right away.

Si cela est la vérité, je le déplore. If this is the truth, I deplore it.

b. **Si nous avons bien compris,** If we understood correctly,
  il a changé d'avis. he changed his mind.
  elle n'est pas chez elle. she is not home.
  ils arriveront demain. they will arrive tomorrow.

S'il a déjà commencé, il aura bientôt fini. If he has already begun, he will have finished soon.

S'il vous a dit cela, il ne savait pas de quoi il parlait. If he told you that, he did not know what he was talking about.

Si vous l'avez appris, n'en dites rien. If you heard about it, don't say anything.

Continued

If the condition, supposition, or eventuality is considered as:	The tense of the indicative in the si clause will be:	The mood and tense in the result clause will be:
c. Unrealized, unreal, contrary to fact, or unlikely in the present or future (expressed in English by the imperfect, present conditional, or subjunctive).	imperfect	THE SAME AS IN ENGLISH
d. Unrealized or contrary to fact in the past (expressed in English by the pluperfect or the pluperfect subjunctive).	pluperfect	

Observe also the following examples of commonly used sequences which do not fall in the above catagories:

S'il n'est pas arrivé à trois heures, nous partirons sans lui. (*a future eventuality expressed by the past indefinite replacing the future perfect, which is not possible after* si)

If he has not arrived by three, we shall leave without him.

Si vous le saviez, vous auriez dû nous prévenir. (*a real supposition,* si *is the equivalent of* **puisque,** *"since"*)

If you knew it, you should have warned us.

WARNING   Do not confuse si introducing a condition or a supposition with si meaning *whether.* The latter is not restricted to any particular tense or mood.

Je ne sais pas si j'aurais pu le faire.

I don't know whether (if) I could have done it.

c. Si j'étais riche, je voyagerais. (*contrary to fact*)	If I were rich, I would travel.
Il viendrait vous voir si vous lui écriviez que vous êtes ici. (*unrealized condition in the present*)	He would come to see you if you wrote him that you are here.
Si vous aviez besoin d'argent pendant votre voyage, je vous en enverrais. (*future eventuality*)	If you should need (should you need, were you to need) money during your trip I should send you some.
Si vous étiez honnête vous n'auriez pas fait cela. (*contrary to fact*)	If you were honest, you would not have done that.

d. S'il avait reçu votre lettre, il y aurait répondu.	If he had (had he) received your letter, he would have answered it.
Si vous lui aviez téléphoné, il saurait que vous êtes arrivé et viendrait vous voir.	If you had telephoned him, he would know you have arrived and would come to see you.

3. Other uses of the conditional correspond in most cases to the English to express a possibility, an eventuality (not introduced by **si**), to attenuate a statement, etc.

Il aurait été heureux de savoir cela.	He would have been happy to know that.
Comment saurais-je ce qu'il a dit?	How should I know what he said?
Au cas où il viendrait, je vous appellerai.	In case he should come, I shall call you.
Je ne l'aurais pas cru si intelligent.	I should not have thought him so intelligent.

4. *The future in the past.* The tenses of the conditional are also used as tenses of the indicative to express future time relative to a past action, i.e., a future in the past.

Je ne croyais pas qu'il viendrait.	I did not think he would come.
J'étais sûr qu'il aurait fini avant notre arrivée.	I was sure he would have finished before our arrival.

Note that in this use after a verb in a past tense the present conditional and conditional perfect correspond, respectively, to the future and the future perfect if the verb of the main clause were changed to the present. Compare the preceding examples with the following:

Je ne *crois* pas qu'il *viendra*.	I do not think he will come.
Je *suis* sûr qu'il *aura fini* avant notre arrivée.	I am sure he will have finished before our arrival.

NOTE Be careful to distinguish between *could = should be able*, the conditional of *to be able to*, and *could = was able*, a past of the verb *to be able* (see Vocabulary Distinctions, Lesson 8, page 130).

I could do it tomorrow. (*conditional*)	**Je pourrais le faire demain.**
I could not understand. (*imperfect*)	**Je ne pouvais pas comprendre.**

Be careful also to distinguish between *would* used as an auxiliary to form the tenses of the conditional (or the imperfect, see Lesson 7) and *would* meaning *willingness*, which is expressed by a past tense of **vouloir**.

He would write to you if he had the time. (*conditional*)	**Il vous écrirait s'il avait le temps.**
Last summer I would (used to) get up at five every morning. (*imperfect of to get up*)	**L'été dernier je me levais à cinq heures tous les matins.**
I told him that several times, but he would not listen. (*wasn't willing*)	**Je lui ai dit cela plusieurs fois mais il ne voulait pas écouter.**

[VIII]

In the following sentences, replace **puisque** by **si**.

EXAMPLE Puisque vous étiez là, vous auriez dû l'aider.
Si vous étiez là, vous auriez dû l'aider.

1. Puisque tu le connaissais, tu aurais pu nous présenter.
2. Puisqu'il le savait, il aurait dû nous prévenir.
3. Puisque tu en étais si sûr, tu aurais bien fait de le dire.
4. Puisque vous le saviez, vous auriez dû nous en faire part.
5. Puisque c'était vrai, pourquoi ne l'aurions-nous pas cru?
6. Puisque vous êtes prêt, vous devriez partir.
7. Puisque vous allez le voir, je voudrais vous demander un service.
8. Puisque vous étiez fatigué, vous avez eu raison de vous reposer.

[IX]

Reword the following sentences, combining them and placing **si** in the appropriate place.

EXAMPLE   Vous le leur dites. Ils le feront.
Si vous le leur dites ils le feront.
Il vous le dira. Il a changé d'avis.
Il vous dira s'il a changé d'avis.

1. Pourquoi ne m'a-t-il pas corrigé? Je me suis trompé.
2. Nous vous attendrons. Nous arrivons avant vous.
3. Il n'a rien dit. Il avait probablement une bonne raison
4. Tu te trompes. Tu crois cela.
5. Nous t'avons fâché. Nous nous en excusons.
6. Soyez prêt à temps pour une fois! Je viens vous chercher.
7. Nous avons bien compris. Ils nous feront savoir leur réponse demain.
8. Vous faites cela? Je vous en serai reconnaissant.
9. Téléphonez-moi. Vous avez fini à temps.

[X]

Put the verb of the main clause (a) in the past indefinite, (b) in the future. Do (a) first for all sentences, then do (b).

EXAMPLE   Si j'ai bien compris il ne veut pas venir.
(a) *Si j'ai bien compris il n'a pas voulu venir.*
(b) *Si j'ai bien compris il ne voudra pas venir.*

1. S'il s'est mis en route à dix heures, il doit arriver à onze heures.
2. Si elle a vraiment fait cela, elle doit s'excuser.
3. Si vous n'avez pas appris cette règle, vous pouvez très bien vous tromper.
4. Si je ne me suis pas trompé, il lui faut deux jours pour le faire.

[XI]

Reword the following sentences, replacing **comme** by **si** and using a past conditional in the result clause.

EXAMPLE   Comme je le savais, je ne vous l'ai pas demandé.
Si je le savais, je ne vous l'aurais pas demandé.

1. Comme il comprenait, il ne s'est pas trompé.
2. Comme ils étaient riches, ils l'ont acheté.

3. Comme vous le compreniez, vous avez dû le lui dire.
4. Comme il connaissait la route, il ne s'est pas perdu.
5. Comme elle travaillait mieux, elle a réussi.
6. Comme vous le saviez, vous avez pu leur répondre.

[XII]

Reword the following sentences, replacing **puisque** by **si** followed by the pluperfect, and using the present conditional in the result clause.

EXAMPLE   Puisqu'elle a appris sa leçon, elle la saura.
Si elle avait appris sa leçon elle la saurait.

1. Puisque vous êtes parti à temps, vous ne serez pas en retard.
2. Puisqu'il vous a prévenu, vous n'en serez pas surpris.
3. Puisque vous y êtes allés, vous vous en souviendrez.
4. Puisqu'ils ont tout préparé à temps, ils n'auront pas d'ennuis maintenant.
5. Puisqu'elle a lu l'article, elle pourra répondre à votre question.
6. Puisque j'ai fini mon travail, je vous accompagnerai.

VERB REVIEW

How is the conditional formed? (Appendix I, Section III, page 359.)
What are the principal parts of **plaire** (Table 1); **devoir, falloir** (Table 2)?
What forms of **falloir** and **devoir** cannot be derived from the principal parts?
Conjugate the above verbs in all simple tenses.

Vocabulary Distinctions

To owe
Devoir

Devoir with a direct object means *to owe.*

Vous lui devez une visite.   You owe him a visit.

Must, To have to
Devoir, Falloir

Must is a defective verb, not existing in all English tenses. Note carefully, therefore, the English equivalents of the various tenses of **devoir** and **falloir** in the examples.

1. **Devoir** is used with an infinitive and expresses a duty or moral obligation. It is also used figuratively as is *must* in English (last example).

Je dois écrire à mes parents.	I must write to my parents.
Ils devront partir de bonne heure.	They will have to leave early.
J'ai dû le renvoyer.	I had to dismiss him.
Tout le monde doit obéir à la loi.	Everybody must obey the law.
Je dois vous avouer que j'ai très sommeil.	I must confess to you that I am very sleepy.

2. **Devoir** also expresses a conjecture or a probability, or an intended or scheduled action (*am to, was to*).

Ce doit être intéressant.	It must be interesting.
Je ne l'ai pas vue ces temps-ci, elle doit être en voyage.	I have not seen her recently, she must be traveling.
Vous avez dû le rencontrer.*	You must have met him.
Il devait être fatigué quand il a fait cela.	He must have been tired (he probably was tired) when he did that.
Nous devons les voir ce soir.	We are to see them tonight.
Je devais partir hier.	I was to leave yesterday.

* This is a commonly used construction although **vous devez l'avoir rencontré** is considered more correct grammatically.

3. **Falloir,** an impersonal verb, is most frequently followed by a dependent clause with the verb in the subjunctive, but it may also be followed by an infinitive (see Section 4).

Falloir expresses a necessity or a compulsion, but it may also express an obligation or a duty and its meaning overlaps with that of **devoir** under Section 1, above. However, **falloir** must be used when a necessity or a compulsion is implied, when the obligation or duty is stressed, or when the used of **devoir** would be ambiguous (last example).

Il faudra qu'il prouve son innocence.	He will have to prove his innocence.
Faut-il que vous alliez à New York?	Must you (do you have to) go to New York?
Il faudra que je lui en parle à la première occasion.	I must (will have to) speak to him about it at the first opportunity.
Il a fallu qu'il parte sans déjeuner.	He had to leave without eating breakfast.
Il faut que j'écrive à mes parents.	I must write to my parents.
Il faut que nous les voyions ce soir.*	We must see them tonight.

* **Nous devons les voir ce soir** normally would mean *we are to see them tonight.*

Note the construction with **falloir**: the subject of *must* (*have to*) in the English sentence becomes the subject of the subordinate clause in the French sentence.

4. Falloir may be followed by an infinitive:

a. In a statement in direct address, provided there is no ambiguity as to who is concerned.

Jeanne, il ne faut pas déranger votre mère.	Jane, you must not disturb your mother.
Il ne faudra pas lui raconter cela quand vous lui écrirez.	You must not tell him that when you write him.
Il ne faut pas vous fâcher.	You must not get angry.

In the above examples, **Jeanne, vous** in **vous lui écrirez,** and **vous fâcher** show the person addressed.

b. In an impersonal statement, frequently expressed by the passive in English.

Il faut éviter les accidents.	Accidents must be avoided.

NOTE The negative of the present and future of **falloir** can only mean *must not. Not to have to* meaning *not to be obliged to, not to need to,* is translated **ne pas être obligé de, ne pas avoir besoin de.**

Vous n'êtes pas obligé de répondre.	You don't have to answer.
Vous n'avez pas besoin d'être impoli.	You don't have to be impolite.
but	
Il ne faut pas que vous répondiez.	You must not answer.

5. Other uses of **falloir.**

a. Falloir with an indirect object pronoun and a partitive or an expression of quantity is used instead of **avoir besoin de** to stress *need.* The indirect object corresponds to the subject of *need* in the English sentence.

Il leur faudra beaucoup d'argent pour cette expédition.	They will need a lot of money for this expedition.
Oui, il leur en faudra beaucoup.	Yes, they will need a lot.

b. Falloir is used to translate *to take* followed by an expression of time, or when *to take* is used for *to require, to need.* It usually introduces an infinitive phrase with **pour.**

Combien de temps lui faudra-t-il pour faire cette traduction?	How long will it take him to do this translation?
Il en a fallu beaucoup.	It took a lot.

c. Note also the following constructions.

Avez-vous fait tout ce qu'il a fallu?	Have you done all that was necessary (you should, was needed)?
Je sais que vous ne tenez pas à venir, mais il le faut.	I know you are not anxious to come, but you must.

6. Although in principle a past tense of **falloir** should be followed by the imperfect subjunctive, modern usage permits the present subjunctive. except in formal writing.

Il aurait fallu que nous allions (allassions) en prison si nous n'avions pas payé l'amende.	We should have had to go to jail if we had not paid the fine.

Ought to, Ought to have

Ought to (*should*) is translated by the conditional of **devoir;** *ought to have* (*should have*), by the past conditional of **devoir.**

Vous devriez lui dire de se taire.	You ought to (should) tell him to stop talking.
J'aurais dû le faire il y a longtemps.	I ought to have (should have) done it a long time ago.

Il faudrait, il aurait fallu are used to translate impersonal statements and English passives.

Il aurait fallu le faire plus tôt.	It ought to have (should have) been done sooner.

[XIII]

Put the following sentences in the imperfect, past indefinite, future, present conditional, and past conditional. Translate them.

EXAMPLE

Je dois écrire à mes parents.	*I must* (or *am supposed to*) *write to my parents.*
Je devais écrire à mes parents.	*I was supposed* (or *had*) *to write to my parents.*
J'ai dû écrire à mes parents.	*I had to write to my parents.*
Je devrai écrire à mes parents.	*I shall have to write to my parents.*
Je devrais écrire à mes parents.	*I ought to write to my parents.*
J'aurais dû écrire à mes parents.	*I ought to have written to my parents.*

1. Il doit faire attention.
2. Nous devons y aller samedi.
3. Vous devez écouter cela.
4. Elles doivent finir leur travail.

[XIV]

Put the following sentences in the imperfect, past indefinite, and conditional. Translate them.

EXAMPLE

Elle doit être ici.　　*She must be (probably is) here.*
Elle devait être ici.　*She probably was (was supposed to be) here.*
Elle a dû être ici.　　*She must have been here.*
Elle devrait être ici.　*She should be here.*

1. Elles doivent venir nous voir.
2. Cela doit vous faire plaisir.
3. Vous devez le connaître.
4. Il doit être bien fatigué.

[XV]

Replace **être forcé de** by **falloir que.**

EXAMPLE　Il sera forcé de partir.
　　　　　Il faudra qu'il parte.

1. J'ai été forcé de lui en parler.
2. Nous serions forcés de sévir.
3. Il était forcé de l'accepter.
4. Etes-vous forcé de le voir?
5. Tu seras forcé de revenir.
6. Nous sommes forcés d'en convenir.
7. J'étais forcé de m'en aller.
8. Ils ont été forcés de finir tout de suite.

[XVI]

Replace the imperative by **il faut** + infinitive.

EXAMPLE　Jean, ne dites pas cela.
　　　　　Jean, il ne faut pas dire cela.

1. Ne vous découragez pas.
2. Ecrivez-lui tout de suite.
3. Marie, écoute-moi.
4. Je t'en prie, ne te fâche pas.
5. Ne réponds pas.
6. Racontez-lui cela.
7. Ne lui parlez pas.
8. Henri, tiens-toi bien.

[XVII]

In the following sentences replace **devoir** by **falloir** and **avoir besoin de** by **être obligé de**. Notice the difference in emphasis.

EXAMPLE Vous ne devez pas le faire.
Il ne faut pas que vous le fassiez.
Vous n'avez pas besoin de le faire.
Vous n'êtes pas obligé de le faire.

1. Tu ne dois pas te mettre en colère.
2. Tu n'as pas besoin de te mettre en colère.
3. Il ne doit pas prendre cela au sérieux.
4. Il n'a pas besoin de prendre cela au sérieux.
5. Tu ne dois pas y aller seul.
6. Tu n'as pas besoin d'y aller seul.
7. Nous ne devons pas rentrer tard.
8. Nous n'avons pas besoin de rentrer tard.

[XVIII]

Replace **avoir besoin de** by **falloir**.

EXAMPLE Vous aurez besoin de beaucoup de patience pour le supporter.
Il vous faudra beaucoup de patience pour le supporter.

1. J'ai besoin de plus de temps pour finir cet ouvrage.
2. Il a besoin d'argent pour ses études.
3. Elle a besoin de plus de courage qu'elle n'en a pour cela.
4. Il a besoin de plus de leçons pour savoir bien monter à cheval.
5. Nous avons besoin de laine pour faire un chandail.
6. Vous avez besoin de beaucoup d'énergie pour faire cela.
7. Tu as besoin de beaucoup de repos pour te remettre.
8. En avez-vous besoin de beaucoup?

IDIOMATIC EXPRESSIONS

aller faire une course to go on an errand
à l'ombre in the shade
convenir de to agree (on, to)
fâcher to make angry
faire part à to inform
faire savoir to inform, let know
je t'en prie please, I beg of you
monter à cheval to ride on horseback

prendre au sérieux to take (a thing) seriously
se décourager to become disheartened
se mettre en route to start out, get under way, set forth
se perdre to get lost
se remettre (de) to recover (from)
se tromper to be mistaken

A Cheval

(suite)

Hector répétait à sa femme en se frottant les mains:

« Si on pouvait me donner un animal un peu difficile, je serais enchanté. Tu verras comme je monte; et, si tu veux, nous reviendrons par les Champs-Elysées[1] au moment du retour du Bois.[2] Comme nous ferons bonne figure, je ne serais pas fâché de rencontrer quelqu'un du Ministère. Il n'en faut pas plus pour se faire respecter de ses chefs. »

Au jour dit, la voiture et le cheval arrivèrent en même temps devant la porte. Il descendit aussitôt, pour examiner sa monture. Il avait fait coudre des sous-pieds à son pantalon, et manœuvrait[3] une cravache achetée la veille.

Il leva et palpa, l'une après l'autre, les quatre jambes de la bête, tâta le cou, les côtes, les jarrets, ouvrit la bouche, examina les dents, déclara son âge, et comme toute la famille descendait, il fit une sorte de petit cours théorique et pratique sur le cheval en général et en particulier sur celui-là, qu'il reconnaissait excellent.

Quand tout le monde fut bien placé dans la voiture, il vérifia les sangles de la selle; puis, s'enlevant sur un étrier, il retomba sur l'animal, qui se mit à danser sous la charge et faillit désarçonner son cavalier.

Hector, ému, tâchait de le calmer:

« Allons, tout beau, mon ami, tout beau. »

Puis quand le porteur eut repris sa tranquillité et le porté son aplomb, celui-ci demanda:

« Est-on prêt? »

Toutes les voix répondirent:

« Oui. »

Alors, il commanda:

« En route! »

Et la cavalcade s'éloigna.

Tous les regards étaient tendus sur lui. Il trottait à l'anglaise en exagérant les ressauts. A peine était-il retombé sur la selle qu'il rebondissait comme pour monter dans l'espace. Souvent il semblait prêt à s'abattre sur la crinière; et il tenait ses yeux fixés devant lui, ayant la figure crispée et les joues pâles.

---

[1] The most elegant and beautiful avenue in Paris.
[2] I.e., **le Bois de Boulogne**, a favorite park for Sunday drives.
[3] **manœuvrer**, here, *to wave*.

QUESTIONS

1. Quelle sorte de cheval Hector désirait-il?   2. Par où propose-t-il de revenir?   3. Pourquoi ne serait-il pas fâché de rencontrer quelqu'un du Ministère?   4. Quand la voiture et le cheval sont-ils arrivés?   5. Qu'est-ce qu'Hector a fait aussitôt?   6. Qu'est-ce qu'il s'était acheté la veille?   7. Quel petit cours fit-il à sa famille?   8. Qu'est-ce que le cheval a fait dès qu'Hector s'est mis en selle?   9. Comment Hector trottait-il?   10. Qu'est-ce qui révélait qu'il n'était pas très rassuré?

IDIOMATIC EXPRESSIONS

à l'anglaise   in the English manner
au jour dit   on the appointed day
en route   let's be off
faillir   to almost . . .
faire bonne figure   to cut a good figure
faire coudre   to have sewn
faire un cours   to give a lecture
ne pas être fâché de   to be rather pleased to
s'abattre   to fall forward
se faire respecter   to command respect
tendu vers (lui)   fastened upon (him)
tout beau   steady now
(ses) yeux fixés devant (lui)   staring straight ahead

Lesson 12

Grammar and Usage

I. DEMONSTRATIVE ADJECTIVES AND PRONOUNS

A. Demonstrative adjectives and variable pronouns.

Demonstrative Adjectives

Masc. Sing.	**ce (cet)***⎫	this *or* that
Fem. Sing.	**cette** ⎭	
Plural	**ces**	these *or* those

Variable Demonstrative Pronouns

Masc. Sing.	**celui** ⎫	this one, that one, the one
Fem. Sing.	**celle** ⎭	
Masc. Plur.	**ceux** ⎫	these, those, the ones
Fem. Plur.	**celles** ⎭	

* **Cet** is used before a masculine noun beginning with a vowel or mute **h.**

Use of **-ci** and **-là**: in principle **-ci** refers to the nearest object, **-là** to the farthest, but this distinction is not strictly observed unless objects are contrasted.

With demonstrative adjectives **-ci** or **-là** is added to the noun to distinguish between *this, these* (**-ci**) and *that, those* (**-là**), but only when things or persons are contrasted, or when the distinction is essential for clarity.

Comment trouvez-vous ces robes?	How do you like these (those) dresses?
Ces robes-ci sont jolies, mais celles-là sont moins chères.	These dresses are pretty, but those are less expensive.

With demonstrative pronouns **-ci** or **-là** must be added when the pronoun is not followed by a relative clause or by a prepositional complement. **Celui, celle, ceux, celles** cannot be used alone.

186

Reposons-nous sous cet arbre. (*one of the trees in the vicinity*)	Let us rest under this (that) tree.
Lequel? Celui-là? (*pointing to one of them*)	Which one? That one?
Ces chaussures me plaisent, mais je préfère celles que vous m'avez montrées les premières.	I like these shoes, but I prefer those you showed me first.
Quelle route faut-il prendre? Celle-ci ou celle-là?	What road must we take? This one or that one?
Prenez celle de gauche.	Take the left one.
Vous voyez cet officier là-bas?	Do you see that officer over there?
C'est celui avec qui j'ai fait la campagne d'Indo-Chine.	He is the one with whom I fought in the Indo-China campaign.
Celui-ci était-il avec vous aussi?*	Was this one with you also?
De ces deux chambres, c'est celle-ci que j'aime le mieux.	Of these two rooms, it is this one I like best.

* Notice that the interrogative construction with demonstrative pronouns is similar to that with nouns.

NOTE 1   The English possessive *your father's* is translated **celui (celle, ceux,** etc.) **de votre père** (*that* or *those of your father*).

NOTE 2   **Celui-ci, celle-ci,** etc., may also mean *the latter,* **celui-là, celle-là,** etc., *the former.*

Henri et son père viennent d'arriver. Celui-ci est médecin, celui-là est étudiant.	Henry and his father have just arrived. The latter is a doctor, the former is a student.

NOTE 3   **-là** must be used with periods of time when the period is entirely past or has not yet begun. **-ci** indicating the current period of time is usually omitted except with **mois, heure,** and **fois.**

Il avait l'air fatigué ce soir-là.	He looked tired that evening.
Ne venez pas lundi, je serai absent ce jour-là.	Do not come on Monday; I shall be absent that day.
Je ne l'ai pas vu cette semaine.	I have not seen him this week.
Je resterai ici cet été.	I shall stay here this summer.
Nous le ferons ce mois-ci.	We shall do it this month.
Où serez-vous demain à cette heure-ci?	Where will you be tomorrow at this hour?
Cette fois-ci vous êtes pris.	This time you are caught.

B. The invariable or neuter demonstrative pronouns.

ceci	this, it	**ça**	this, that, it
cela	that, it	**ce**	it

1. Ceci, cela, ça.

In principle **ceci** refers to the nearest object, **cela** to the farthest, but this distinction is not strictly observed and the tendency is to use **cela** for both, unless *this* and *that* are contrasted. **Ça,** used in informal speech and writing, stands for both *this* and *that,* or *it.* However, **ça** is generally avoided before verbs beginning with a vowel.

Ceci and **cela** are used as subject or object of a verb as follows:

a. When *this* or *that,* or *it* with any verb but *to be,* designates something pointed out but not previously named.

Cela vous convient-il?	Does that (this) suit you?
Ne prenez pas ceci, prenez cela.	Do not take this, take that.
Ça ne fait rien.	It does not matter.
Cela m'ennuie qu'il ait remis notre départ.*	It annoys me that he has postponed our departure.
Cela me fait de la peine de le voir si découragé.*	It grieves me to see him so discouraged.

* **Cela,** not **ceci,** is used as subject when the verb introduces a subordinate clause or an infinitive. Note the subjunctive after **cela m'ennuie que** (a verb of emotion).

b. When *this* or *that* refers to a statement. In this case, **ceci** usually refers to what follows, **cela** to what precedes.

Je peux vous dire ceci: ne comptez pas sur moi.	I can tell you this: do not count on me.
Marchons plus vite, cela nous réchauffera.	Let us walk faster; it (that) will warm us up.

2. The neuter demonstrative **ce** (*it, this, that*) is used only as the subject of **être** (or **devoir** + **être**) as follows:

a. When **être** is followed by an adjective, **ce** designates something not previously named, or refers to a thought, expressed or understood, or to a statement.

Est-ce trop lourd?	Is it too heavy?
Ce sera compliqué.	It will be complicated.
C'était splendide.	It was splendid.
Je ne suis pas sûr qu'il ait raison, mais c'est possible.	I am not sure that he is right, but it is possible.
C'est très ennuyeux, je ne retrouve pas mon billet de retour.	It is very annoying; I can't find my return ticket.
Ce devait être intéressant.	It must have been interesting.

b. When the antecedent is **ceci** or **cela.**

Goûtez ceci, c'est très bon.	Taste this, it is very good.

c. When **être** is followed by an adverb or by a prepositional complement.

Ce n'est pas assez.	It is not enough.
Est-ce pour moi que vous dites cela?	Is it for me you are saying that?
C'est à vous de décider.	It is up to you to decide.

NOTE   When *it* is the subject of an impersonal adjectival expression (*it* + *is* + adjective) introducing a subordinate clause or a subordinate infinitive with **de**, the impersonal **il** is used (see Section IV).

REMINDER   When *it* refers to an antecedent already mentioned, it is, of course, expressed by **il** or **elle**.

Je ne peux pas monter *cette caisse* tout seul, *elle* est trop lourde.	I cannot carry up this crate by myself; it is too heavy.

3. Ceci or cela must be used instead of **ce**:

a. When *this* and *that* are contrasted, and when the pronoun is separated from the verb by any word, other than **ne**.

Ceci est correct, cela ne l'est pas.	This is correct, that is not.
Cela aussi est inutile.	That's also useless.

b. When emphasis is desired.

Ceci est trop facile.	*This* is too easy.
Cela n'est pas vrai.	*That* is not true.
Ça c'est faux. (*colloquial*)	*That's* untrue.

[I]

Replace the demonstrative adjective and the modified noun by a demonstrative pronoun.

EXAMPLE   J'ai choisi ce livre-ci et celui-là.
            J'ai choisi celui-ci et celui-là.

1. Préférez-vous cette robe-ci ou cette robe-là?
2. Ces rayons-là ne servent à rien.
3. Ce médicament-ci lui a fait plus de bien que celui-là.
4. Ce tableau-ci coûte-t-il aussi cher que celui-là?
5. Ne t'adresse pas à cet employé-ci.
6. Adresse-toi à cet employé-là.
7. Ces parfums-là sont-ils bon marché?
8. Cet homme-là est-il venu avec vous?

[II]

Replace the direct object by a demonstrative pronoun.

EXAMPLE   Où est le journal de mon père?
Où est celui de mon père?

1. Nous avons pris l'auto de nos parents.
2. C'est la bicyclette de mon frère.
3. Voici le train de vos amis.
4. Il a fumé les cigarettes de son père.
5. Elle a essayé les souliers de sa mère.
6. Vous connaissez la personne qui arrive.
7. Nous avons lu le livre que vous lisez.
8. Je me méfie du cheval que vous montez.
9. Nous avons le renseignement dont vous avez besoin.
10. Il a pris le dictionnaire dont vous vous serviez.

[III]

Reword the following sentences using the correct form of **celui-ci** and **celui-là.** Make all necessary changes.

EXAMPLE   Jean et John sont deux de mes amis. L'un est Français, l'autre Américain.
Jean et John sont deux de mes amis. Celui-ci est Américain, celui-là est Français.

1. Le Connecticut et l'Alaska sont deux états. L'un est petit, l'autre est grand.
2. Les villes de Paris et de Lyon sont en France. L'une est la capitale, l'autre est une grande ville.
3. Le rubis et le jade sont des pierres précieuses. L'un est rouge, l'autre est vert.
4. Le Champagne et le Bourgogne sont des vins. L'un est blanc, l'autre est rouge.
5. Debussy et Cézanne sont des artistes. L'un est un musicien, l'autre est un peintre.
6. La France et l'Angleterre sont en Europe. L'une est une république, l'autre est un royaume.
7. « Il Trovatore » et « Tristan und Isolde » sont des opéras. L'un est italien, l'autre est allemand.
8. Le Louvre et le Sacré-Cœur sont des monuments. L'un est un musée, l'autre est une église.

[IV]

Reword the following sentences putting a demonstrative adjective before the period of time and adding **-ci** or **-là** if necessary. Make all necessary changes.

EXAMPLE   Il n'est pas venu le jour où je l'attendais.
Il n'est pas venu ce jour-là.

1. Il avait l'air fatigué le soir où je l'ai rencontré.
2. Je vous verrai dans la soirée.
3. Où serez-vous demain à la même heure?
4. Je ne l'ai pas vu pendant l'année.
5. Elle a fait sa connaissance l'année où elle est entrée au collège.
6. Nous resterons en ville l'été prochain.
7. Je serai à New York la semaine des vacances de Noël.
8. Pourrai-je vous voir pendant le mois?

[V]

Reword the following sentences replacing the object by **ceci** or **cela.**

EXAMPLE   N'avez-vous pas entendu ce qu'on raconte?
N'avez-vous pas entendu cela?

1. Ecoutez bien ce que je vais vous dire.
2. Je suis désolé, je ne le savais pas.
3. Je ne comprends pas ce qu'il vient d'expliquer.
4. Vous devriez le faire.
5. Pourquoi l'avez-vous dit?
6. Je vais vous dire ce que je sais.
7. Faites bien attention à ce qu'il va vous dire.
8. Je sais, il me l'a déjà dit.

[VI]

Add to the following sentences another using **être facile** with **ce, il,** or **elle** as subject.

EXAMPLE   Faites-le!
Faites-le. C'est facile.

1. J'ai fini l'exercice.
2. Apprenez ceci.
3. Nous avons compris la leçon.

4. Vous comprendrez sans peine.
5. J'aime faire cela.
6. Nous connaissons cette règle.
7. Mais non, ce n'est pas difficile!
8. Je suis sûr que vous pouvez faire ce travail.

II. THE NEUTER *CE* WITH A PREDICATE NOMINATIVE

The neuter **ce** is used as the subject of **être** (or **devoir** + **être**) when **être** is followed by a noun, a pronoun, or an adjective in the superlative. In these cases, **ce** translates *he, she, they, it, this, that*. In other cases, the personal pronoun **il, elle,** etc., is of course used.

Connaissez-vous Mme Giraud? C'est une femme charmante.	Do you know Mrs. Giraud? She is a charming woman.
Qui frappe? Est-ce le facteur? — Non, ce n'est pas lui. — Alors, qui est-ce?	Who is knocking (at the door)? Is it the postman? — No, it is not he. — Then who is it?
C'aurait été une catastrophe.	It would have been a catastrophe.
C'était une mauvaise excuse.	That was a bad excuse.
A qui est ce chapeau? Est-ce le vôtre?	Whose hat is this? Is it yours?
C'est notre meilleur professeur.	He is our best professor.
Est-ce que ce sont vos amis qui vous ont donné cela? — Oui, ce sont eux.*	Was it your friends who gave you that? — Yes, it was they.
Regardez ce timbre, c'est le plus beau de ma collection.	Look at that stamp; it is the finest of my collection.
Ce doit être votre tour.	It must be your turn.

* It is generally more correct to use the third person plural **ce sont** (**c'étaient,** etc.) rather than **c'est** when the predicate is a plural noun, or a third person plural pronoun. However, **sont-ce** is usually replaced by **est-ce que ce sont,** sometimes by **est-ce.**

NOTE   In their reading, students may find a personal pronoun (**il, elle,** etc.) instead of **ce** when a person has already been identified; but at this stage, it is safer for them to comply with the above rules. However, a personal pronoun must be used in indirect discourse:

J'ai dit à Paul qu'il était un excellent élève.	I told Paul that he was an excellent student.

If **ce** were used here, it would refer to someone other than Paul.

REMINDER   When **être** is followed by a predicate noun used adjectively, the subject is a personal pronoun, not **ce: ils sont ingénieurs** (see Lesson 4, Section IV-2, page 58).

[VII]

Complete the following sentences.

1. C'est une femme charmante.
_____ impossible.
___ un garçon _____.
_____ sérieux.
___ un travail _____.
_____ fatigant.

2. C'est le facteur. Il est facteur.
_____ médecin. ___médecin.
_____ professeur. _professeur.
_____ avocat._____avocat.
_____ secrétaire. ___secrétaire.
_____ ingénieur. ___ingénieur.

3. C'est vous à qui j'ai envoyé la lettre.
___ lui _____.
___ elle _____.
___ celui _____.
___ celle _____.

4. C'est le plus beau que je connaisse.
_____ intéressant _____.
_____ ennuyeux _____.
_____ joli _____.
_____ triste _____.
_____ grand _____.

III. *CE QUI, CE QUE, CE DONT*

Ce qui, *what* meaning *that which*, is used as subject of the verb.
Ce que, *what* meaning *that which*, is used as object of the verb.
Ce dont, *what* meaning *that of which*, is used when a verb or an idiomatic expression requires **de** before its complement.

(*All that* is translated **tout ce qui, tout ce que, tout ce dont.**)

J'ai appris ce qui est arrivé.	I learned what (that which) happened.
Ce que vous dites est vrai.	What you say is true.
Son mari lui donne tout ce qu'elle veut.	Her husband gives her all (that which) she wants.

Ce qui me plaît en lui, c'est sa fran- chise.*	What I like in him is his frankness.
Nous lui enverrons ce dont il a besoin. (avoir besoin de)	We shall send him what he needs.
Ce dont nous parlons n'est pas votre affaire. (parler de)	What we are talking about is none of your business.

* Notice that **ce** must be repeated before **être** when it is followed by a predicate nomina- tive or a clause.

NOTE Sentences with declarative verbs, such as **savoir, dire, com- prendre,** etc., are considered as constituting indirect questions, particularly in the negative. In indirect questions, **de quoi** must be used instead of **ce dont. Dont** may not be used in direct or indirect questions (see Lesson 11, page 169).

Je lui ai demandé de quoi il avait besoin.	I asked him what he needed.
Ils n'ont pas voulu me dire de quoi ils avaient parlé.	They would not tell me of what they had spoken.
Je sais de quoi (ce dont) il s'agit.	I know what it is about.

[VIII]

Combine the two sentences using **ce qui, ce que, ce dont,** or **de quoi.**

EXAMPLE Vous dites quelque chose. Je ne le comprends pas.
Je ne comprends pas ce que vous dites.

1. Il lui est arrivé quelque chose. Je le sais.
2. Vous avez besoin de quelque chose. Nous vous le donnerons.
3. Vous voulez quelque chose. Dites-le-nous.
4. Il s'agit de quelque chose. Je vais vous l'expliquer.
5. Elle a besoin de quelque chose. Je lui demanderai.
6. Quelque chose l'a fâché. Nous le devinons.
7. Vous voudrez dire quelque chose. Dites tout.
8. Quelque chose m'a décidé. Je vous le dirai.
9. Ils parlent de quelque chose. Je ne comprends pas.
10. Il avait peur de quelque chose. Il n'a pas voulu me le dire.

IV. THE SUBJUNCTIVE AFTER IMPERSONAL VERBS

The subjunctive is used in the subordinate clause after impersonal verbs or expressions denoting:

Necessity or compulsion: **il est nécessaire, il faut** (see Vocabulary Distinctions, Lesson 11, page 179).

Opinion as to fitness or suitability: **il est juste, il est temps. il convient** (*it is fitting*), **il vaut mieux** (*it is better*), **il est heureux** (*it is fortunate*), **il est raisonnable, il est bon** (*it is well*), etc.

Possibility: **il est possible, il est impossible, il est rare, il se peut** (*it may be*), etc.

Doubt: **il est douteux, il n'est pas certain, il est peu probable,** etc.

Emotion: **il est triste, il est étonnant, il est regrettable, c'est dommage, c'est une honte** (*it is a disgrace*), etc.

Il est juste qu'il soit récompensé.	It is just (right) that he should be rewarded.
Est-il nécessaire qu'elle vienne?	Is it necessary for her to come?* (Is it necessary that she should come?)
Il est temps que vous partiez.	It is time for you to leave.*
Il est possible qu'il ait déjà dîné.	It is possible that he already has had dinner.
Il serait étonnant qu'il ait fait une telle imprudence.	It would be astonishing that he should have acted so rashly.
Il est possible qu'il vienne.	It is possible that he will come.

* The English construction *for me* (*you, him,* etc. or a noun) plus the infinitive is normally translated in French by a subordinate clause. However, an infinitive may be used sometimes to convey a different meaning; or when a subordinate clause would not be possible, then *for me, you,* etc., is rendered in French by an indirect object.

Il lui sera possible de venir.	It will be possible for him to come.
Il me sera facile de le convaincre.	It will be easy for me to convince him.

Impersonal expressions denoting certainty, conviction, evidence, probability, are followed by the indicative.

Il est certain qu'il a beaucoup d'aplomb.	It is certain that he has a lot of self-assurance.
Il est probable qu'il le sait.	It is probable that he knows it.
Il est évident que vous vous ennuyez.	It is obvious that you are bored.
Il paraît qu'il va beaucoup mieux.*	It seems that he is very much better.

* **Paraître** is not a verb of opinion (hence, no subjunctive). It is the equivalent of **on dit,** *it is said.*

NOTE Impersonal expressions are also used with a complementary infinitive introduced by **de** in indefinite statements. (**Il faut** and **il vaut mieux** are followed by a direct infinitive.)

Est-il nécessaire de les inviter?	Is it necessary to invite them?
Je crois qu'il serait bon de le faire.	I think it would be well (a good thing) to do it.
Il sera intéressant de voir comment il s'en tirera.	It will be interesting to see how he will make out.
Il vaut mieux ne pas rester ici.	It is better not to remain here.

NOTE   As a general rule, the subject of impersonal expressions introducing a subordinate clause, or an infinitive with **de**, is the impersonal **il**. (Although in his reading the student may find **ce** instead of **il**, it is safer for him to observe the foregoing rule.) In expressions such as **ce n'est pas la peine** (*it is not worth the trouble, it is not really necessary*), **c'est une honte, c'est dommage, ce** is used because **être** is followed by a predicate noun.

[IX]

Reword the following sentences so that they can be combined. Make all necessary changes.

EXAMPLE   Il pourra venir? C'est douteux.
Il est douteux qu'il puisse venir.

1. Vous me l'expliquerez. C'est nécessaire.
2. Vous ne savez pas cela? C'est étonnant.
3. Vous vous en rendrez compte. Cela vous sera facile.
4. Il viendra de bonne heure. C'est possible.
5. Nous ne les aimons pas. C'est certain.
6. Il finira avant midi. C'est douteux.
7. Nous vous le ferons savoir. Cela nous sera possible.
8. Vous vous en souviendrez. Ce sera bon.
9. Vous les connaissez. Il paraît.
10. Elle ne peut pas venir. C'est dommage.

VERB REVIEW

What are the principal parts of **naître, suffire** (Table 1); **valoir** (Table 2)? What forms of **valoir** cannot be derived from the principal parts? Conjugate the above verbs in all simple tenses.

Vocabulary Distinctions

To like
Vouloir, Désirer, Aimer, Plaire

1. The much used English idiomatic expression *would* (*should*) *like* in which *like* has the meaning of *wish, want*, is translated in French by some form of **vouloir** or **désirer**.

Would (*should*) *like,* used to express a desire politely or to attenuate a request, is translated by the present conditional of **vouloir** or **vouloir bien** (more emphatic), or by the present conditional of **désirer** (more formal).

Je voudrais (bien) savoir qui est cet homme.	I should like to know who that man is.
Je voudrais encore un peu de légumes, s'il vous plaît.	I would like a little more vegetables, please.
Il voudrait que vous lui écriviez* plus souvent.	He would like you to (he wishes you would) write more often.
Je désirerais voir le directeur.	I would like to see the director.

* Remember that **vouloir** requires the subjunctive in the subordinate clause.

Would (*should*) *like* in questions and answers:

Que voulez-vous (désirez-vous)?	What would you like?
Voulez-vous du café? (Désirez-vous du café?)	Would you like (do you want, wish) some coffee?
Voudriez-vous lui en parler vous-même?	Would you like (want) to speak to him about it yourself?
Je voudrais bien, si c'est possible.	I would (like to), if it is possible.
Voulez-vous que je vous aide?	Would you like (want) me to help you?
Je veux bien, merci.	I would (like you to), thank you.
Voudriez-vous (voulez-vous) faire une commission pour votre père?	Would you like (would you be, are you, willing) to do an errand for your father?
Je veux bien.	I would (I am willing).
Je voudrais bien, mais ...	I would (be willing), but ...

NOTE **Vouloir bien,** *to be willing, like, want,* is used only in positive statements. In the negative, and usually in the interrogative, **vouloir** alone is used.

Il n'a pas voulu venir.	He wouldn't (was unwilling to) come.

2. Aimer may mean both *to love* (or *be in love*) and *to like* in the literal sense of finding pleasant or agreeable, being fond of. In most cases *to like* may be translated **aimer** without ambiguity.

J'aime jouer au tennis.	I like to play tennis.
Elle n'aime pas le nouveau professeur.	She does not like the new professor.
Ces soldats aiment beaucoup leur capitaine.	These soldiers like their captain a lot.

Je savais que vous aimeriez ce vin.	I knew you would like this wine.
Aimeriez-vous faire un voyage aux Indes?	Would you like to take a trip to India?

In the few cases where **aimer** could also mean *to love (be in love)*, *to like* is translated by **plaire à,** or **aimer bien (beaucoup).** *To be in love with* is also translated **être amoureux de,** and this is never ambiguous.

Elle vous aime.	She loves you. (She is in love with you.)
Vous lui plaisez. (Elle vous aime bien.)	She likes you.
Marie aime un jeune homme très sympathique.	Marie loves (is in love with) a very likable young man.
Il aime (beaucoup) sa cousine.	He likes his cousin (very much).
but	
Il est amoureux de sa cousine.	He is in love with his cousin.

Plaire is also used frequently when speaking of things. **Aimer** is somewhat more emphatic.

Ce tableau me plaît beaucoup.	I like this picture a lot.
J'aime votre nouveau chapeau.	I love your new hat.

How do you like (my dress) is translated **comment trouvez-vous (ma robe)?** *I like it,* **elle me plaît, je la trouve très jolie** (*I find it very pretty*).

NOTE   **Vouloir, désirer,** and **aimer** take no preposition before a complementary infinitive.

To meet
Rencontrer, Retrouver, Faire la connaissance de

Rencontrer means *to meet by chance, to encounter.* **Retrouver** means *to meet at a prearranged time or place.* **Faire la connaissance de** means *to meet in the sense of to make the acquaintance of.*

Rencontrer and **retrouver** are used reflexively in the plural when *to meet* means *to meet each other.*

J'ai rencontré un ancien ami.	I met a former friend.
Nous nous sommes rencontrés dans le train.	We met on the train.
Je vous retrouverai devant la bibliothèque.	I shall meet you in front of the library.
Nous nous retrouverons à midi.	We shall meet at noon.

Connaissez-vous Mme G.? Voulez-vous faire sa connaissance?*	Do you know Mrs. G.? Would you like to meet her?
J'ai fait la connaissance de mon nouveau professeur.	I met my new professor.

* Note the use of the possessive adjective with **faire la connaissance.**

To go (come) to meet
Aller (venir) à la rencontre de

A la rencontre is used in the sense of *meeting a person* on his arrival at the station, boat, etc., or on his way to a place.

Il arrive par le train de 21 heures. Irez-vous à sa rencontre?*	He arrives by the 9:00 P.M. train. Will you go to meet him?
J'arriverai au Havre le 21. Viendrez-vous à ma rencontre?	I shall arrive at Le Havre on the 21st. Will you come to meet me?
Venez par le boulevard, j'irai à votre rencontre (*or* au devant de vous).	Come by the boulevard; I shall meet you on the way.
Irez-vous à la rencontre de Jean?	Will you go to meet John?

* Note the use of the possessive adjective in place of the English pronoun object.

NOTE   When the object (the person being met) is first person singular or plural, *venir* **à la rencontre** (*venir* **au devant de**) is used. When the object is second or third person, *aller* **à la rencontre** (*aller* **au devant de**) is used.

To introduce
Présenter, Introduire

Présenter is used in the sense of introducing one person to another.

Voudriez-vous que je vous présente à Mlle B.?	Would you like me to introduce you to Miss B.?
Je vous remercie, mais je me suis déjà présenté à elle.*	Thank you, but I have already introduced myself to her.

* See Lesson 10, page 152.

Introduire is used in the sense of *to insert, put in, to bring into use,* etc., and also *to usher* (more formal than **faire entrer,** *to show in*).

On a introduit un nouveau produit sur la place.	A new product was introduced on the market.
Il a introduit un nouveau sujet dans la discussion.	He introduced a new subject into the discussion.
Les invités ont été introduits dans le salon de réception.	The guests were introduced (ushered) into the reception hall.

Avoir de la chance (de), Avoir la chance de, Avoir l'occasion de

Avoir de la chance means *to be lucky, to have luck;* **avoir la chance de** means *to have the good fortune to, to be fortunate* or *lucky enough to;* **avoir l'occasion de** means *to have the opportunity to, the chance to.*

Vous avez de la chance qu'il vous ait attendu.*	You are lucky that he waited for you.
Il a eu la chance de trouver un appartement tout près de son bureau.	He was fortunate enough to find an apartment quite near his office.
Si vous en† avez l'occasion, rappelez-lui que nous avons un rendez-vous demain.	If you have the opportunity (to do so), remind him that we have an appointment tomorrow.

* **Avoir de la chance,** like **être surpris,** for instance, is an expression of emotion, hence the subjunctive in the subordinate clause.

† **En** stands for **de le faire.** *To do so* may be understood in English, but it must be expressed in French since the expression is **avoir l'occasion de.**

To have
Prendre

To have used idiomatically for *to take* is translated **prendre.** *Will you have* is usually translated **voulez-vous prendre** or simply **voulez-vous.**

Quand il fait beau nous prenons le café sur la terrasse.	When the weather is good we have coffee on the terrace.
Voulez-vous (prendre) un verre de bière?	Will you have a glass of beer?
Non merci, mais je prendrai un verre d'eau.	No thank you, but I will have a glass of water.

Remember that *to have lunch, dinner, supper* is **déjeuner, dîner, souper.**

[X]

Give three possible answers to the following questions, as shown in the example. Give answer (a) for all questions, then (b), and then (c).

EXAMPLE   Veut-il nous accompagner?
   (a) *Il veut bien.*
   (b) *Il ne veut pas.*
   (c) *Il voudrait bien mais il ne peut pas.*

1. Voulez-vous aller au cinéma?
2. Veut-elle nous aider?
3. Veulent-ils nous prêter leurs livres?
4. Veux-tu me rendre ce service?

[XI]

Reword the following sentences, using **aimer** or **aimer bien** as needed.

EXAMPLE   Il est amoureux d'elle.
Il l'aime.
Ce tableau nous plaît.
Nous aimons bien ce tableau.

1. Ce garçon vous plaît, n'est-ce pas?
2. Jean est amoureux de Marie.
3. Marie plaît à Jean.
4. Il me plaît.
5. Il est amoureux d'une femme charmante.
6. Cette réponse vous a plu, n'est-ce pas?
7. C'est une idée qui me plaît.
8. On n'a pas idée d'être amoureux d'une telle femme.

[XII]

Complete the following sentences.

1. Comment trouvez-vous ce livre? Il me plaît.
_____ journal? _____.
_____? Je le trouve intéressant.
_____ film? _____.
_____? Je ne l'aime pas trop.
_____ tableau? _____.

2. J'ai eu l'occasion de lui parler de cela.
_____ longuement.
_____ leur _____.
_____ la chance _____.
_____ à temps.
_____de temps en temps.

3. Vous avez de la chance d'aller au théâtre ce soir.
_____ concert _____.
_____ avoir fini.
_____ qu'il soit là.
_____ arrivé à temps.
_____ ait accepté.

[XIII]

Replace the verb in the following sentences by **retrouver** or **rencontrer** according to the meaning of the sentence.

EXAMPLE   Elle l'a aperçu à l'improviste.
Elle l'a rencontré à l'improviste.

1. Nous avons croisé vos amis dans la rue.
2. Je l'ai vu tout à fait par hasard.
3. Nous les avons rejoints à la bibliothèque comme prévu.
4. Nous les avons aperçus devant le musée.
5. Je dois les voir ce soir chez Jean.
6. Ils nous attendront au café.
7. Quelle surprise de vous trouver ici!
8. Je vous verrai donc demain matin à dix heures.

[XIV]

Respond to the following with a question having **vous** as subject, and (a) **venir (aller) à la rencontre,** (b) **venir (aller) au devant de.**

EXAMPLE   Nous arriverons à huit heures.
(a) *Viendrez-vous à notre rencontre?*
(b) *Viendrez-vous au devant de nous?*

1. Elle arrivera bientôt.
2. Il est arrivé hier.
3. J'arriverai par le train d'une heure.
4. Nous arriverons dans l'après-midi.

[XV]

Answer the following questions using the noun in parentheses as subject of your answer.

EXAMPLE   Qui a introduit les invités dans le salon?   (La bonne)
La bonne a introduit les invités dans le salon.

1. Qui a présenté Marie à Jacques?   (Henri)
2. Qui a introduit ce sujet de discussion?   (Le professeur)
3. Qui a présenté votre ami à vos parents?   (Ma sœur)
4. Qui a introduit l'aiguille dans le bras du malade?   (L'infirmière)

5. Qui a présenté l'orateur à la foule?   (Le ministre)
6. Qui vous a introduit dans mon bureau?   (Votre secrétaire)
7. Qui les a présentés l'un à l'autre?   (Un ami commun)
8. Quel professeur présentera le conférencier?   (Le professeur Giroux)

IDIOMATIC EXPRESSIONS

à l'improviste   unexpectedly
coûter cher   to be expensive
croiser quelqu'un   to meet, pass someone
de temps en temps   from time to time
entrer au collège   to enter college
ne servir à rien   to be of no use
par hasard   by (any) chance

A Cheval
(suite)

Sa femme, gardant sur ses genoux un de ses enfants, et la bonne qui portait l'autre, répétaient sans cesse:
« Regardez papa, regardez papa! »
Et les deux gamins, grisés par le mouvement, la joie et l'air vif, poussaient des cris aigus. Le cheval, effrayé par ces clameurs, finit par prendre le galop, et, pendant que le cavalier s'efforçait de l'arrêter, le chapeau roula par terre. Il fallut que le cocher descendît de son siège pour ramasser cette coiffure, et, quand Hector l'eut reçue de ses mains, il s'adressa de loin à sa femme.
« Empêche donc les enfants de crier comme ça: tu me ferais emporter. »
On déjeuna sur l'herbe, dans le bois de Vésinet, avec les provisions déposées dans les coffres.
Bien que le cocher prît soin des chevaux, Hector à tout moment se levait pour aller voir si le sien ne manquait de rien; et il le caressait sur le cou, lui faisant manger du pain, des gâteaux, du sucre.
Il déclara:
« C'est un rude trotteur. Il m'a même un peu secoué dans les premiers moments; mais tu as vu que je m'y suis vite remis: il a reconnu son maître, il ne bougera plus maintenant. »
Comme il avait été décidé, on revint par les Champs-Elysées.
La vaste avenue fourmillait de voitures. Et sur les côtés, les promeneurs

étaient si nombreux qu'on eût dit deux longs rubans noirs se déroulant, depuis l'Arc de Triomphe jusqu'à la place de la Concorde.[1] Une averse de soleil tombait sur tout ce monde, faisait étinceler le vernis des calèches, l'acier des harnais, les poignées des portières.

QUESTIONS

1. Que répétaient sans cesse Mme de Gribelin et la bonne? 2. Pour quelles raisons les enfants poussaient-ils des cris aigus? 3. Pourquoi le cheval a-t-il pris le galop? 4. Qu'est-ce qu'Hector a laissé tomber? 5. Qu'est-ce que le cocher a dû faire? 6. Où la famille a-t-elle déjeuné? 7. Qu'est-ce qu'Hector a donné à manger à son cheval? 8. Qu'est-ce qu'Hector a admis? 9. De quoi s'est-il vanté ensuite? 10. Quel temps faisait-il cet après-midi là? Sur quoi basez-vous votre réponse?

IDIOMATIC EXPRESSIONS

à tout moment   constantly
depuis ... jusqu'à ...   from ... to ...
faire manger   to feed
fourmiller de   to swarm with
par terre   on the ground, on the floor
pousser des cris aigus   to shriek
prendre le galop   to break into a gallop
s'adresser à   to address, speak to
se dérouler   to unroll
se vanter   to boast
s'y remettre   to get the knack again
tu me ferais emporter   you would have me run away with

[1] **L'Arc de Triomphe** is a monumental arch rising at one end of the Champs-Elysées. **La place de la Concorde** is a large square at the other end.

Lesson *13*

Grammar and Usage

I. POSSESSIVE ADJECTIVES AND PRONOUNS

POSSESSIVE ADJECTIVES

Masc.	*Fem.*	*Plur.*	
mon	ma	mes	my
ton	ta	tes	thy
son	sa	ses	his, her, *or* its
	notre	nos	our
	votre	vos	your
	leur	leurs	their

POSSESSIVE PRONOUNS

Masc. Sing.	*Fem. Sing.*	
le mien	la mienne	mine
le tien	la tienne	thine
le sien	la sienne	his, hers, *or* its
le nôtre	la nôtre	ours
le vôtre	la vôtre	yours
le leur	la leur	theirs

The plural is formed by adding an s to the above forms and using the plural article les: les miens, les miennes, etc. De and à contract in the usual way with le and les.

Note the circumflex accent over le (la) nôtre, les nôtres, le (la) vôtre, and les vôtres.

1. Possessive adjectives agree in gender and number with the OBJECT POSSESSED. The gender of the possessor cannot be shown by the adjective

205

alone in French (see Section 3, below): **son père,** *his* or *her father;* **sa sœur,** *his* or *her sister;* **ses gants,** *his* or *her gloves.*

For reasons of euphony **mon, ton, son** are used instead of **ma, ta, sa** before feminine nouns beginning with a vowel or a mute **h: mon ambition, son histoire, son amie.**

Possessive adjectives are repeated before each noun.

Apportez-moi mon manteau, mon chapeau et mes gants.	Bring me my overcoat, hat, and gloves.
mes frères et mes sœurs	my brothers and sisters

2. The possessive pronouns agree in gender and number with their antecedent. Like the adjectives, they do not show the gender of the possessor (see Section 3, below).

Voici vos bagages, mais je ne vois pas les miens.	Here is your baggage but I do not see mine.
J'aime mieux ma montre que la sienne.	I prefer my watch to his (hers).
Son maître est plus sévère que le nôtre.	His teacher is more severe than ours.

NOTE To express ownership, **être à** plus a disjunctive pronoun is preferable to a possessive pronoun.

Cette plume est-elle à vous? — Oui, elle est à moi.	Is this pen yours? — Yes, it is mine. (Does this pen belong to you? — Yes, it does.)

REMINDER The interrogative construction with possessive pronouns is the same as that with nouns: **La vôtre est-elle ici?**

3. When it is necessary to avoid ambiguity, the gender of the possessor may be shown in one of three ways: by repeating the noun (possessor), by using a demonstrative pronoun, or by adding **à lui (à elle)** after the object possessed.

Quelle différence entre les amis de Françoise et ceux de son frère!	What a difference between Frances' friends and her brother's!
Ceux de Françoise (les amis de celle-là, ses amis à elle) sont presque tous des intellectuels.	Hers are nearly all intellectuals.
Ceux de son frère (les amis de celui-ci, ses amis à lui) ne parlent que de sports.	His talk only about sports.

[I]

Reword the following sentences, replacing the article by a possessive adjective.

EXAMPLE   Jean a mis le stylo sur la table.
Jean a mis son stylo sur sa table.

1. J'ai pris les gants et le sac et je les ai rangés dans le tiroir.
2. Marie regarde la leçon, le livre et les devoirs.
3. Pierre a laissé l'auto devant chez lui.
4. Ils ont envoyé les enfants et le chien à la campagne.
5. Entrez, je vous prie, et donnez-moi le chapeau et les gants.
6. Elle ne sait pas où elle a laissé les clefs et le porte-monnaie.
7. Elle nous a donné l'adresse et le numéro de téléphone.
8. Savez-vous où il a acheté la montre et la bague?

[II]

Reword the following sentences, replacing the possessive adjective + noun by a possessive pronoun.

EXAMPLE   Voulez-vous bien prendre vos livres et mes livres?
Voulez-vous bien prendre les vôtres et les miens?

1. Voici votre cahier mais je ne sais pas où est mon cahier.
2. Il a laissé son auto à la campagne.
3. Je n'ai pas de stylo, prête-moi ton stylo, s'il te plaît.
4. Elle veut savoir ce que vous avez fait de son livre.
5. Pourquoi répondez-vous à sa question mais pas à ma question?
6. Il a envoyé une invitation à tes parents et à leurs parents.
7. Votre mère est-elle ici?
8. Que voulez-vous que je fasse de son devoir?

II. USE OF THE ARTICLE INSTEAD OF THE POSSESSIVE ADJECTIVE

When an action is performed with or to a part of the body, the definite article is generally used instead of the possessive adjective, provided that: (1) the possessor is indicated without ambiguity, (2) the part of the body mentioned is not qualified by an adjective (except **droit** or **gauche**) or an adjectival phrase. This substitution of the article for the possessive adjective is not always compulsory, but it is good idiomatic French and is used extensively.

1. Observe the following constructions in which the definite article is used instead of the possessive adjective.

a. When the subject performs an action with a part of his body, the construction is the same as in English, except that the definite article replaces the possessive adjective.

Elle a baissé *les* yeux.	She lowered her eyes.
Le cheval dresse *les* oreilles.	The horse pricks up his ears.
Levez *la* main droite.	Raise you right hand.

The subject of the verb shows the possessor. The French reason that *she* could not have lowered somebody else's eyes, *the horse* could not prick up another horse's ears, etc.

b. When the action is performed by the subject on a part of his own body, intentionally or not, a reflexive verb is used. The reflexive pronoun indicates the possessor of the part receiving the action.

Il *s'*est mordu *la* langue.	He bit his tongue.
Elle *s'*est brûlé *les* doigts.	She burned her fingers.
Essuyez-*vous la* figure.	Wipe your face.

c. When the action is performed on another person's body, an indirect object pronoun is used to show the possessor. If the possessor is expressed by a noun, à or de may be used.

Vous *me* faites mal à *la* main.	You are hurting my hand.
Elle lave *les* mains à (de) *son* petit frère.	She is washing her little brother's hands.
Le coiffeur *lui* a coupé *les* cheveux.	The hairdresser cut her hair.

d. The definite article is also used when referring to parts of the body with idiomatic expressions such as **avoir chaud (froid).**

Il a froid (chaud) *aux* mains.	His hands are cold (hot).

2. The possessive adjective, however, must be used when the part of the body is qualified by an adjective other than **droit** or **gauche,** or by a phrase.

a. If the action is performed by the subject on himself, the construction is the same as in English.

Il lave *ses* mains tachées d'encre.	He washes his ink-stained hands.

b. If the action is performed on another person, the indirect object pronoun is retained to show the possessor.

Pendant sa maladie, on a dû *lui* couper *ses* longs cheveux.	During her illness, they had to cut her long hair.

But when the possessor is shown by a noun, the construction remains as in English.

Il a baisé *la* **belle main blanche de l'actrice.**	He kissed the beautiful white hand of the actress.

NOTE   After verbs which do not involve direct or real physical action, such as **regarder** or **montrer**, the possessive adjective is used as in English.

Il regarde (admire) *ses* **cheveux.**	He looks at (admires) her hair.
Montrez-moi (laissez-moi voir) *vos* **mains.**	Show me (let me see) your hands.

3. The definite article is also used in a number of set expressions composed of a verb such as **perdre, trouver, retrouver** (*recover*), **élever, rendre,** or **sauver** and an abstract noun designating part of one's being, such as **la mémoire, l'esprit** (*mind*), **la vue, la voix, la vie** (in the absolute sense), **la mort,** or **la tête** (used figuratively), and in a number of other set expressions.

Elle a perdu *la* **vue.**	She has lost her sight.
Il a trouvé *la* **mort dans un accident d'auto.**	He met his death in an automobile accident.
Vous lui avez sauvé *la* **vie.**	You saved his life.
but	
Il gagne *sa* **vie.**	He earns his living.
Il a passé *sa* **vie en Chine.**	He spent his life in China.
Je vengerai *mon* **honneur.**	I shall avenge my honor.

4. The definite article is used in adverbial phrases of manner as follows:
a. With parts of the body.

Il s'est avancé, *la* **main tendue.**	He came forward, his hand outstretched.
Le chien s'est sauvé, *la* **queue entre les jambes.**	The dog ran away, his tail between his legs.
Elle écoutait, *les* **yeux pleins de larmes.**	She listened, her eyes full of tears.

b. With items of clothing or of personal equipment.

Il est entré, *le* **chapeau sur** *la* **tête.**	He came in, his hat on his head.
Ils sont rentrés, *les* **habits déchirés.**	They came home, their clothes torn.
Il se promenait, *la* **canne à** *la* **main.**	He was walking, (his) cane in (his) hand.
Il marchait, *les* **mains dans** *les* **poches.**	He walked, his hands in his pockets.
but	
Il a mis *ses* **mains dans** *ses* **poches.** (*not an adverbial phrase*)	He put his hands in his pockets.
Il a pris *sa* **canne.**	He took his cane.

NOTE   The use of the definite article to replace a possessive adjective occurs in English also, though it is more common in French.

Je le tenais par le bras.	I held him by the arm.
Il a été blessé à la tête.	He was wounded in the head.
Elle l'a regardé droit dans les yeux.	She looked him straight in the eye.

5. Plurality of possessors. When each one of several individuals possesses one object of the same kind, French usage allows a certain amount of latitude, but the following rules may usually be applied safely:

a. In the case of concrete nouns, the plural may be used in French as in English.

Nous avons laissé nos manteaux au vestiaire.	We left our coats at the check room.
Paul et Jean sont allés à la pêche avec leurs femmes. Nous, nous y sommes allés sans les nôtres.	Paul and John went fishing with their wives. *We* went without ours.

b. In the case of abstract nouns, the singular is used in French whether the singular or plural is used in English.

Ils l'ont payé de leur vie.	They paid for it with their lives.
Nous avons donné notre consentement.	We gave our consent.

c. When the definite article replaces the possessive adjective, the singular is used.

Ils ont levé la main.	They raised their hands.
Les Romains avaient le nez droit.	Romans had straight noses.

Note that in French, **Ils ont levé *les mains*** would refer to both hands, and **Les Romains avaient *les nez droits*** would be nonsensical, since it would imply that each Roman had more than one nose.

[III]

Answer the following questions using the suitable article or possessive adjective as needed with the cue given in parentheses.

EXAMPLE   Qu'est-ce que les élèves ont levé?   (main)
Les élèves ont levé la main.

1. Qu'est-ce que vous vous êtes brûlé?   (doigts)
2. Qu'est-ce que le choc lui a rendu?   (mémoire)

3. Où l'herbe leur venait-elle?   (genoux)
4. Qu'est-ce qu'il a recouvré?   (vue)
5. Qu'est-ce qu'il a retrouvé?   (portefeuille)
6. Que nous a-t-il donné?   (chapeau et gants)
7. Qu'a-t-elle levé?   (yeux)
8. Où avez-vous toujours froid?   (pieds)
9. Jusqu'où entrèrent-ils dans l'eau?   (cou)
10. Qu'est-ce que Jean vous a demandé de lui rendre?   (livre et cahier)

[IV]

Answer the following questions using the suitable article or possessive adjective as needed with the cue given in parentheses.

EXAMPLE   Qu'a-t-elle dû couper?   (longs cheveux)
Elle a dû couper ses longs cheveux.

1. Qu'est-ce que Jean vous a montré?   (main)
2. Que lui avez-vous coupé?   (ongles)
3. Que lui a-t-on bandé?   (tête blessée)
4. Qu'est-ce que le docteur a soigné?   (jambe cassée)
5. Qu'a-t-elle essuyé?   (yeux pleins de larmes)
6. Que lui a-t-on mis dans le plâtre?   (bras)
7. Que lui a-t-elle essuyé?   (visage)
8. Que lui a-t-elle lavé?   (mains sales)

[V]

Answer the following questions using the suitable article or possessive adjective as needed with the cue given in parentheses.

EXAMPLE   Comment est-il entré?   (mains dans les poches)
Il est e,,tré les mains dans les poches.

1. Comment est-elle arrivée?   (chapeau de travers)
2. Qu'a-t-elle ajusté devant la glace?   (chapeau)
3. Comment s'est-il avancé sur vous?   (canne levée)
4. Comment sont-ils entrés?   (revolver au poing)
5. Qu'est-ce qu'ils ont enfilé?   (gants)
6. Comment est-il rentré chez lui?   (poches vides)
7. Comment a-t-elle accepté?   (yeux brillants de plaisir)
8. Comment a-t-il plongé?   (tête la première)

III. THE ARTICLE AND PERSONAL CHARACTERISTICS

When referring to personal characteristics introduced by the verb **avoir,** the definite or indefinite article may be used in French. The choice between them is frequently too subtle to be fully discussed here, and the following rules will suffice in most cases:

1. When a noun is preceded by one or more adjectives, **un, une,** or **de** (for the plural) must be used.

Cyrano avait un grand nez.	Cyrano had a big nose.
Elle avait de beaux grands yeux noirs.	She had beautiful big, dark eyes.

2. When a noun is followed by an adjective, or two adjectives joined by a conjunction, **le, la, les** or **un, une, des** may be used. Usually **le, la, les** are preferred when the distinguishing quality is one of shape, color, texture, etc.

Il a le teint bronzé.	He had a dark complexion.
Elle a les cheveux blonds et bouclés.*	She has blond curly hair.
Paul a des yeux vifs et intelligents.	Paul has lively and intelligent eyes.
Cyrano avait un nez remarquable.	Cyrano had a remarkable nose.

* Note however that in the case of **il a** *les* **cheveux blancs** and **il a** *des* **cheveux blancs** there is a difference in meaning. The first sentence means *His hair is (all) white.* In the second, **des** is a partitive and the meaning is *He has (some) white hair,* or *His hair is turning white.*

3. When the noun is followed by un-coordinated adjectives the indefinite article is used.

A cette époque, Charlemagne avait une barbe blanche imposante.	At that time, Charlemagne had an imposing white beard.

[VI]

Reword the following sentences using **avoir** instead of **être,** and **elle** as subject. Make all necessary changes.

> EXAMPLE   Son visage est remarquable.
> *Elle a un visage remarquable.*

1. Son nez est petit et retroussé.
2. Son front est haut.
3. Ses beaux yeux sont intelligents.
4. Ses cheveux sont blancs.

5. Ses yeux sont noirs.
6. Son petit nez est retroussé.
7. Ses cheveux sont blancs et lisses.
8. Ses mains sont petites.

VERB REVIEW

What are the principal parts of **croître, vaincre** (Table 1); **conquérir** (Table 2)? What forms of **conquérir** cannot be derived from the principal parts?
Conjugate these verbs in all simple tenses.

Vocabulary Distinctions

With
Avec, De, A

The translation of prepositions presents difficulties in any language. The translation of *with* is a frequent source of error, and the rules below, although not all-inclusive, will be helpful in avoiding the most common.
Avec is used when *with* has the meaning of *together with, in the company of, the means or tools used, in what manner.*

Elle est venue avec ses amies.	She came with her friends.
Il écrit avec mon stylo.	He is writing with my fountain pen.
J'ai lu votre article avec intérêt.	I read your article with interest.

De is used when *with* has the meaning of *because of, from,* and after adjectives or verbs expressing satisfaction or dissatisfaction.

Il est pâle d'émotion.	He is pale with emotion.
Nous mourons d'impatience.	We are dying with impatience.
Je suis content de votre travail.	I am pleased with your work.
Il se contente de peu.	He is satisfied with little.

De is also used with a certain number of verbs and their participles such as **remplir de** (*to fill with*), **entourer de** (*to surround with*), **couvert de** (*covered with*), **chargé de** (*loaded with*), etc.
A is used before a phrase denoting a distinguishing characteristic.

Regardez cet homme. Lequel? Celui au manteau gris.	Look at that man. Which one? The one with the gray overcoat.
Voyez-vous la maison au toit rouge?	Do you see the house with the red roof?

To miss
Manquer, Manquer à

Manquer with a direct object means *to miss* in the sense of *to fail in a purpose; fail to attend, attain, avail oneself of*, etc.

Il a manqué l'avion.	He missed the plane.
Vous avez manqué une belle cérémonie.	You missed a beautiful ceremony.
Ils ont manqué l'appel.	They missed roll-call.
Il a manqué la cible.	He missed the target.

Manquer à quelqu'un means *to be missed by someone.*

Il manque à son frère.	His brother misses him. (He is missed by his brother.)
Vous leur manquez.	They miss you.
Son maître manque beaucoup à ce chien.	This dog misses his master a lot.
Mes livres me manquent.	I miss my books.

Other uses of **Manquer**

Manquer is used with various meanings in various constructions. Following are some of the more common ones.

Manquer de plus an infinitive means *to fail to* (mostly used in the negative).

Ne manquez pas de nous écrire.	Don't fail to write to us.
Il a manqué de vous avertir.	He failed to notify you.

A past tense of **manquer** (**de**, optional) means *to almost do something*. In this case, the French infinitive is translated by a past tense in English. **Faillir** (always without **de**) may be used as an alternative.

J'ai manqué (de) me couper.	I almost cut myself.
Il a manqué (failli) mourir.	He almost died.

Manquer de plus a noun means *to lack*. The noun is used without the definite article when it is taken in a general unrestricted sense (see Lesson 4, Section IV–5, page 59).

Manque-t-il de confiance? Non, il n'en manque pas.	Does he lack confidence? No, he does not (lack it).
L'usine manquait d'ouvriers spécialisés.	The factory lacked skilled workers.

When the noun is used in a restricted sense, the definite article is used as in English.

Il manquait de l'autorité nécessaire pour se faire obéir.	He lacked the necessary authority to make people obey him.

However, the impersonal **il manque** with an indirect pronoun object, representing the English subject, is more idiomatic and is preferable. **Il lui manquait l'autorité nécessaire pour se faire obéir.**

The impersonal **il manque** may also mean, according to the context, *to miss* or *be missing, to be short (of), to lack.*

Il manque un livre sur ce rayon.	A book is missing on that shelf.
Je n'ai pas pu acheter un billet d'aller et retour. Il me manquait dix dollars.	I wasn't able to buy a round trip ticket. I was ten dollars short.
Il ne manque rien.	Nothing is missing (lacking).
Il manque quelque chose à ce ragoût.	This stew lacks something.
Qu'avez-vous fait du document qui manque à ce dossier?	What have you done with the document that is missing from that file?
Que vous manque-t-il?	What do you lack (miss)?

Il reste, N'avoir plus (que)

The literal English equivalent of these expressions is *there remains*, the use of which is limited. These expressions can be best understood by the study of the following examples:

Il ne restait à Jean que le prix de son billet de retour.*	John had only the price of his return ticket left.
Ne lui restait-il pas quelques sous? *	Didn't he have a few pennies left?
Non, il ne lui restait rien.	No, he had nothing left.
Reste-t-il un peu de vin dans cette bouteille?	Is there a little wine left in this bottle?
Il n'en reste que quelques gouttes.	There are only a few drops left.
Il n'y reste rien.	There is nothing left in it.
Il ne me reste plus qu'à faire mes valises. (*or* **Je n'ai plus qu'à faire mes valises.**)	All I have to do is to pack my suitcases.
Il ne reste plus qu'à partir. (*or* **Il n'y a plus qu'à partir.**)	There is (remains) nothing to do but leave.
Ne reste-t-il rien à faire? (*or* **N'y a-t-il plus rien à faire?**)	Isn't there anything left to do?
Il ne restait que les os.	Only the bones remained.
Il a pris le seul crayon qui me restait.	He took the only pencil I had left.

* Note the use of an indirect object to translate the English subject.

[VII]

Reword the following sentences using the more idiomatic construction with **de.**

EXAMPLE   La rage le fait pleurer.
          Il pleure de rage.

1. L'émotion la fait pâlir.
2. La honte nous fait rougir.
3. Le froid vous fait trembler.
4. La faim les a fait maigrir.
5. La joie me fait pleurer.
6. Le plaisir les fait rire.
7. La soif nous fera mourir.
8. La peur te fait trembler.

[VIII]

Reword the following sentences using **être** with **de.**

EXAMPLE   Votre succès me rend heureux.
Je suis heureux de votre succès.

1. La colère le fait rougir.
2. La joie les rend fous.
3. La neige couvre les champs.
4. Ce livre nous enchante.
5. Leur réponse ne nous satisfait pas.
6. Ta paresse la rend mécontente.

[IX]

Replace **qui** + **avoir** by **à** + article.

EXAMPLE   Regardez la jeune fille qui a les cheveux blonds.
Regardez la jeune fille aux cheveux blonds.

1. Connaissez-vous cet homme qui a une longue barbe blanche?
2. Aimez-vous les femmes blondes qui ont les yeux bleus?
3. Ils ont vu le clocher qui avait un toit d'ardoises.
4. Comment s'appelle cet animal qui a un long bec?
5. Avez-vous vu cette femme qui a un chapeau fantastique?
6. C'est un grand vieillard qui a les cheveux blancs.
7. Regardez cet homme qui a les sourcils épais.
8. C'est un garçon qui a un sourire moqueur.

[X]

Replace **l'absence . . . pèse** by the more common construction, **manquer à.**

EXAMPLE   L'absence de son frère lui pèse.
Son frère lui manque.

1. Ton absence me pèse.
2. L'absence de son mari lui pèse.

3. L'absence des bruits de la ville nous pèse.
4. Votre absence leur pèse.
5. L'absence des journaux leur pèse.
6. Son absence me pèse.
7. L'absence de ses enfants lui pèse.
8. L'absence de sa femme lui pèse.

[XI]

Replace **n'oubliez pas** by **ne manquez pas.**

EXAMPLE   N'oubliez pas de le prévenir.
Ne manquez pas de le prévenir.

1. N'oubliez pas de venir demain.
2. N'oubliez pas de le leur dire.
3. N'oubliez pas de le faire à temps.
4. N'oubliez pas de rentrer tôt.
5. N'oubliez pas de leur écrire.
6. N'oubliez pas de nous téléphoner.
7. N'oubliez pas de leur rendre leur livre.
8. N'oubliez pas de venir nous voir.

[XII]

Replace **faillir** by **manquer.**

EXAMPLE   Il a failli tomber.
Il a manqué (de) tomber.

1. Nous avons failli nous faire mal.
2. Elle a failli s'évanouir.
3. Vous avez failli vous tromper.
4. Tu as failli me faire peur.
5. Le cheval a failli s'emballer.
6. Il a failli se rompre le cou.
7. J'ai failli lui rire au nez.
8. Ils ont failli se noyer.

[XIII]

Replace **ne pas avoir** by **manquer.**

EXAMPLE   Il n'a pas de patience.
Il manque de patience.

1. Ce pays n'a pas de ressources industrielles.
2. Votre frère n'a pas de tact.
3. Cette région n'a pas de rivières.
4. Ce critique n'a pas de perspicacité.
5. Jean n'a pas d'assurance.
6. C'est un acteur qui n'a pas de talent.
7. Il n'a pas d'argent.
8. Elle n'a pas de goût.

[XIV]

Complete the following sentences.

1. Il manque quelque chose à cette sauce.

_____ bibliothèque.

_____ des livres _____.

_____ Jean.

_____ dix dollars _____.

_____ votre compte.

_____ de l'argent _____.

2. Il ne me reste que quelques francs.

_____ vous _____.

_____ bouteilles.

_____ trois _____.

_____ à vous taire.

_____ nous _____ nous _____.

_____ y a plus _____.

_____ reposer.

IDIOMATIC EXPRESSIONS

ajuster son chapeau   to set one's hat straight
comment s'appelle   what is the name (of)
de travers   askew
enfiler les gants   to slip on gloves
(le) nez retroussé   turned-up nose
pâlir   to become (turn) pale
(le) revolver au poing   revolver in (his) hand
rire au nez de quelqu'un   to laugh in someone's face
s'avancer   to go (move) forward
s'emballer   to bolt, run off
s'évanouir   to faint
se noyer   to drown
soigner   to take care of, to look after (*sick person*)
(le) sourire moqueur   derisive smile

A Cheval
(*suite*)

Une folie de mouvement, une ivresse de vie semblait agiter cette foule de gens, d'équipages et de bêtes. Et l'Obélisque,[1] là-bas, se dressait dans une buée d'or.

Le cheval d'Hector, dès qu'il eut dépassé l'Arc de Triomphe, fut saisi soudain d'une ardeur nouvelle, et il filait à travers les roues, au grand trot, vers l'écurie, malgré toutes les tentatives d'apaisement de son cavalier.

La voiture était loin maintenant, loin derrière; et voilà qu'en face du Palais de l'Industrie, l'animal, se voyant du champ, tourna à droite et prit le galop.

Une vieille femme en tablier traversait la chaussée d'un pas tranquille; elle se trouvait juste sur le chemin d'Hector, qui arrivait à fond de train. Impuissant à maîtriser sa bête, il se mit à crier de toute sa force:

« Holà! hé! holà! là-bas! »

Elle était sourde peut-être, car elle continua paisiblement sa route jusqu'au moment où, heurtée par le poitrail du cheval lancé comme une locomotive, elle alla rouler dix pas plus loin, les jupes en l'air, après trois culbutes sur la tête.

Des voix criaient:

« Arrêtez-le! »

Hector, éperdu, se cramponnait à la crinière en hurlant:

« Au secours! »

Une secousse terrible le fit passer comme une balle par-dessus les oreilles de son coursier et tomber dans les bras d'un sergent de ville qui venait de se jeter à sa rencontre.

En une seconde, un groupe furieux, gesticulant, vociferant, se forma autour de lui. Un vieux monsieur surtout, un vieux monsieur portant une grande décoration ronde[2] et de grandes moustaches blanches, semblait exaspéré. Il répétait:

« Sacrebleu, quand on est maladroit comme ça, on reste chez soi! On ne vient pas tuer les gens dans la rue quand on ne sait pas conduire un cheval. »

---

[1] **L'Obélisque** is a monolithic obelisk 70 feet high, rising at the center of the Place de la Concorde, at one end of the Champs-Elysées.

[2] **une décoration ronde,** probably the rosette of the Legion of Honor.

QUESTIONS

1. Qu'est-ce que le cheval d'Hector a fait dès qu'il a eu dépassé l'Arc de Triomphe? 2. Et qu'a-t-il fait en face du Palais de l'Industrie? 3. De quel côté filait-il? 4. Où était la voiture? 5. Qui s'est trouvé sur le chemin d'Hector? 6. Qu'est-ce qu'Hector a fait quand il s'est rendu compte qu'il ne pouvait pas maîtriser son cheval? 7. La vieille femme a-t-elle fait attention aux cris d'Hector? Pourquoi? 8. Qu'est-il arrivé à la vieille femme? 9. Et à Hector? 10. Selon le vieux monsieur, que faut-il faire quand on ne sait pas monter à cheval?

IDIOMATIC EXPRESSIONS

à fond de train   at full speed
à sa rencontre   in his path
à travers   across
au grand trot   at a fast trot
au secours!   help!
en face de   opposite
et voilà que   and then
(une) folie de mouvement   a mad whirl
(une) ivresse de vie   a feverish joy of life
par-dessus   over
sacrebleu   confound it
se cramponner   to clutch
se dresser   to rise
se former (*here*)   to gather
se trouver   to be (located)
se voyant du champ   seeing the field clear, a clear way
(le) sergent de ville   policeman
trois culbutes sur la tête   turning over three times on her head

Lesson 14

Grammar and Usage

I. RECAPITULATION OF THE SUBJUNCTIVE

Introduction. No attempt should be made to compare the use of the subjunctive in French with its use in English. Such a comparison would be more harmful than beneficial for the following reasons:

1. The uses of the subjunctive in modern English are limited.

2. Some forms of the English subjunctive are similar to those of the indicative and the conditional.

3. The uses of the subjunctive seldom coincide in both languages and throw no light on the many cases which call for the subjunctive in French and not in English.

What the student should try to understand is not so much the grammatical function of the subjunctive in the French sentence as its value as a means of expression compared with the indicative.

This understanding is essential, for the subjunctive is an indispensable mode in French. Indeed, it would be hardly possible, even in the most commonplace conversation, to avoid the use of the subjunctive without resorting to paraphrasing.

The indicative is used both in subordinate and independent clauses. It is the mode which denotes conviction, certainty, results, or attained ends. The action expressed by the indicative is conceived by the mind as certain, its realization is not questioned or doubted. The facts are viewed objectively, uncolored by personal feeling.

The subjunctive, while also used in independent clauses, occurs mostly in subordinate clauses introduced by the conjunction **que**, sometimes by a relative pronoun. It is the mode which denotes uncertainty or doubt, purpose, or unattained ends. The action expressed by the subjunctive

221

is conceived by the mind as only *potential*, its realization is uncertain or doubted, the desired purpose or ends may never be attained. In addition: The subjunctive reflects mental tension resulting from a manifestation of the will. It also reflects the emotion which arises from uncertainty, doubt or denial, as well as emotion arising from fear or surprise, joy or sorrow, or from the expression of a judgment, an opinion, a restriction, a reservation, or a concession. The facts are viewed subjectively, and are strongly colored by the personal feeling or attitude of the speaker. For these reasons the subjunctive is often called the *affective* mode.

Compare the use of the indicative and the subjunctive in the following examples:

Je sais (je crois, j'ai appris) qu'il viendra demain.

Je veux (j'exige, j'ordonne, je souhaite, je defends) qu'il vienne demain.

In the sentence with the indicative, *his coming* is conceived as a certainty. In the sentence with the subjunctive, *his coming* is conceived as potential.

Je sais qu'il a été puni.

Je regrette qu'il ait été puni.
Il est injuste qu'il ait été puni.

He has been punished is a fact. In the sentence containing the indicative, the fact is merely stated, without any feeling on the part of the speaker, while in the sentences containing the subjunctive, the same fact is viewed by the speaker with a personal feeling of sorrow in the first sentence, of disapproval in the second.

The choice of mode is not a question of rigid grammatical rules, but of meaning or feeling. Certain expressions by their very nature (emotion, uncertainty, manifestation of the will, etc.) call for the subjunctive, whereas with other expressions, which do not contain in themselves a factor calling for the subjunctive, the choice of the mode is determined by the meaning or the feeling the speaker wishes to convey (see Section II, and Lessons 15 and 16).

Est-ce la seule chose que vous avez à me dire?

Est-ce la seule chose que vous ayez à me dire?

The first one merely asks a question. But in the second one, the use of the subjunctive alters the meaning; it shows surprise, or doubt, or it may show regret or indignation. It is the subjunctive alone, not what precedes, that determines this particular meaning.

A review of the uses of the subjunctive already studied, in the light of the preceding explanations, may lead to a better understanding of its use as a means of expression. The subordinate **qu'il parte** or **qu'il soit parti** in the following examples illustrates the uses of the subjunctive:

Je veux (insiste, exige, préfère, ordonne) qu'il parte.	*a potential action*
Je regrette (crains, doute, suis surpris, suis content) qu'il soit parti.	*an emotion (resulting from fear, doubt, surprise, pleasure)*
Il est possible qu'il parte.	*an emotion: uncertainty, potential action*
Est-il possible qu'il soit parti?	*an emotion: surprise, regret*
Cela m'inquiète qu'il parte seul.	*an emotion (resulting from worry)*
Il vaut mieux qu'il parte.	*a potential action, personal opinion*
Je resterai ici jusqu'à ce qu'il parte.	*a potential action*
Je ne partirai pas à moins qu'il parte aussi.	*an emotion (resulting from the expression of a reservation or condition)*
Il est temps qu'il parte.	*a potential action, and an emotion: impatience or wish, fear that he may be late, or personal opinion*
Je lui enverrai de l'argent pour qu'il parte.	*a potential action*
Note also:	
Bien qu'il soit pauvre il ne se plaint pas.	*an emotion: sympathy, admiration (in a concessive clause)*

[I]

Combine the following sentences and make all necessary changes, using the subjunctive or indicative as needed.

EXAMPLE Venez. Il le préfère.
Il préfère que vous veniez.

1. Il a perdu votre adresse. C'est probable.
2. Vous lui répondrez. Il attend.
3. Elle fera attention. Je le voudrais.
4. Ces fleurs meurent. Nous le craignons.
5. Vous recevrez de leurs nouvelles. C'est possible.
6. Tu as de la fièvre. Cela m'inquiète.
7. Les choses vont mal. Il paraît.= ↶ dit
8. Il saura s'en tirer. J'en suis certain.
9. Nous nous mettons en route. Il est temps.
10. Vous avez raison. C'est évident.

11. N'y allez pas. Il vaudrait mieux.
12. Ne bougez pas. J'y insiste.

II.   THE SUBJUNCTIVE IN RELATIVE CLAUSES

1. After verbs or expressions of seeking or wanting, the subjunctive is used in a relative clause (also called an adjective clause because it fulfills the function of an adjective) to indicate that an indefinite antecedent with the desired quality or characteristic is to be found, or is not yet known to exist (unattained ends).

Il me faut un officier qui sache le russe.	(*Can such an officer be procured?*)
Elle veut un chapeau qui lui aille et qui ne soit pas trop cher.	(*Can she find such a hat at a price she can afford?*)
Je cherche un endroit où je puisse travailler en paix.	(*Will I find one?*)

But when the antecedent with the desired characteristic is known to exist, or when it has been found, the indicative is used in the relative clause.

J'ai besoin de l'officier qui sait le russe.	(*The officer is known to exist.*)
Elle a acheté un chapeau qui lui va bien.	(*The becoming hat was found and bought.*)
J'ai trouvé un endroit où je pourrai travailler en paix.	(*The place was found.*)
Je cherche une rue qui est près de l'Opèra, mais dont j'ai oublié le nom.	(*The street is known to exist.*)

2. The subjunctive is used in a relative clause when the existence of an indefinite antecedent is denied or questioned in an all-inclusive general negation or interrogation, or is restricted by **ne ... guère, peu,** or **pas beaucoup** (emotion resulting from questioning, doubting, or denying the antecedent, or from an emotion implied in the main clause).

Y a-t-il quelqu'un qui puisse révéler l'avenir?	Is there anyone who can reveal the future?
Je n'ai pas d'amis à qui je puisse me confier.	I have no friends in whom I can confide.
Il n'y a personne qui ait ce courage.	There is no one who has this courage.
Il y a peu de soldats qui se soient mieux battus.	There are few soldiers who fought better.
Je ne connais guère de femmes qui me plaisent davantage.	I know hardly any women who please me more.

Y a-t-il une mère qui ne consente à se sacrifier pour ses enfants?*	Is there any mother who is unwilling to sacrifice herself for her children?
Il n'y a pas de mère qui n'y consente.*	There is no mother who would be unwilling.

* Pas is usually omitted with the subjunctive verb when the main clause is in the negative or interrogative.

But the indicative is used in the subordinate clause when the negation is not general and all-inclusive, or when the existence of the antecedent is accepted without question or doubt.

Je n'avais jamais rencontré l'avocat qui a plaidé votre cas.	I had never met the lawyer who pleaded your case.
Voilà le soldat qui s'est le mieux battu.	Here is the soldier who fought the best.
Est-ce un de vos amis qui vous a conseillé de faire cela?	Was it one of your friends who advised you to do that?
Finissez le peu de lait qui reste dans votre verre.	Finish the little milk which remains in your glass.

3. The subjunctive is generally used in a relative clause after an all-inclusive superlative expressing the opinion of the speaker, and after **le seul, le dernier, le premier,** and **ne . . . que** used in a superlative sense.

The subjunctive denotes the reluctance of the speaker to be too categorical, his desire to attenuate what might be considered an exaggeration; or it may express a feeling or an emotion implied in the main clause.

Ce roman est le plus intéressant que nous ayons jamais lu.	This is the most interesting novel we have ever read.
Jean est le meilleur garçon que je connaisse.	John is the best boy I know.
Son conseil est le seul qui soit raisonnable.	His is the only sensible advice.
C'est la dernière chose que nous voulions faire!	That's the last thing we should want to do!
Je ne connais que vous qui puissiez faire cela.	I know only you who could do that.

But the indicative is used after a limited superlative, or when the relative clause states the reality of a fact that does not involve the opinion of the speaker. The superlative in such cases serves merely to identify or distinguish. The indicative is also used after the superlative of an adverb.

C'est la plus jeune de ses deux filles qui s'est mariée.	It is the younger of his two daughters who got married.
C'est mon meilleur élève qui était absent aujourd'hui.	It is my best student who was absent today.

Ce sera la première chose que je ferai en arrivant.	It will be the first thing I shall do upon arriving.
Je vous ai donné le seul crayon qui me restait.	I gave you the only pencil I had left.
Vous n'êtes pas le seul à qui j'ai dit cela.	You are not the only one to whom I said that.
Il courait le plus vite qu'il pouvait.	He was running as fast as (the fastest) he could.

[II]

The following sentences show that an antecedent with a desired characteristic is known to exist. Make all necessary changes to convey the idea that there is no such certainty.

EXAMPLE   J'ai besoin de l'interprète qui sait aussi le russe.
J'ai besoin d'un interprète qui sache aussi le russe.

1. Elle veut aussi acheter les gants qui vont avec son sac.
2. Nous cherchons la personne qui veut nous accompagner.
3. Il nous faut l'ingénieur qui peut résoudre ce problème.
4. Je cherche le cinéma qui est près de chez eux.
5. Elle veut lui acheter le disque qui lui plaît.
6. Faites-lui faire cet exercice qui n'est pas trop difficile.
7. Nous avons besoin du guide qui connaît bien cette montagne.
8. Nous cherchons l'étudiant qui veut bien nous expliquer cela.

[III]

Reword the following sentences in the interrogative, making all necessary changes.

EXAMPLE   Il y a un avion qui peut battre ce record.
Y a-t-il un avion qui puisse battre ce record?

1. Il y a quelqu'un qui peut répondre.
2. Vous connaissez un étudiant qui sait cela.
3. Elle a trouvé une maison qui lui plaît.
4. Il y a un train qui part vers huit heures.
5. Il connaît un restaurant dont les prix sont raisonnables.
6. Il y a quelqu'un qui peut nous renseigner.
7. Elle a trouvé un chapeau qui lui va bien.
8. Vous avez trouvé quelqu'un qui est au courant de ce qui se passe.

[IV]

Reword the following sentences using the expression given in parentheses. Make all necessary changes, using the subjunctive or indicative as needed.

EXAMPLE   Il y a des gens qui l'ont vu.   (peu de)
Il y a peu de gens qui l'aient vu.

1. Il y a des roses qui sont sans épines.   (ne guère)
2. Nous connaissons des enfants qui veulent aller se coucher quand il est temps.   (ne pas beaucoup)
3. J'ai un livre où je peux trouver cela.   (ne pas)
4. Nous avons vu une ville qui peut rivaliser avec Paris.   (ne pas)
5. Ils ont refusé de nous rendre les services que nous leur avons demandés.   (ne jamais)
6. Il y a des gens qui lui font confiance.   (ne guère)
7. Il y a un pays que cet explorateur n'a pas visité.   (peu de)
8. Nous trouvons des journaux qui sont intéressants.   (ne guère)

[V]

Reword the following sentences so that the superlative will be in the main clause. Make all necessary changes, using the subjunctive or indicative as needed.

EXAMPLE   Nous avons eu des chiens de garde. Riquet est le meilleur.
Riquet est le meilleur chien de garde que nous ayons eu.

1. Nous avons entendu des histoires. Celle-ci est la plus incroyable.
2. Il a écrit des poèmes. Celui-ci n'est pas le seul.
3. Nous y viendrons. C'est la dernière fois.
4. Nous avons eu le mal de mer. Celui-ci est le pire.
5. Il a confiance en Marie. C'est la seule personne.
6. Un de nos cousins est venu. C'est le plus jeune.
7. Nous avons entendu des concerts. Celui-ci est un des meilleurs.
8. Qui pourrait imaginer cela? Il n'y a que lui.

VERB REVIEW

What are the endings of the subjunctive? What principal part is used to form the subjunctive?

What is the present subjunctive of the following verbs: **aller, avoir, conquérir, devoir, être, faire, falloir, mourir, pouvoir, prendre, recevoir, tenir, valoir, vouloir.**

Vocabulary Distinctions

Tout, Toute; Tous, Toutes

1. Used as an adjective, **tout** (*fem.:* **toute**; *plur.:* **tous, toutes**) means *all the, the whole.*

Il chante tout le temps.	He sings all the time.
Toute ma maison est à vous.	My whole house is yours.
Tous nos amis sont partis.	All our friends have left.
Toutes ces jeunes filles sont charmantes.	All these girls are charming.

Used before a period of time, **tous les, toutes les** mean *every.*

toutes les fois	every time
tous les mois	every month
tous les deux jours	every other day (every two days)

Tout, toute used without an article before the noun (except for periods of time) means *every, any, all* (generally used in the singular).

Tout homme doit se rendre utile.	Every man must make himself useful.
Il a perdu toute confiance.	He lost all confidence.
J'ai toute raison de croire que vous réussirez.	I have every reason to believe that you will succeed.
en tout cas	in any case (at any rate)

2. The pronouns **tous, toutes** mean *all, all of us, you, them.* **Tout** meaning *everything, anything* is invariable. (With **tous,** pronoun, the **s** is pronounced.)

Ils sont tous venus. (*or* Tous sont venus.)	They all came. (All of them came.)
Nous partirons tous.*	All of us shall leave.
Je les ai tous invités.†	I invited all of them (them all).
Je les connais tous (toutes).	I know them all.
Tout est très cher.	Everything is very expensive.
Prenez tout ce que vous voulez (tout ce qui vous plaît).	Take anything you want (anything that pleases you).

* When **tous** (**toutes**) refers to a first or second person subject, it cannot begin the sentence.
† Normal place of **tous, toutes, tout**: between the auxiliary and the past participle. (They are sometimes placed after the past participle for emphasis.)

Tout as an adverb means *all, quite.* It is invariable before another adverb. It remains also invariable before an adjective in the masculine and

before an adjective in the feminine beginning with a vowel or mute **h.**
But **toute, toutes** are used before an adjective in the feminine beginning
with a consonant or aspirate **h.**

Ils sont tout tristes	They are quite sad.
Elle est tout heureuse.	She is quite happy.
Elle est toute couverte de poussière.	She is all covered with dust.
Elles sont toutes honteuses.	They are quite ashamed.

Note also some of the common expressions formed with **tout:**

tous (toutes) les deux	both, both of them
en tout cas	in any case
pas du tout	not at all
à moi tout seul	all by myself
tout à l'heure	just now, presently
tout de suite	right away
tout de même	just the same
tout à fait	entirely, completely
tout à coup	all of a sudden
etc.	

Whoever, Anyone who　　　　*Anyone*
Quiconque　　　　**N'importe qui**

Anything
N'importe quoi

Whoever, or *anyone (anybody) who,* subject of a verb in a relative clause,
is translated **quiconque.**

Quiconque a dit cela a menti.	Whoever said that lied.
Je punirai quiconque désobéira aux ordres.	I shall punish anyone who disobeys orders.

Anyone whom, or *who(m)ever,* object of a verb in a relative clause, is
usually translated by **qui.**

Amenez qui vous voudrez.	Bring anyone (whomever) you want.

Anyone meaning *anyone at all,* indiscriminately, is translated **n'importe
qui** (literally *no matter who, whom*).

N'importe qui pourrait faire cela.	Anyone (at all) could do that.
Ce chien aime n'importe qui.	This dog loves anyone (indiscriminately).
Quand ils s'ennuient, les enfants jouent avec n'importe qui.	When they are bored, children play with anybody.

Anything, meaning *anything at all, anything whatever,* indiscriminately, is translated **n'importe quoi** (literally *no matter what*).

N'importe quoi me conviendra.	Anything (at all) will suit me.
J'ai si faim que je mangerais n'importe quoi.	I am so hungry that I would eat anything (whatsoever).

Whatever or *anything* (*that*), used in the sense of *everything,* is usually expressed by **tout ce qui** (subject) or **tout ce que, ce dont** (object).

Je ferai tout ce qui sera nécessaire.	I shall do whatever will be necessary.
Faites tout ce que vous voulez.	Do anything (that) you want.
Il vous donnera tout ce dont vous avez besoin.	He will give you whatever you need.
Tout ce qu'ils possèdent montre leur bon goût.	Whatever (everything) they possess shows their good taste.

Anything at all or *anyone at all,* in an all-inclusive sense, are translated, respectively, **quoi que ce soit** and **qui que ce soit** (literally *whatever it may be, whoever it may be*). These expressions are the most emphatic forms of **quelque chose** and **quelqu'un.**

Si vous dites quoi que ce soit à qui que ce soit, vous le regretterez.	If you say anything at all (whatever it may be) to anybody (without exception, whoever it may be), you will regret it.

Note the construction in the following negative statements with indefinite pronouns:

N'importe qui ne pourrait pas faire cela.	Not anyone could do that.
Ce n'est pas n'importe qui qui pourrait faire cela.	It is not anyone who could do that.
Ce chien n'aime pas n'importe qui.	This dog does not like just anyone.
Ne mangez pas n'importe quoi dans les pays chauds.	Don't eat just anything in hot countries.
Je n'ai rencontré qui que ce soit.*	I haven't met anyone at all.
Il ne vous enverra quoi que ce soit.*	He will not send you anything at all (whatsoever).

* Ne ... qui que ce soit and ne ... quoi que ce soit are emphatic forms of ne ... personne and ne ... rien, hence the omission of pas.

WARNING Remember that *not ... anyone* (*anybody*), *not ... anything* used as ordinary negatives are of course translated **ne ... personne,** **ne ... rien.** *Anyone* meaning *someone,* in an interrogative sentence, is translated **quelqu'un;** *anything* meaning *something* is translated **quelque chose.**

Ce chat n'aime personne.	This cat doesn't like anyone.
Vous ne mangez rien.	You are not eating anything.
Quelqu'un est-il venu?	Has anyone come?
Quelque chose vous ennuie-t-il?	Is something bothering you?

NOTE **N'importe qui, n'importe quoi,** as well as other indefinite pronouns such as **quelque chose, rien, personne,** etc., require **de** before an adjective.

n'importe quoi de frais	anything cool
n'importe qui d'intelligent	anyone intelligent
quelqu'un de charitable	someone charitable
pas un de mûr	not one ripe

Note also the adverbial expressions **n'importe où,** *anywhere, no matter where,* **n'importe quand,** *any time, no matter when,* etc.

The mode after indefinite pronouns in relative clauses:

Quiconque, tout ce que (qui, dont) are followed by the indicative.

After **n'importe qui, n'importe quoi,** etc., the subjunctive is generally used only to denote unattained ends or purpose.

Donnez-lui n'importe quoi qui puisse lui être utile.	Give him anything that may be useful to him.

N'importe lequel

N'importe lequel (laquelle, lesquels, lesquelles), an indefinite pronoun, means *any (one).*

N'importe lequel de mes étudiants sait cette règle.	Any one of my students knows this rule.
Quel journal voulez-vous? — N'importe lequel, ça m'est égal.	What newspaper do you want? — Any one, I don't care.

N'importe quel . . ., Un . . . quelconque

N'importe quel (quelle, quels, quelles), an indefinite adjective, is used before the noun to translate *any . . ., any . . . at all, whatever,* in the sense of *at random, indiscriminately.*

Prenez n'importe quelle chaise.	Take any chair (at all).
Prenez n'importe quelle chaise que vous désirez.	Take whatever chair you wish.
Ne prenez pas n'importe quelle chaise, prenez celle-ci.	Do not take just any chair, take this one.

Quelconque (plural, **quelconques**) is used after the noun to translate *any . . ., any . . . whatsoever, at all.* Essentially, **quelconque** has the same meaning as **n'importe quel** but with some emphasis on the idea of *any sort, any kind.* Note that *any* is translated **un (une, des)** in *any . . . whatever.*

Pour une nuit je me contenterai d'une chambre quelconque.	For one night I shall be satisfied with any room at all (any kind of room).
J'achèterai un chapeau quelconque qui ne soit pas trop cher.	I shall buy any hat (any sort of) whatsoever that is not too expensive.

[VI]

Modify the nouns in the following sentences with the correct form of **tout.**

EXAMPLE   Il a perdu son argent.
           Il a perdu tout son argent.

1. La famille est arrivé à temps.
2. Elle a passé la soirée à l'attendre.
3. Vos cousines sont brunes.
4. Ces livres nous ennuient.
5. Il connaît bien cette région.
6. Avez-vous appris le poème?
7. L'équipe était prête.
8. Elle a refait la robe.
9. Le bataillon a été fait prisonnier.
10. Je l'ai invité à venir avec sa famille.

[VII]

Reword the following sentences using the more idiomatic **tous les** or **toutes les** to modify the expression of time.

EXAMPLE   Nous recevons nos notes chaque semestre.
           Nous recevons nos notes tous les semestres.

1. Je le vois chaque jour.
2. Nous nous disputons chaque fois que nous nous voyons.
3. Chaque mois il a du mal à payer son loyer.
4. Donnez-lui ce médicament à deux heures, quatre heures, six heures, etc.

5. Ils vont à la campagne chaque semaine.
6. Je vous en prie, ne m'interrompez pas toujours au bout de cinq minutes.
7. Ils viennent nous voir un jour sur deux.
8. Nous aimerions pouvoir aller en Europe chaque été.

[VIII]

Replace the definite or indefinite article by **tout** or **toute,** or supply **tout** or **toute** before a noun without an article. Notice the change in meaning.

EXAMPLE   Une peine mérite salaire.
Toute peine mérite salaire.

1. Il a perdu l'envie de répondre.
2. Un citoyen doit servir son pays.
3. Nous avons confiance en lui.
4. Un effort trouve toujours sa récompense.
5. Il méprise une opinion contraire à la sienne.
6. La résistance fut anéantie.
7. Ils sont arrivés en hâte.
8. La contradiction le rend furieux.

[IX]

Reword the following sentences by adding the pronouns **tout, tous,** or **toutes.**

EXAMPLE   Ils sont arrivés.
Ils sont tous arrivés.

1. Il les a vus.
2. Voici mes quatre sœurs, vous les connaissez, n'est-ce pas?
3. Cela est très bien.
4. Nous y allons.
5. Fais ce que tu veux.
6. Nous les avons lus.
7. As-tu fini?
8. Je ne comprends pas ce qui arrive.

[X]

Reword the following sentences by adding the adverb **tout, toute,** or **toutes.**

EXAMPLE   Nous sommes joyeux.
Nous sommes tout joyeux.

1. Il s'agit d'une autre chose.
2. Ils en étaient honteux.
3. Vous m'en voyez heureuse.
4. Elle a de petites mains.
5. Je vous parlerai franchement.
6. Nous en sommes encore étourdis.
7. Elle est surprise.
8. Lui l'est autant.

[XI]

In the following sentences replace the constructions with **personne qui** or **celui qui** by **quiconque**.

EXAMPLE   Celui qui désobéira sera puni.
Quiconque désobéira sera puni.

1. Il parle à celui qui lui plaît.
2. Une personne qui a de telles opinions n'est pas de mes amis.
3. Il récompensera celui qui lui donnera ce renseignement.
4. La police arrêtera toute personne qui manifestera.
5. La personne qui veut ce livre peut le prendre.
6. Ils accueilleront toute personne qui se présentera.
7. Celui qui veut voyager doit avoir un passeport.
8. La personne qui vous a recommandé cet employé ne le connaissait pas bien.

[XII]

Reword the following sentences using **n'importe qui** or **n'importe quoi**.

EXAMPLE   Il ferait tout pour gagner de l'argent.
Il ferait n'importe quoi pour gagner de l'argent.

1. Si vous ne me croyez pas, demandez à qui vous voudrez.
2. Il est désespéré, il ferait une folie.
3. Le premier venu pourrait écrire un tel poème.
4. Ne parle pas à tout le monde.
5. Il dépense sans compter et achète toutes sortes de choses.
6. Faites attention à votre régime et ne mangez pas tout ce que vous voulez.
7. Le premier venu ne pourrait pas peindre un tel tableau.
8. Je boirais bien quelque chose de frais.
9. Quelqu'un d'intelligent comprendrait cela.
10. Tout le monde n'est pas admis chez eux.

[XIII]

Replace **n'importe lequel de** by (a) **n'importe quel,** (b) **un ... quelconque.**

EXAMPLE   N'importe lequel de ces journaux fera l'affaire.
(a) *N'importe quel journal fera l'affaire.*
(b) *Un journal quelconque fera l'affaire.*

1. Lisez n'importe lequel de ces livres, cela vous distraira.
2. Il achètera n'importe lequel de ces complets.
3. Choisissez n'importe lesquelles de ces fleurs qui vous plaisent.
4. Vous pouvez lui lire n'importe lequel de ces poèmes.
5. Envoyez-moi n'importe lequel de ces fruits.
6. Sans faire attention il a pris n'importe laquelle des revues devant lui.
7. Il se contentera de n'importe lequel de ces vins.
8. Faites attention, n'achetez pas n'importe laquelle des éditions de ce livre.

IDIOMATIC EXPRESSIONS

avoir du mal à   to have difficulty in
avoir le mal de mer   to be seasick
(le) chien de garde   watchdog
être au courant   to know all about, to be well-informed
faire l'affaire   to serve the purpose
(le) premier venu   anyone at all, just anyone
refaire   to do over again
s'en tirer   to get along, manage
toute peine mérite salaire   every labor is worth its pay

A Cheval
(*suite*)

Mais quatre hommes, portant la vieille, apparurent. Elle semblait morte, avec sa figure jaune et son bonnet de travers, tout gris de poussière.

« Portez cette femme chez un pharmacien,[1] commanda le vieux monsieur, et allons chez le commissaire de police. »

Hector, entre les deux agents, se mit en route. Un troisième tenait son

---

[1] **chez un pharmacien,** *to a pharmacist's* (i.e., *to a pharmacy*). In France, a pharmacist is authorized to administer first aid.

cheval. Une foule suivait; et soudain le break parut. Sa femme s'élança, la bonne perdait la tête, les marmots piaillaient. Il expliqua qu'il allait rentrer, qu'il avait renversé une femme, que ce n'était rien. Et sa famille, affolée, s'éloigna.

Chez le commissaire, l'explication fut courte. Il donna son nom, Hector de Gribelin, attaché au ministère de la Marine; et on attendit des nouvelles de la blessée. Un agent[2] envoyé aux renseignements revint. Elle avait reprit connaissance, mais elle souffrait effroyablement en dedans, disait-elle. C'était une femme de ménage, âgée de soixante-cinq ans, et dé-nommée[3] Mme Simon.

Quand il sut qu'elle n'était pas morte, Hector reprit espoir et promit de subvenir aux frais de sa guérison. Puis il courut chez le pharmacien.

Une cohue stationnait devant la porte; la bonne femme, affaissée dans un fauteuil, geignait, les mains inertes, la face abrutie. Deux médecins l'examinaient encore. Aucun membre n'était cassé, mais on craignait une lésion interne.

Hector lui parla:

« Souffrez-vous beaucoup?

— Oh! oui.

— Où ça.

— C'est comme un feu que j'aurais dans les estomacs. »

QUESTIONS

1. Décrivez l'aspect de la vieille femme.   2. Quels ordres donne le vieux monsieur?   3. Qu'est ce qu'Hector a expliqué à sa femme?   4. Quels renseignements Hector a-t-il donné au commissaire?   5. Quelles nouvelles de la blessée l'agent a-t-il rapportées?   6. Comment s'appelait la victime et quelle était son métier?   7. Qu'est-ce qu'Hector a promis?   8. Où est-il allé en quittant le commissaire?   9. Que craignaient les deux médecins?   10. Comment Mme Simon a-t-elle décrit ses souffrances?

IDIOMATIC EXPRESSIONS

âgé de . . . ans   . . . years old
la bonne femme (*familiar*)   the woman
chez le commissaire (de police)   to the police station
en dedans (*colloquial*)   internally
les estomacs (*vulgar*)   insides
la femme de ménage   charwoman
où ça? (*colloquial*)   where (at)?
s'appeler   to be called
s'élancer   to rush forward, dash forward

[2] un agent, short for un agent de police, *a policeman.*
[3] dénommé, administrative style for nommé.

Lesson **15**

Grammar and Usage

I. THE SUBJUNCTIVE IN CONCESSIVE CLAUSES

The subjunctive is used after (a) pronominal, (b) adjectival, and (c) adverbial locutions expressing a concession or a restriction.

a. Qui que ..., *who(m)ever* ...**; quoi que ...,** *whatever* ....

Qui que vous ayez consulté, vous n'auriez pas dû suivre ses conseils.	Whomever you consulted, you should not have followed his advice.
Qui que vous soyez, vous pourriez être poli.	Whoever you are, you might be polite.
Quoi qu'elle porte, tout lui va bien.	Whatever she wears, everything is becoming to her.

WARNING Do not confuse *who(m)ever* used in a concessive clause, with *who(m)ever* used as an indefinite pronoun, and translated **quiconque** (see Lesson 14, Vocabulary Distinctions). Also, do not confuse **quoi que** with **quoique,** meaning *although.*

b. Quel (quelle, etc.**) que ...,** or **quelque (quelques) ... que,** *whatever* ....
Note the construction:

Quelles que soient ses autres qualités, il manque de modestie.	Whatever his other qualities may be, he lacks modesty.
Quelques autres qualités qu'il ait, il manque de modestie.	Whatever other qualities he may have he lacks modesty.

NOTE **Quel qu'il soit** is often used instead of **qui qu'il soit.**

c. Si ... que, or **quelque ... que,** *however* .... Note the construction:

Si (quelque) braves que soient ces soldats, ne les laissez pas s'exposer inutilement.	However brave these soldiers may be, don't let them expose themselves uselessly.
Si peu que nous ayons, nous le partagerons volontiers.	However little we have, we shall share it gladly.

[I]

Reword the following sentences, using the expression given after them.

EXAMPLE   Si vous le faites, faites-le bien.   (quoi que)
           Quoi que vous fassiez, faites-le bien.
           Tu es sûr de toi mais tu peux te tromper.   (si ... que)
           Si sûr de toi que tu sois, tu peux te tromper.

1. Si on vous le dit, ne répondez pas.   (quoi que)
2. Quelle est votre opinion? Ne le lui dites pas.   (quelle que)
3. Vous êtes brave, mais vous pouvez avoir peur.   (si ... que)
4. Vous le rencontrerez; soyez poli.   (qui que)
5. Il vous paraît sévère mais il peut être indulgent.   (quelque ... que)
6. Nous sommes fatigués mais nous n'avons pas le temps de nous reposer.   (si ... que)
7. Si vous l'entendez, ne le répétez pas.   (quoi que)
8. Quelles sont ses raisons? Elles ne valent probablement rien.   (quelles que)
9. Nous avons marché vite mais ils nous ont rattrapés.   (si ... que)
10. Vous l'avez vu? Ce ne pouvait pas être lui.   (qui que)

II. INDICATIVE OR SUBJUNCTIVE

A. After declarative verbs, or verbs of opinion or knowledge, such as **croire** or **penser, se souvenir, espérer, affirmer, assurer, remarquer, estimer,** etc., which do not contain in themselves any of the factors calling for the subjunctive, the mode used in the subordinate clause depends on the meaning the speaker wishes to convey, or on his attitude toward the statement contained in that clause.

Used affirmatively, these verbs denote the belief, conviction, or knowledge of the speaker, and therefore require the indicative.

Used interrogatively or negatively, however, the speaker has the choice between the indicative and subjunctive in the subordinate clause.

1. After a declarative verb in the negative, the subjunctive is used in the subordinate clause to denote uncertainty or doubt, or the reluctance of the speaker to be too categorical in negating a fact which is not self-evident, or to indicate that an action is envisaged only as potential. But the indicative is used when an action is considered an accomplished fact, or when the speaker wishes to stress the reality of a fact.

Je ne crois pas que ce livre soit in-
téressant. (*personal opinion*)
Je ne crois pas qu'il fasse cela. (*poten-*
tial action)
Cela ne prouve pas que vous ayez raison.
(*attenuated denial*)
Il ne se souvient pas que vous soyez
venu. (*he has some doubt about it*
and the speaker does not know)
but
Il ne se souvient pas que je suis venu.
(*fact: I know I came*)

I don't think this book is interesting.

I don't believe he will do that.

This does not prove that you are
right.
He does not remember that you
came.

2. After a declarative verb used interrogatively, the subjunctive in the
subordinate clause indicates an emotion on the part of the speaker: surprise, disbelief, doubt, etc.; whereas in using the indicative, the speaker
merely asks for information or confirmation, without any particular feeling toward the question.

Croyez-vous que cette eau soit bonne?
(*doubt in the mind of the speaker*)
Pensez-vous vraiment qu'il soit si
intelligent? (*surprise*)
Vous souvenez-vous qu'il ait jamais dit
du mal de quelqu'un?
Estimez-vous qu'il soit prudent de lui
confier cette affaire? (*doubt or fear*)
but
Vous souvenez-vous qu'il est venu? (*the*
speaker is certain that he came)
Croyez-vous qu'il viendra demain? (*the*
speaker merely asks for information,
with no feeling toward the issue)

Do you think this water is good?

Do you really think he is so intelligent?
Do you recall his ever speaking evil
of anyone?
Do you deem it wise to entrust him
with this deal?

Do you remember that he came?

Do you think that he will come
tomorrow?

3. A declarative verb in the interrogative negative is usually followed
by the indicative because, generally, the speaker merely asks for confirmation of a fact of which he is certain: **Ne croyez-vous pas que cet acteur est**
excellent? is really the equivalent of **Cet acteur est excellent, n'est-ce pas?**

4. The declarative verb **nier,** *to deny,* is negative in meaning and therefore is normally followed by the subjunctive. The indicative may be used
only when the subordinate clause states an undeniable fact.

Je nie qu'il ait dit cela.	I deny he said that.
but	
Il nierait que deux et deux font quatre.	He would deny that two and two are four.

When used in the negative, **ne pas nier** is not quite the equivalent of **affirmer** and is followed by the subjunctive unless the speaker wishes to stress the reality of a fact, in which case the indicative may be used.

Je ne nie pas qu'il soit venu pendant mon absence.	I do not deny that he came during my absence.
Je ne nie pas qu'il m'a téléphoné. Nous avons même eu une longue conversation.	I do not deny he telephoned me. We even had a long conversation.

Contester, a near synonym of **nier,** follows the same usage.

B. The use of the subjunctive and the indicative with certain verbs.

1. Désespérer. Whereas **espérer** is a declarative verb like **croire** or **penser, désespérer** is a verb of emotion and as such is normally followed by the subjunctive, even when used in the negative, since **ne pas désespérer** is not quite the equivalent of **espérer. Je désespère (je ne désespère pas) qu'il guérisse** (*that he will recover*).

2. The impersonal **sembler,** *to seem.* **Il semble que** expresses an uncertain opinion and therefore is followed by the subjunctive in all cases.

Il semblerait que cela soit facile.	That would seem to be easy.
Il ne semble pas qu'une telle chose soit possible.	It does not seem that such a thing is possible.

Il lui (or any indirect object) **semble** denotes the speaker's conviction of how something seems to him, and therefore is followed by the indicative in an affirmative statement. In a negative or interrogative statement, the subjunctive is used in the subordinate clause, for the speaker is no longer certain.

Il nous semble que cela est possible.	It seems to us that that is possible.
Il ne nous semble pas que cela soit possible.	

3. Prétendre. When **prétendre que** means *to insist that, require that,* it is treated like other verbs expressing a manifestation of the will and is followed by the subjunctive to indicate that the action is only potential.

Je prétends (j'insiste) que vous me parliez poliment.

When **prétendre que** means *to claim that*, it is a declarative verb and is treated as are the verbs in Section A, above.

Je prétends qu'il a bien fait.   I claim that he did right.
Je ne prétends pas qu'il ait bien fait.

NOTE   *To pretend*, meaning *to make believe*, is translated **faire semblant de, faire mine de,** never **prétendre: Il fait semblant de travailler,** *He pretends to be working.*

4. **Comprendre** (*to understand*) is followed by the subjunctive in a subordinate clause if the speaker wishes to convey either an appreciation of a reason or a feeling of disapproval. When comprendre means *to apprehend the meaning* or *to grasp the idea*, it is followed by the indicative.

Je ne comprends pas que vous dépensiez   I can't understand (I don't approve
   tant d'argent.   of) your spending so much money.
Nous comprenons que vous soyez fâché.   We can understand (we can appreciate) your being angry.

   but
Il ne comprend pas que je ne peux pas   He doesn't understand that I cannot
   le recevoir en ce moment.   receive him now.

5. **Supposer** is usually treated as a declarative verb, as in Section A, above. But when it is used in the imperative, the subjunctive may also be used in the subordinate clause to denote an unreal assumption, or one yet to be proved.

Je suppose qu'il sait ce qu'il fait.   I suppose (I assume) that he knows
                                                   what he is doing.
Je ne suppose pas qu'il soit très riche.   I don't suppose that he is very rich.
Supposons que vous ayez raison. Et   Let us suppose that you are right.
   ensuite, que feriez vous?   And then, what would you do?

6. **Consentir à ce que, s'opposer à ce que,** are followed by the subjunctive when the action in the subordinate clause can be conceived only as potential. But the indicative is used when the action is an accomplished fact. Note that the English gerund is rendered by a subordinate clause in French.

Le colonel s'oppose à ce que vous alliez   The colonel is opposed to your going
   en permission maintenant.   on leave now.
Je ne consens pas (à ce)* **que vous**   I do not consent to your helping me.
   m'aidiez.
Nous consentons (nous nous opposons)   We consent (we are opposed) to
   à ce que vous avez proposé.   what you have proposed.

* May be omitted when **consentir** is followed by the subjunctive.

NOTE   The verbs enumerated in Sections A and B do not constitute an exhaustive list of those for which there is a choice between the subjunctive and the indicative. Remember that the subjunctive is used in the subordinate clause when the verb of the main clause expresses uncertainty, doubt, emotion, or is such that the action in the subordinate clause can only be conceived as potential.

[II]

The following sentences show that there is no doubt in the mind of the speaker (who may even be a little dogmatic) about what he is saying. Make the necessary tense changes to show uncertainty or reluctance of the speaker to be too categorical.

EXAMPLE   Je ne crois pas que vous avez raison.
Je ne crois pas que vous ayez raison.

1. Il ne pense pas que c'est possible.
2. Nous ne croyons pas qu'il peut le faire.
3. Rien ne prouve que vous vous êtes trompé.
4. Il ne se souvient pas que vous lui avez dit cela.
5. Je ne crois pas qu'il viendra.
6. Elle ne pense pas que c'est vrai.
7. Elle ne se souvient pas que vous les avez envoyés.
8. Je ne crois pas qu'il réussira.

[III]

The following sentences show that the speaker is asking for information or confirmation. Make the necessary changes to show uncertainty or emotional surprise or disbelief.

EXAMPLE   Croyez-vous que c'est vrai?
Croyez-vous que ce soit vrai?

1. Pensez-vous qu'il a raison?
2. Te souviens-tu qu'il a envoyé cette lettre?
3. Croyez-vous que nous pourrons y aller?
4. Penses-tu qu'elle lui a écrit?
5. Vous souvenez-vous qu'ils ont dit cela?
6. Crois-tu qu'elle voudra bien?
7. Pensez-vous qu'ils ne le savent pas?
8. Te souviens-tu qu'il a promis cela?

[IV]

Reword the following sentences, making all necessary changes.

EXAMPLE   Il a tort, ne croyez-vous pas?
Ne croyez-vous pas qu'il a tort?
Il viendra; nous n'en désespérons pas.
Nous ne désespérons pas qu'il vienne.

1. Il s'est mis en colère. Il le nie.
2. C'est raisonnable, il me semble.
3. Taisez-vous. Nous le prétendons!
4. Vous lui parlez sérieusement. Il ne le comprend pas.
5. C'est possible? Supposons-le.
6. Le jour a vingt-quatre heures. Elle le nierait.
7. Cela doit finir bientôt, il semblerait.
8. C'est incroyable, ne pensez-vous pas?
9. Elle est arrivée à huit heures. Il le nie.
10. Vous pouvez prouver cela, je suppose?
11. Vous avez du mal à y arriver. Elle ne le comprend pas.
12. Il comprend? Nous en désespérons.
13. Vous venez? Il ne le consent pas.
14. Vous arriverez à temps? J'en déscspère.

III.   INFINITIVE OR SUBJUNCTIVE

After certain verbs the use of the infinitive or subjunctive permits one to make a distinction in meaning in French which is not always possible or may be clumsy in English.

1. Verbs such as **demander, permettre, défendre, ordonner, proposer, recommander, suggérer, conseiller** are used with a complementary infinitive preceded by **de** when a person, shown by an indirect object noun or pronoun is (was, or will be) addressed directly (in person).

J'ai permis (défendu) aux enfants d'aller au cinéma.	I allowed (forbade) the children to go to the movies.
Le médecin lui a conseillé (recommandé) de faire plus d'exercice.	The doctor advised (recommended to) him to take more exercise.
Je vous ordonne de vous taire.	I order you to stop talking.

NOTE   With the verb **autoriser**, the person concerned is shown by a direct object, and the infinitive is preceded by **à**: **Je l'ai autorisé à partir.**

But to show that a person is not addressed directly, a subordinate clause is generally used with the verb in the subjunctive.

Je permets (défends) que les enfants aillent au cinéma.	I allow (forbid) the children to go to the movies.
Le président suggère que les délégués reprennent les négociations.	The chairman suggests that the delegates resume negotiations.
J'ai proposé que vous soyez promu.	I proposed that you be promoted.

2. Verbs of preventing.

a. **Empêcher quelqu'un (quelque chose) de faire quelque chose,** *to prevent someone (something) from doing something intended.*

Je l'empêcherai de partir.	I shall prevent him from leaving.
Le brouillard a empêché l'avion d'atterrir à New York.	Fog prevented the plane from landing in New York.

But **empêcher que** is used with the verb of the subordinate clause in the subjunctive when the meaning is to prevent something from taking place or happening.

Il faut empêcher qu'il (n')* apprenne la mauvaise nouvelle maintenant.	We must prevent him from learning the bad news now. (We must prevent his learning the bad news now.)
Empêchez à tout prix que les ponts (ne)* soient détruits.	Prevent at all cost the bridges from being destroyed.

* Expletive **ne** is optional (see Lesson 16).

b. **Eviter de** + infinitive (*to avoid* + present participle) is used when both verbs have the same subject.

Il évite de contredire sa femme.	He avoids contradicting his wife.

Eviter que followed by the subjunctive is used when two subjects are involved.

Evitez qu'il (ne) vous voie.	Avoid his seeing you.

c. **Prendre garde de** + infinitive (*to take care, be careful*) is used when both verbs have the same subject. Otherwise, **prendre garde que** is used, followed by the subjunctive.

Prenez garde de (ne pas) lui faire mal.*	Take care not to hurt him.
Prenez garde qu'il se fasse mal (*or,* qu'il ne se fasse mal).*	Take care that he does not hurt himself.

* **Prendre garde (de)** may be followed by a positive or a negative statement to convey the same meaning. In a subordinate clause with the subjunctive the expletive **ne** is ordinarily used rather than the full negative **ne ... pas.**

[V]

Make the necessary mode changes so that the indirect object is, or was, no longer addressed in person.

EXAMPLE Il a suggéré à l'étudiant de lire ce livre.
Il a suggéré que l'étudiant lise ce livre.

1. Le président a proposé aux délégués de voter immédiatement.
2. Elle nous a suggéré de nous adresser à vous.
3. Il a permis aux enfants d'aller jouer.
4. Elle a demandé à sa fille de lui écrire tous les jours.
5. Son père lui a ordonné d'y aller tout de suite.
6. Il nous a proposé d'aller à sa rencontre.
7. Nous leur conseillons de se mettre en route de bonne heure.
8. Il a défendu à son fils de sortir si tard.

[VI]

Combine the following sentences, making all necessary changes.

EXAMPLE Il veut partir. Empêchez-le.
Empêchez-le de partir.
Elle va apprendre cette mauvaise nouvelle. Empêchez que cela n'arrive.
Empêchez qu'elle n'apprenne cette mauvaise nouvelle.

1. Elle va faire une sottise. Empêchez-la.
2. Cela va se savoir. Il faut l'empêcher.
3. Nous voulions leur faire une visite. Le mauvais temps nous en a empêchés.
4. Il va perdre son temps. Empêchez-le.
5. Cette situation pourrait devenir intenable. Empêchez cela.
6. Nous voulions vous voir. Ils nous en ont empêchés.
7. Il va s'en apercevoir. Il faut empêcher cela.
8. Le bateau allait entrer au port. Le mauvais temps l'en a empêché.

[VII]

Reword the following sentences using the word supplied in parentheses as subject of the second verb. Make all necessary changes.

EXAMPLE Nous voulons éviter de voir ces gens. (elle)
Nous voulons éviter qu'elle ne voie ces gens.

1. Prenez garde de ne pas tomber.   (il)
2. Evitez d'y aller à cette heure-là.   (elle)
3. Prenez garde de vous faire mal.   (l'enfant)
4. Evitez de la mettre en colère.   (Marie)
5. Prenez garde de ne pas trop vous fatiguer.   (il)
6. Nous voulons éviter de faire cela.   (il)
7. Prenez garde de ne pas le lui dire.   (il)
8. Je voulais éviter d'être puni.   (ils)

Vocabulary Distinctions

To expect
S'attendre à, Compter, Attendre

S'attendre à, *to expect,* can only be used when the event is beyond the control of the speaker.

Il ne s'attendait pas à être renvoyé.	He did not expect to be dismissed.
— Si, il s'y attendait.	— Yes, he did.
Elle s'attend à de mauvaises nouvelles.	She expects bad news.
Je m'attendais à ce qu'il a fait.	I expected what he did.
S'attendait-il à ce qui a causé son échec?	Did he expect what caused his failure?

S'attendre à ce que, *to expect that,* is followed by the subjunctive when the action is viewed as potential or doubtful.

Vous attendez-vous à ce qu'il vous soit reconnaissant?	Do you expect that he will be grateful to you? (Do you expect him to be grateful to you?)
Nous nous attendons à ce qu'il pleuve.	We expect that it will rain.

When the event depends on the speaker's will or decision, **compter** or **avoir l'intention de** must be used. **Compter** is also used when *to expect* expresses the speaker's wish, hope, or anticipation.

Je compte (j'ai l'intention d') aller en Europe.	I expect (intend) to go to Europe.
Je compte le voir ce soir.	I expect (hope) to see him tonight.

Compter que, *to expect that* or *count on,* is nearly a synonym of **espérer** and is treated as a declarative verb. (**Compter sur,** *to count on,* may only be followed by a noun, a pronoun, or a noun clause introduced by **ce qui** or **ce que.**)

Nous comptons qu'il pourra venir.	We expect that he will be able to come. (We count on his being able to come.)
Comptez-vous qu'il vous écrive?	Do you expect that he will write to you? (Do you expect him to write to you?)
Je compte sur ce que vous m'avez promis.	I count on what you promised me.
Ne comptez pas sur lui.	Do not count on him.

Attendre is used when *to expect* has a direct object denoting a person or a material thing. The context usually shows whether **attendre** means *to expect* or *to wait for*.

Etes-vous surpris de me voir? — Non, je vous attendais.	Are you surprised to see me? — No, I was expecting you.
J'attends un télégramme cet après-midi.	I am expecting a telegram this afternoon.
J'attends votre réponse. Parlez.	I am waiting for your answer. Speak.

To happen
Se passer, Arriver

Se passer refers to an unspecified or indefinite happening. It also indicates that the happening extended over a certain period of time. **Se passer** is generally used with the impersonal subject **il,** or its subject may be **ce qui.**

Il se passe quelque chose.	Something is happening.
Racontez-moi ce qui s'est passé pendant mon absence.	Tell me what happened during my absence. (*i.e., the various events at various times*)
Il ne s'est rien passé.	Nothing happened.
Que se passe-t-il? (*or* **Qu'est-ce qui se passe?**)	What is happening (going on)?

Arriver is used when one is speaking of a specified happening. **Arriver,** not **se passer,** must be used when *to happen* has an indirect object. **Arriver** is generally used with the impersonal subject **il,** or its subject may be **ce qui** or the happening itself.

Il est arrivé une drôle d'aventure à Paul.	A funny adventure happened to Paul.
Que lui est-il arrivé? (*or* **Qu'est-ce qui lui est arrivé?**)	What happened to him?
J'ai appris ce qui est arrivé pendant mon absence.	I learned what happened during my absence. (*i.e., one particular event*)

Un accident est arrivé (il est arrivé un accident) devant chez nous.	An accident happened in front of our house.
Il n'arrivera rien.	Nothing will happen.
Quoi qu'il arrive, restez calme.	Whatever happens, stay calm.

Il arrive (à quelqu'un) de + infinitive, *it happens (to someone) to,* or **il arrive que** (followed by the subjunctive), *it happens that,* expresses a possibility or an occasional potential occurrence.

Il lui arrive souvent de faire des erreurs.	It often happens to him to make errors. (He often happens to make errors.*)
Il arrive rarement que nos clients ne soient pas satisfaits.	It seldom happens that our clients are not satisfied.

* In French, the subject of **arriver** cannot be a person.

Note also the following constructions:

Si par hasard vous alliez à Paris, faites-le-moi savoir.	If you happen to (if by any chance you should) go to Paris, let me know (it).
Sauriez-vous par hasard à quel hôtel il est descendu?	Do you happen to (would you by any chance) know at what hotel he stopped?
Il s'est trouvé que je n'avais pas emporté assez d'argent.	It happened (it turned out) that I had not taken enough money.
Il se trouve que nous avons déjà accepté une autre invitation.	It (just) happens that we already have accepted another invitation.

How does it happen that . . .?
Comment se fait-il que. . .?

Comment se fait-il que. . .? expresses surprise, and therefore it requires the subjunctive in the subordinate clause.

Comment se fait-il que vous ne soyez pas encore parti?	How does it happen that you have not left yet?
Comment se fait-il qu'il sache déjà cela?	How does it happen that he already knows that?

S'accoutumer (s'habituer) à, Etre accoutumé (habitué) à,
Avoir l'habitude (coutume) de

S'accoutumer à (ce que), s'habituer à (ce que) mean *to get used to, accustom oneself to, become inured to.*

Il n'a pas pu s'accoutumer au climat des tropiques.	He could not get used (accustom himself) to the climate of the tropics.
Elle s'est habituée à se passer de domestiques.	She became accustomed to doing without servants.
Je me suis accoutumé à ce qu'il ne soit guère aimable.*	I became used to his not being very amiable.

* Note the use of the subjunctive in the subordinate clause to indicate that something is pleasant or unpleasant, i.e., to denote emotion.

Etre accoutumé à (ce que), être habitué à (ce que) mean *to be accustomed to, used to, inured to.*

Je suis accoutumé au froid.	I am used (inured) to cold.
Il est habitué à être obéi.	He is used to being obeyed.
Cet acteur est habitué à ce que tout le monde lui fasse des compliments.*	This actor is used to everyone paying him compliments.
Presque tous y sont habitués.	Almost all of them are used to it.

* See previous footnote, above.

Avoir coutume de, avoir l'habitude de mean *to be in the habit of* or *to be accustomed to.*

Avoir l'habitude de (que) is often used, particularly for emphasis, instead of **être accoutumé** or **habitué à (ce que).**

J'ai coutume (l'habitude) de me lever de bonne heure.	I am in the habit of getting up early.
Je vous préviens: il a l'habitude d'être obéi. (*or* Il a l'habitude qu'on lui obéisse.)	I warn you: he is accustomed to being obeyed.
Ces choses-là ne me dérangent pas; j'y suis habitué (*or* j'en ai l'habitude).	That sort of thing does not bother me; I am used to it.

[VIII]

Translate the following sentences.

1. I did not expect to see you here.
2. We expect them any moment.
3. He expects to go to college.
4. Did you expect what he proposed?
5. We expect that he will be very surprised.
6. We are counting on you.
7. We are counting on his writing to us.
8. Do you expect to be able to come tomorrow?

[IX]

Complete the following sentences.

1. Racontez-lui ce qui s'est passé cette semaine.

Dites _____.

Demandez _____.

_____ leur _____.

_____ en notre absence.

Nous ne savons pas _____.

_____ ignorons _____.

2. Une chose incroyable lui est arrivée hier.

_____ nous _____.

_____ la semaine dernière.

___ aventure _____.

_____ amusante _____.

_____ en votre absence.

_____ désagréable_____.

3. Il nous arrive quelquefois de nous tromper.

_____ souvent_____.

___leur _____.

_____ perdre.

_____ rarement _____.

_____ fâcher.

___ vous _____.

4. Pourriez-vous par hasard nous dire où ils sont allés?

Sauriez_____?

_____ les trouver?

_____ ce qu'ils vont faire?

_____ ont décidé?

_____ acheté?

_____ qui est arrivé?

5. Comment se fait-il que vous n'ayez pas été averti?

_____ nous _____?

_____ prévenus?

_____ il _____?

_____ soit en retard?

_____ classe?

_____ chez vous?

[X]

Replace **s'accoutumer à** by **s'habituer à** and **être accoutumé à** by **être habitué à.**

EXAMPLE   Je ne peux pas m'y accoutumer.
Je ne peux pas m'y habituer.

1. On s'accoutume à tout.
2. Je me suis accoutumé à ce qu'il soit toujours en retard.
3. Nous sommes accoutumés à ce climat.
4. Elle s'accoutume à se lever tôt, mais c'est dur.
5. Vous êtes accoutumé à sa mauvaise humeur maintenant.
6. Il s'est accoutumé à ces choses-là.
7. Nous nous étions accoutumés à cette vie agréable.
8. Je suis accoutumé à vivre à la campagne.
9. Elle est accoutumée à ce que vous ayez raison.
10. Nous sommes accoutumés à ce qu'ils viennent nous voir assez souvent.
11. Tu es accoutumé à ce qu'on soit indulgent envers toi.
12. Elle était accoutumée à ce qu'on lui serve son petit déjeuner au lit.

[XI]

Replace **avoir l'habitude de** by **avoir coutume de.**

EXAMPLE   Il a l'habitude de manger trop vite.
Il a coutume de manger trop vite.

1. Nous avons l'habitude de nous lever tard.
2. Elle a l'habitude de faire de longues promenades.
3. Vous avez l'habitude de ne pas écouter les gens.
4. As-tu l'habitude d'emprunter de l'argent?
5. Il a l'habitude de leur faire visite une fois par semaine.
6. Nous avons l'habitude de déjeuner avec eux.
7. A-t-elle l'habitude de dire de telles sottises?
8. Toute la famille a l'habitude de se réunir pour les fêtes.

IDIOMATIC EXPRESSIONS

à la campagne   in the country
d'un instant à l'autre   (at) any moment
faire une visite   to call on, pay a call, visit
(le) petit déjeuner   breakfast

rattraper   to catch up again
se souvenir de   to remember
venir (aller) à la rencontre   to come (go) to meet

A Cheval

(*suite*)

Un médecin s'approcha:

« C'est vous, monsieur, qui êtes l'auteur de l'accident?

— Oui, monsieur.

— Il faudrait envoyer cette femme dans une maison de santé; j'en connais une où on la recevrait à six francs par jour. Voulez-vous que je m'en charge? »

Hector, ravi, remercia et rentra chez lui soulagé.

Sa femme l'attendait dans les larmes,[1] il l'apaisa.

« Ce n'est rien, cette dame Simon va déjà mieux, dans trois jours il n'y paraîtra plus, je l'ai envoyée dans une maison de santé; ce n'est rien. »

Ce n'est rien!

En sortant de son bureau, le lendemain, il alla prendre des nouvelles de Mme Simon. Il la trouva en train de manger un bouillon gras d'un air satisfait.

« Eh bien? » dit-il.

Elle répondit:

« Oh, mon pauv' monsieur, ça ne change pas. Je me sens quasiment anéantie. N'y a[2] pas de mieux.[3] »

Le médecin déclara qu'il fallait attendre, une complication pouvant survenir.

Il attendit trois jours, puis il revint. La vieille femme, le teint clair, l'œil limpide, se mit à geindre en l'apercevant.

« Je n'peux pu r'muer,[4] mon pauv' monsieur; je n'peux pu. J'en ai pour jusqu'à la fin de mes jours. »

Un frisson courut dans les os d'Hector. Il demanda le médecin. Le médecin leva les bras:

« Que voulez-vous,[5] monsieur, je ne sais pas, moi. Elle hurle quand on essaye de la soulever. On ne peut même changer de place son fauteuil sans lui faire pousser des cris déchirants. Je dois croire ce qu'elle me dit, monsieur; je ne suis pas dedans. Tant que je ne l'aurais pas vue marcher, je n'ai pas le droit de supposer un mensonge de sa part. »

La vieille écoutait, immobile, l'œil sournois.

---

[1] **dans les larmes,** more usual, **en larmes.**
[2] **n'y a,** careless speech for **il n'y a.**
[3] **du mieux,** colloquial for **de l'amélioration,** *improvement.*
[4] **je n'peux pu r'muer,** careless for **je ne peux plus remuer.**
[5] **que voulez-vous?** (understood: **que je vous dise**), *what do you expect?*

QUESTIONS

1. Qu'est-ce qu'un des médecins demande à Hector?   2. Où dit-il qu'il faudrait envoyer la femme?   3. Qu'offre-t-il de faire?   4. Combien cela coûtera-t-il à Hector?   5. Dans quel état trouve-t-il sa femme en rentrant chez lui?   6. Que lui dit-il pour l'apaiser?   7. Où est-il allé le lendemain en sortant de son bureau?   8. Comment semblait se porter sa victime? 9. Que lui a-t-elle dit quand il est revenu trois jours plus tard?   10. Qu'est-ce qui donnerait le droit au médecin de supposer un mensonge?

IDIOMATIC EXPRESSIONS

(un) bouillon gras   meat broth
changer de place   to move
de sa part   on her part, from her
ce n'est rien   it's nothing (serious)
il n'y paraîtra plus   there will be no trace of it, she will be all right
(la) maison de santé   nursing home
(l')œil sournois   with a sly look
prendre des nouvelles de   to inquire about
(le) teint clair   her complexion healthy
(les) yeux limpides   her eyes clear

Lesson **16**

Grammar and Usage

I. THE SUBJUNCTIVE IN INDEPENDENT CLAUSES

The subjunctive is used in an independent or main clause as follows:

a. With **que**, to express an order, a request (imperative sense), or to express a wish, a desire, an exhortation (optative sense).

Que tout le monde se taise.	Everybody be quiet.
Qu'ils entrent.	Let them enter.
Que cela vous serve de leçon.	Let that be a lesson to you.
Que moi seul soit puni.	Let me alone be punished.
Qu'il se marie s'il veut.	Let him marry if he wishes.
Qu'elle soit heureuse!	May she be happy!

b. Without **que**, in a number of set expressions of wishing, desiring, exhorting, etc. (usually exclamatory).

Vive la République!	Long live the Republic!
Dieu vous bénisse!	God bless you!
Puissiez-vous être heureux!	May you be happy!
Qui m'aime me suive!	Let him who loves me follow me.
Arrive que pourra!	Come what may!

c. In the expressions **que je sache,** *that I know, to my knowledge,* and **pas que je sache,** *not that I know, not to my knowledge.*

Il n'est venu personne, que nous sachions.	Nobody came, to our knowledge.
Est-il arrivé? — Non, pas que je sache.	Has he arrived? — No, not that I know.

Note also: **(pas) que je me souvienne,** *(not) that I remember.*

254

[I]

Reword the following sentences into orders or wishes which use the subjunctive.

EXAMPLE   Ils doivent le dire.
Qu'ils le disent!

1. Cela ne doit plus arriver.
2. Elle doit s'en souvenir.
3. Il peut faire ce qu'il veut.
4. On ne doit rien lui en dire.
5. On doit le prévenir.
6. Laissez-le venir.
7. Cela doit finir.
8. Ils peuvent partir.

[II]

Translate the following expressions.

1. Puissiez-vous dire vrai.
2. Pas que je sache.
3. Soit!
4. Vive la liberté!
5. Dieu vous bénisse!
6. Advienne que pourra.
7. Travaille qui veut, moi je me repose!
8. Sauve qui peut!
9. Ce n'est pas prouvé, que je sache.
10. Pas que nous sachions.

II.   TENSES OF THE SUBJUNCTIVE AND THEIR USE

The subjunctive has only four tenses to express the various temporal values of the eight tenses of the indicative and the two tenses of the conditional: the present, the perfect, the imperfect, and the pluperfect.

The use of these tenses is determined by the sense and time relationship between the main and the subordinate verb. Or, it can be determined by considering what tense of the indicative or the conditional would be used in a clause that did not require the subjunctive. In the following examples, those on the right-hand side show the correspondence of tenses of the indicative or the conditional to the tenses of the subjunctive in the sentences on the left.

1. The present and perfect subjunctive.

The present subjunctive corresponds to the present and future indicative, and the present conditional. The perfect subjunctive corresponds to the past indefinite and the future perfect. The use of these tenses has already been discussed in Lessons 1 and 7, and the following examples are given here merely to serve as a reminder.

Je doute qu'il *comprenne.*	**Je crois qu'il** *comprend* (*comprendra*).
Je veux que vous le *fassiez.*	**Je m'assurerai que vous le** *ferez.*
Je doute qu'il le *fasse.*	**Je suis sûr qu'il le** *ferait.*
Il est possible qu'il *vienne* **si vous insistez.**	**Il est probable qu'il** *viendra* **si vous insistez.**
Il voudrait que vous *reveniez.*	**Il espère que vous** *reviendrez.*
Je doute qu'il *ait dit* **cela.**	**Je sais qu'il** *a dit* **cela.**
Nous regretterons longtemps qu'il *ait commis* **cette erreur.**	**Nous n'oublierons jamais qu'il** *a commis* **cette erreur.**
Je crains qu'il n'*ait* **pas** *fini* **avant notre retour.**	**Je suis sûr qu'il** *aura fini* **avant notre retour.**
Ne craignez pas que nous vous *ayons oubliés.*	**Soyez certain que nous ne vous** *avons* **pas** *oubliés.*

NOTE   In the above sequences the main verb is in a present or future tense. When the verb of the main clause is in a past tense, the present subjunctive also is used in the subordinate clause to show that an action is still a future possibility in relation to the present time, or that a state is still in existence at the time the statement is made. Note that in most cases a present tense would also be used in English.

Le colonel a ordonné que le régiment soit prêt à partir (ce soir, demain).	The colonel ordered that the regiment be ready to leave (tonight, tomorrow).
J'ai (avais) suggéré qu'il se présente aux prochaines élections.	I suggested (had suggested) that he run in the coming elections.
Nous cherchions un appartement où nous puissions emménager ce mois-ci.	We were looking for an apartment into which we could move this month.
Il n'a (avait) rien fait qui ne soit parfaitement légal.	He did not do (had not done) anything that is not perfectly legal. (*then and now*)

2. The imperfect and pluperfect subjunctive.

These two tenses of the subjunctive are gradually going out of use in conversation and informal letter writing. In formal or literary writing the pluperfect and, to a lesser extent, the imperfect are still normally used, but many writers take liberties with the strict grammatical rules, particularly in dialogues since these reflect the spoken language.[1]

However, the student should be able to recognize these tenses of the subjunctive and to understand their meaning when he meets them in reading. The following examples are given here mainly for that purpose. The imperfect subjunctive corresponds:

a. To the imperfect indicative and the future in the past (see Lesson 11, Section II, page 175).

Je craignais qu'il ne *fît* pas son devoir.	**Je savais qu'il ne *faisait* (*or ferait*) pas son devoir.**
Nous cherchions un guide qui *connût* bien la région.	**Nous avions un guide qui *connaissait* bien la région.**
Je doute qu'il *travaillât* (quand nous sommes rentrés).	**Je suis certain qu'il *travaillait* (quand nous sommes rentrés).**
Quoique nous *fussions* pauvres, nous étions heureux.	**Nous *étions* pauvres, néanmoins nous étions heureux.**
Je ne croyais pas (n'ai pas cru, ne crois pas, ne croirai jamais) qu'il *fût* sincère.	**Je croyais (ai cru, crois, croirai toujours) qu'il *était* sincère.**
Je n'avais rien fait qui ne *fût* pas légal à ce moment-là.	**Tout ce que j'avais fait *était* légal à ce moment-là.**

b. In formal narratives, to the past definite.

Il est douteux qu'il *remboursât* tout ce qu'il devait.	**Il est probable qu'il *remboursa* tout ce qu'il devait.**

c. To the present conditional when the **si** clause is in the imperfect.

Je doute qu'il *refusât* si vous insistiez.	**Je suis sûr qu'il *accepterait* si vous insistiez.**

The pluperfect subjunctive corresponds:
a. To the pluperfect indicative.

---

[1] The disappearance from conversation of the imperfect and pluperfect subjunctive (the latter being formed with the imperfect subjunctive of the auxiliary) is due partly to the fact that with some verbs the conjugation of the imperfect, except in the third person singular, is less than euphonious, for instance: **que vous rassasiassiez, que nous aperçussions, qu'ils assassinassent.** Even in the most formal style, few writers would use those. And although **que vous aimassiez** (imp. subj. of **aimer**) is no less euphonious than **vous amassiez** (imp. ind. of **amasser**), the former would still sound pedantic. The third person singular of **être** and **avoir, il fût, il eût,** are still used in conversation, and the third person singular of other verbs, whose short endings –ât, –ît, –ût do not cause ridiculous alliterations, are not infrequently found in informal writing. Another reason for the disfavor in which the imperfect subjunctive is held is that it is derived from the past definite, which itself is hardly ever used now in conversation or informal writing.

Je craignais qu'il n'*eût* pas *fait* son devoir.	Je savais qu'il n'*avait* pas *fait* son devoir.

b. To the past conditional.

Je doute (doutais) qu'il *eût refusé* si vous aviez insisté.	Je suis (étais) sûr qu'il *aurait accepté* si vous aviez insisté.

In literary style, the pluperfect subjunctive is often used instead of the past conditional in clauses which do not require the subjunctive, also in either clause of a conditional sequence. It is then called *conditionnel passé, deuxième forme.*

c. To the past anterior, in special cases, mostly found in the classics, which need not be considered here.

3. As stated at the beginning of Section 2 above, the imperfect and pluperfect subjunctive are rarely used now in conversation and informal letter writing. The present tendency is to replace the imperfect subjunctive by the present subjunctive, and the pluperfect by the perfect, whenever this is possible without creating ambiguity. However, there are cases when this is not possible; and in writing, when he has time to think, the better educated Frenchman prefers to use constructions which avoid the subjunctive altogether.

Colloquially, the present is used to indicate that an action (1) was a future possibility in the past, (2) was taking place at the same time as the past action of the main verb; and the perfect is used instead of the pluperfect to indicate that an action had already taken place prior to some moment in the past.

(1) Je craignais qu'il ne *fasse* pas son devoir.	I feared that he would not do his duty.
Si j'avais su, je n'aurais pas permis qu'il y *aille* seul.	If I had known, I would not have permitted him to go there alone.
(2) Je craignais qu'il ne *fasse* pas son devoir.	I feared that he was not doing his duty.
Il doutait que je *sache* ma leçon.	He doubted I knew my lesson.
Nous cherchions un guide qui *connaisse* bien la région.	We were looking for a guide who knew the region well.
Je craignais qu'il n'*ait* pas *fait* son devoir.	I feared that he had not done his duty.

RESTRICTIONS

a. When the main verb is in the present, and the verb of the subordinate clause expresses an incomplete, habitual, or continuous past action, the imperfect subjunctive may not be replaced by any other tense. In **Je doute qu'il travaillât** (*I doubt he was working*), **travaillât** may not be replaced by **travaille** or **ait travaillé** and a substitute construction which does not require the subjunctive must be used if the imperfect is to be avoided (see Section 4: Avoidance of the Subjunctive).

b. In a past sequence introduced by a concessive or restrictive clause the present subjunctive may not usually replace the imperfect. In **Bien qu'il souffrît beaucoup, il ne se plaignait pas** (*Although he was suffering a lot, he did not complain*), **Quoique nous fussions pauvres, nous étions heureux, Si fatiguée qu'elle fût, elle refusait de se reposer** (*However tired she was, she refused to rest*), **souffrît, fussions, fût** could not be replaced by **souffre, soyons, soit**. A substitute construction must be used.

c. The perfect subjunctive is not generally used instead of the pluperfect to express an unrealized or contrary-to-fact action, especially if it is part of a conditional sentence. The perfect subjunctive is not suited for showing that an action failed to materialize.

4. Avoidance of the subjunctive.

The following models of normal constructions are used instinctively by the French when it is considered preferable to avoid the imperfect or pluperfect subjunctive by other means than replacing them by the present or the perfect, or when the latter tenses could not be used even colloquially.

a. Use a participle or an adjective instead of a relative clause.

Nous cherchions un guide qui connût bien la région.	**Nous cherchions un guide *connaissant* bien la région.**
Nous voulions une bonne qui eût de bonnes références.	**Nous voulions une bonne *pourvue* de bonnes références.**
Il lui fallait un adjoint qui pût le remplacer en cas de besoin.	**Il lui fallait un adjoint *capable de* le remplacer en cas de besoin.**

b. Use a verb or conjunction having approximately the same meaning which does not require the subjunctive:

Ils voulaient qu'elle chantât.	*Ils espéraient* **qu'elle chanterait.**
Je doute qu'il travaillât quand nous sommes rentrés.	*Je ne crois pas* **qu'il travaillait quand nous sommes rentrés.**
Il est possible qu'il fût fatigué.	*Peut-être* **qu'il était fatigué.**
Il faisait une promenade tous les matins à moins qu'il (ne) plût.	**Il faisait une promenade tous les matins** *s'il* **ne pleuvait pas.**
Je crains qu'il n'eût échoué si vous ne l'aviez pas aidé.	*Je crois* **qu'il aurait échoué si vous ne l'aviez pas aidé.**

c. Insert an infinitive, which does not require the subjunctive.

Je craignais que son père eût des ennuis.

Je craignais d'*apprendre* que son père avait des ennuis.

Nous regrettions qu'il dépensât tant d'argent.

Nous regrettions de *voir* qu'il dépensait tant d'argent (*or* de le *voir* dépenser . . .).

Il était heureux que sa mère fût en bonne santé.

Il était heureux de *savoir* (*or* d'*avoir trouvé*) sa mère en bonne santé.

Ils voulaient qu'elle chantât.

Ils voulaient l'*entendre chanter*.

Il parlait lentement afin que tout le monde le comprît.

Il parlait lentement afin de *se faire comprendre* de tout le monde.

d. Other constructions:

Quoique nous fussions pauvres, nous étions heureux.

Nous étions pauvres, néanmoins nous étions heureux (*or* quoique pauvres, nous . . ., *or* malgré notre pauvreté, nous . . .).

Bien qu'il fît peu d'exercice, il se portait bien.

Quoique faisant peu d'exercice, il se portait bien.

Bien qu'il eût pu m'accompagner, il a refusé (il avait refusé).

Il aurait pu m'accompagner, cependant il a refusé.

Si courageuse qu'elle fût, elle n'osait pas avancer.

Elle avait beau* être courageuse, elle n'osait pas avancer.

Quoi qu'elle portât, tout lui allait bien.

Tout ce qu'elle portait lui allait bien (*or* elle pouvait porter n'importe quoi, tout lui . . .).

Il est impossible qu'il ne sût pas la nouvelle!

Il ne savait pas la nouvelle? C'est impossible!

Il fallait qu'il partît.

Il était obligé de (*or* il devait) partir. (*or* Il lui fallait partir.)

Je n'avais rien fait qui ne fût légal à ce moment-là.

Tout ce que j'avais fait était légal à ce moment-là.

Elle ne trouvait aucun chapeau qui lui plût.

Elle ne trouvait aucun chapeau à son goût.

Je l'avais fait sans que mon frère s'en doutât.

Mon frère ne se doutait pas que je l'avais fait.

Il ne comprenait pas que vous fussiez si méchant.

Il ne comprenait pas pourquoi vous étiez si méchant.

* See Vocabulary Distinctions, page 263.

NOTE After declarative verbs used in the negative or interrogative (Lesson 15), any appropriate tense of the indicative may be used in order to avoid the imperfect or pluperfect subjunctive. This applies also to **sembler** used with an indirect object.

Je ne croyais pas qu'il était si riche.	I did not think he was so rich.
Pensait-il que vous refuseriez?	Did he think you would refuse?
Il ne me semble pas qu'il savait ce qu'il faisait.	It does not seem to me that he knew what he was doing.

For the student, the ability to think of substitute constructions to avoid the imperfect or pluperfect subjunctive depends on his command of both the French and his own language. However, if a substitution is not readily available, it is preferable to use the colloquial forms given in Section 3, if at all possible, rather than to fumble for a construction that might be too awkward and cause the remedy to be worse than the evil.

5. The expletive **ne.**
After the verbs **craindre (avoir peur), éviter, empêcher, prendre garde,** used in the affirmative; after **ne pas douter, ne pas nier, ne pas désespérer;** after the conjunctions **à moins que, avant que, de crainte (peur) que;** after an adjective or an adverb in the comparative; and after a few other less common verbs or expressions, the use of the expletive **ne** in the subordinate clause is optional (Decree of 1901). It is tending to disappear from the spoken language, although it is still heard after some of the above-mentioned verbs and expressions. Its use in speech appears to be mainly a matter of personal habit.

[III]

Combine the following into one sentence with a clause, making all necessary changes.

> EXAMPLE   Il a dit cela? Nous en doutons.
> *Nous doutons qu'il ait dit cela.*

1. Venez de bonne heure! Je le voudrais bien.
2. Il a oublié. Elle en est désolée.
3. Elle s'en va tout de suite. Il l'a conseillé.
4. Vous vous êtes trompé. J'en ai peur.
5. Tout sera prêt pour demain. Il l'a demandé.
6. Ils ne pourront pas le faire. Nous le craignons.
7. Ils font cela. Vous l'avez défendu.
8. Vous ne voulez pas venir demain? Ils le craignent.

[IV]

The sentences given use the formal or literary tenses of the subjunctive or of the indicative. Reword them changing the tense, thereby making them informal.

EXAMPLE   Je doutais qu'il eût perdu toute sa fortune.
Je doutais qu'il ait perdu toute sa fortune.

1. Elle voulait qu'il lui rapportât des parfums de Paris.
2. Je ne croyais pas qu'il sût cela.
3. Nous n'étions pas sûr qu'il nous obéît.
4. Il ne semblait guère possible qu'ils eussent déjà appris notre arrivée.
5. J'avais ordonné qu'on ne laissât entrer personne.
6. Il était douteux qu'ils pussent venir.
7. Il n'y avait rien qui eût pu l'empêcher de nous rejoindre.
8. Il voulût que tous les prisonniers fussent libérés.
9. Nous doutions que son professeur fût satisfait.
10. Ils emménagèrent avant que les réparations ne fussent terminées.
11. J'aurais préféré que vous le fissiez plus tôt.
12. Nous exigeâmes que la question fût soumise à la Chambre.

[V]

In the following sentences the imperfect and pluperfect subjunctive are used for careful writing. Reword them using the word or expression in parentheses and changing the verb to indicative or conditional as needed.

EXAMPLE   Quoiqu'ils fussent pauvres, ils étaient généreux. (néanmoins)
Ils étaient pauvres, néanmoins ils étaient généreux.

1. Il est possible qu'il vous eût aidé si vous le lui aviez demandé. (probablement que)
2. Si riche qu'il fût, il n'était pas charitable. (néanmoins)
3. Quel que fût son talent le public ne l'aimait pas. (malgré)
4. Quoiqu'il sût de quoi il s'agissait, il ne nous l'a pas dit. (sachant)
5. Nous avions besoin de quelqu'un qui connût bien le pays. (connaissant)
6. Bien qu'il eût pu le faire il avait refusé. (cependant)
7. Il leur fallait un employé qui pût voyager. (disposé à)
8. Nous ne comprenions pas que vous eussiez refusé. (pourquoi)

VERB REVIEW

From what principal part is the imperfect subjunctive derived?
How is the pluperfect subjunctive formed?
What are the endings of the imperfect subjunctive?

Vocabulary Distinctions

Avoir beau, En vain

Avoir beau + infinitive is an emphatic expression meaning *no matter how (much)* . . ., *no matter what* . . ., *however* . . ., *to be useless to* . . ., *to . . . in vain.* **Avoir beau** usually conveys an idea of a continuous or repeated effort, or it may stress a condition. Normally, the clause introduced by **avoir beau** must be followed by a concluding statement to complete the thought.

J'ai beau faire, il n'est jamais satisfait.	No matter what I do, he is never satisfied.
Vous aurez beau le gronder, vous ne le corrigerez pas.	It will be useless to scold him, you will not improve his ways (no matter how much you will scold him . . .).
J'ai beau être riche, ma fortune n'est pas illimitée.	No matter how rich I may be, my fortune is not unlimited.
J'avais beau sonner, personne ne répondait.	I rang in vain, no one answered.

En vain can only mean *in vain* and it merely states a fact. The clause containing **en vain** represents a complete thought; it may, but does not have to, be followed by a concluding statement.

J'ai exigé en vain qu'il me rembourse.	I demanded in vain that he reimburse me.
J'ai sonné plusieurs fois en vain, personne n'a répondu.	I rang several times in vain, no one answered.
Il ne fait jamais rien en vain.	He never does anything in vain.
Nous lui avons demandé en vain de renoncer à ses projets.	We asked him in vain to give up his plans.

Note that in the last example, **avoir beau** could be used if it were followed by a concluding clause. **Avoir beau** would be used if one wished to emphasize the statement or one's repeated efforts.

To change
Changer, Changer de, Se changer

Changer followed by a direct object is used in the sense of *to replace, to alter;* used intransitively, it means *to be* or *become different, to undergo a change.*

Nous voulons changer le papier de la salle à manger.	We want to change the wallpaper of the dining room.
Il faut que vous changiez vos mauvaises habitudes.	You must change your bad habits.
Avez-vous changé la nappe?	Did you change the tablecloth?
Le temps va changer.	The weather is going to change.
Comme vous êtes changé!	How changed you are!

Changer de is used in the sense of replacing a thing by another of the same kind, the change normally remaining within the subject.

Vous n'avez pas changé de robe.* — Si, j'en ai changé.	You did not change your dress. — Yes, I did (change it).
Vous changerez de train† à Dijon.	You will change trains at Dijon.
Voulez-vous changer de place† avec moi?	Will you change places (seats) with me?

* Note the omission of the possessive adjective in French. The object of **changer de** cannot be modified by an article, a possessive or demonstrative adjective, or be otherwise qualified. **Il a changé de mauvaises habitudes** would mean that he replaced his bad habits by other bad habits.

† The singular is used in French when only one object is replaced by another: **ils ont changé de bonne,** only one maid was involved; **ils ont changé de bonnes,** two or more maids were changed. In **il a changé d'habitudes, habitudes** would be a collective plural.

Se changer is used absolutely for **changer d'habits,** *to change* (*clothes*).

Changer en, se changer en mean *to change* (*in*)*to, convert.*

La chaleur change l'eau en vapeur.	Heat changes water into steam.
La pluie s'est changée en neige.	The rain changed to snow.

Note some other uses of **changer:**

Je désire changer (*or* **échanger**) **ce chapeau, mon mari ne l'aime pas.**	I wish to exchange this hat, my husband does not like it.
Nous avons changé d'appartement.	We moved into a new apartment.
Pouvez-vous me changer un billet de mille francs?	Can you change a thousand franc bill for me?
Il a changé (échangé) ses francs pour (contre) des dollars.	He exchanged his francs for dollars.

Exchange	*Change*
Le change	**Le changement**

Le change is almost exclusively used as a financial term: **le cours (le taux) du change,** *rate of exchange;* **bureau de change,** (*foreign*) *exchange office;* **agent de change,** *stock broker*, etc.

Le changement means *change* in the sense of *alteration, substitution.*

Un changement d'air vous fera du bien.	A change of air will do you good.
J'ai fait quelques changements dans le salon.	I made a few changes in the living room.
le changement de saison(s)	the change of season(s)

Change, Currency   *Money*
La monnaie   **L'argent**

La monnaie may mean *change;* **petite monnaie,** *small change;* or it may mean *currency:* **monnaie étrangère,** *foreign money, foreign currency.* (The more technical term for *foreign currency* is **devises étrangères.**)

Note also: **la fausse monnaie,** *counterfeit money;* **un billet faux, une pièce fausse,** *a counterfeit bill* or *coin.*

L'argent means *money* in general: **ils ont beaucoup d'argent,** *they have a lot of money.*

Note also: **je n'ai pas d'argent sur moi,** *I have no money (cash) with me;* **il n'y a pas d'argent dans la maison,** *there is no money (cash) in the house;* **payer comptant,** *pay cash;* **payer en argent comptant,** *pay in cash;* **vendre au comptant,** *sell for cash;* **ils n'accepteront que de l'argent comptant,** *they will accept cash only.* **De la monnaie de mille francs,** *change for a thousand francs.*

Décider (de, que), Se décider à,
Décider quelqu'un à, Etre décidé à

In most cases **décider** means *to decide (settle, determine).* **Décider de** + infinitive, *to decide to . . .;* **décider que. . .,** *to decide that . . .,* is normally followed by the indicative.

Elle a décidé de retarder son départ.	She decided to delay her departure.
Ils ont décidé que cela n'en valait pas la peine.	They decided that it was not worth it.
Qu'est-ce qu'ils ont décidé?	What have they decided?
Rien n'a été décidé.	Nothing was decided (settled).
Ils n'ont rien décidé.	They have not decided anything.
Nous déciderons de* son sort plus tard.	We shall decide (determine) his fate later.

* **De** is used before the noun when **décider** has the meaning of *to determine.*

Se décider à + infinitive, *to make up one's mind to . . .,* or *to decide, somewhat reluctantly, to . . . .* **Se décider** may not usually have a noun or a pronoun as its object, except **à quoi** in direct or indirect questions. It may not be followed by a subordinate clause: *to make up one's mind that* is translated **décider que,** not **se décider. Se décider** may be used absolutely i.e., without any complement.

S'est-il décidé à faire des aveux? — **Oui, il s'y est enfin décidé.**	Has he made up his mind (decided) to confess? — Yes, at last he did.
A quoi se sont-elles décidées?	What have they decided?
Eh bien, vous êtes-vous décidé?	Well, have you made up your mind?
but	
J'ai décidé *qu*'il était trop tard de faire quoi que ce soit.	I made up my mind that it was too late to do anything.

Décider quelqu'un à faire quelque chose, *to persuade* or *induce someone to do something.* (**Persuader de** may be used here instead of **décider à.**)

Je n'ai pas pu le décider à (persuader de) changer d'avis.	I could not persuade (induce) him to change his mind.
Il m'a décidé à remettre ce voyage.	He persuaded me to postpone this trip.

NOTE   *To persuade that, to convince of* or *that,* may not be translated by **décider. Persuader de (que)** or **convaincre de (que)** is used.

Il m'a persuadé (convaincu) que j'avais tort.	He persuaded (convinced) me that I was wrong.
Etes-vous persuadé de son honnêteté? — J'en suis persuadé.	Are you convinced of his honesty? — I am (convinced of it).

Etre décidé à + infinitive, *to be decided, determined to . . . .*

Elle est décidée à découvrir la vérité.	She is determined to discover the truth.

While	*Whereas, While*
Pendant que	**Tandis que**

Pendant que can only mean *while* in the sense of *duration: during that time.* **Tandis que** may express both duration (*while*) and contrast or opposition (*whereas*). When *while* is used colloquially for *whereas,* it must be translated **tandis que,** and usually a double subject (Lesson 10, page 153) is used to emphasize the contrast.

Pendant que vous faisiez votre sieste, j'ai lu le journal.	While you were taking your nap, I read the newspaper.
Il vit de ses rentes tandis que moi, je dois gagner ma vie.	He lives on his income whereas (while) *I* must earn my living.
Savez-vous ce que j'ai fait tandis (pendant) qu'il déjeunait?	Do you know what I did while he was having lunch?

[VI]

Reword the following sentences using **avoir beau** or **en vain** as needed.

EXAMPLE   Je l'ai appelé, il ne m'a pas entendu.
J'ai eu beau l'appeler, il ne m'a pas entendu.
Nous avons fait tous ces beaux projets.
Nous avons fait tous ces beaux projets en vain.

1. Vous insistez. Je ne vous crois pas.
2. Nous l'en avons prié.
3. Il essaiera, il ne réussira pas.
4. Tu le lui répéteras, il oubliera quand même.
5. Vous ne l'aurez pas fait.
6. Elle a de la patience; n'en abusez pas.
7. Il l'a appelée, elle était déjà partie.
8. Je lui donne des conseils, il ne m'écoute pas.
9. Nous l'avons attendu.
10. Il a protesté.

[VII]

Reword the following sentences using **changer.**

EXAMPLE   Mettez un autre bouquet sur la table.
Changez le bouquet sur la table.

1. L'atmosphère va être différente.
2. Avez-vous remplacé le tapis du salon?
3. Il est différent depuis l'année dernière.
4. Il faut remplacer l'eau des poissons rouges.
5. Mettez une autre nappe sur la table de la salle à manger.
6. Ne remplacez pas ces rideaux, ils sont très bien.
7. La température est différente depuis hier.
8. Récrivez ce paragraphe!

[VIII]

Reword the following sentences using **changer de.**

EXAMPLE   Vous avez mis un autre chapeau.
Vous avez changé de chapeau.

1. Prenez un autre autobus au prochain arrêt.
2. Nous avons mis d'autres vêtements car nous étions trempés.

3. Il a pris un autre ton en entendant cela.
4. Il est d'un autre avis maintenant.
5. Il met une autre chemise deux fois par jour.
6. Nous avons un autre appartement.
7. Il a pris ma place et j'ai pris la sienne.
8. Les nuages ont une autre couleur.

[IX]

Using **argent** or **monnaie,** supply a sentence that would summarize or have the same general meaning as the one given.

EXAMPLE   Je n'ai pas un sou.
Je n'ai pas d'argent.

1. Il n'a qu'un billet de dix mille francs.
2. Il ne sait pas où il a mis son portefeuille.
3. Je lui ai donné cinq cents francs et il m'a rendu trois pièces de dix francs.
4. Il n'a pas pu payer.
5. Ses poches sont toujours pleines de piécettes.
6. Il lui donne de quoi s'acheter une robe.

[X]

Using **taux de change** or **changement,** supply a sentence that would summarize or have the same general meaning as the one given.

EXAMPLE   Il faudra faire quelques modifications.
Il faudra faire quelques changements.

1. Ils ont fait beaucoup de transformations.
2. Il y aura bien des innovations.
3. Il n'aime pas faire toujours la même chose.
4. Combien vaut le dollar?
5. Nous n'aimons pas toutes ces variations de température.
6. Vous trouverez ce renseignement dans la section financière du journal.

[XI]

Reword the following sentences using **se décider (à), décider de,** or **décider à.**

EXAMPLE   Elle a pris son parti d'accepter la chose.
Elle s'est décidée à accepter la chose.

1. Il nous a persuadés de passer un mois à la campagne.
2. Il a pris la résolution de travailler sérieusement.
3. J'ai pris le parti d'y aller moi-même.
4. Ils ont résolu de se réunir tous les mois.
5. Elle a pris la résolution de n'en rien dire.
6. Vous a-t-il persuadé de venir nous rejoindre?
7. Avez-vous finalement pris une décision?
8. Après mûre réflexion, il a pris le parti de changer de profession.

[XII]

In the following sentences, replace **persuader** by **convaincre**.

EXAMPLE   Je suis persuadé que vous avez raison.
Je suis convaincu que vous avez raison.

1. Vous n'êtes pas facile à persuader.
2. Je suis persuadé que vous en serez enchanté.
3. Nous sommes persuadés de sa bonne volonté.
4. Vous les persuaderez difficilement.
5. Elle n'en est pas persuadée.
6. Je ne sais pas comment vous arriverez à le persuader.
7. Il était sûr qu'il arriverait à vous persuader que c'était impossible.
8. Elle était persuadée de sa bonne foi.

[XIII]

In some of the following sentences, **tandis que** may be replaced by **pendant que**. Make the change whenever possible.

EXAMPLE   Il est entré tandis qu'elle lisait.
Il est entré pendant qu'elle lisait.
Lui, il se repose tandis que moi, je travaille.
(*No substitution.*)

1. Attendez tandis que je finis cela.
2. Cette lettre est arrivée tandis que vous faisiez la sieste.
3. Il a fait cela par manque d'attention tandis qu'elle l'a fait exprès.
4. Que fera-t-elle tandis que vous serez en voyage?
5. Faites-le tandis qu'il en est encore temps.
6. Il est toujours de bonne humeur tandis qu'elle est toujours triste.
7. Il faisait bon chez eux tandis que dehors le temps était affreux.
8. Il nous a raconté l'histoire tandis que nous nous promenions.

IDIOMATIC EXPRESSIONS

advienne que pourra come what may
deux fois par jour twice a day
dire vrai to tell the truth
être en voyage to be traveling
il fait bon it is comfortable, cozy
mûre réflexion deep thought
prendre une décision to make a decision
sauve qui peut! every man for himself!
soit! agreed!
vive... long live...

A Cheval
(*suite*)

Huit jours se passèrent; puis quinze, puis un mois. Mme Simon ne quittait pas son fauteuil. Elle mangeait du matin au soir, engraissait, causait gaiement avec les autres malades, semblait accoutumée à l'immobilité comme si c'eût été le repos bien gagné par ses cinquante ans d'escaliers montés et descendus, de matelas retournés, de charbon porté d'étage en étage, de coups de balai et de coups de brosse.

Hector, éperdu, venait chaque jour; chaque jour il la trouvait tranquille et sereine, et déclarant:

« Je n'peux pu r'muer, mon pauv' monsieur, je n'peux pu. »

Chaque soir, Mme de Gribelin demandait, dévorée d'angoisses:

« Et Mme Simon? »

Et, chaque fois, il répondait avec un abattement désespéré:

« Rien de changé, absolument rien! »

On renvoya la bonne, dont les gages devenaient trop lourds. On économisa davantage encore, la gratification tout entière y passa.

Alors Hector assembla quatre grands médecins qui se réunirent autour de la vieille. Elle se laissa examiner, tâter, palper, en les guettant d'un œil malin.

« Il faut la faire marcher, » dit l'un.

Elle s'écria:

« Je n'peux pu, mes bons messieurs, je n'peux pu! »

Alors ils l'empoignèrent, la soulevèrent, la traînèrent quelques pas; mais elle leur échappa des mains et s'écroula sur le plancher en poussant des clameurs si épouvantables qu'ils la reportèrent sur son siège avec des précautions infinies.

Ils émirent une opinion discrète, concluant cependant à l'impossibilité du travail.

Et quand Hector apporta cette nouvelle à sa femme, elle se laissa choir sur une chaise en balbutiant:

« Il vaudrait encore mieux la prendre ici, ça nous coûterait moins cher. » Il bondit:

« Ici, chez nous, y penses-tu? »

Mais elle répondit, résignée à tout maintenant, et avec des larmes dans les yeux:

« Que veux-tu,[1] mon ami, ce n'est pas ma faute! »

QUESTIONS

1. Où Mme Simon passait-elle son temps? 2. Que faisait-elle? 3. Hector venait-il la voir souvent et comment trouvait-il sa victime? 4. Qu'est-ce qu'elle déclarait chaque fois? 5. Pourquoi les Gribelin ont-ils été obligés de renvoyer leur bonne? 6. Qu'est-ce qu'Hector a fini par faire? 7. Qu'est-ce que l'un des médecins a suggéré? 8. Qu'a fait Mme Simon quand les médecins l'ont essayé? 9. Quelle opinion les médecins ont-ils émise? 10. Que suggère l'auteur par cela? Néanmoins, à quoi ont-ils conclu?

IDIOMATIC EXPRESSIONS

(les) **coups de balai**   sweeping
(les) **coups de brosse**   scrubbing
d'escaliers montés et descendus   of climbing up and down stairs
d'un œil malin   with a crafty look
engraisser   to get fat
finir par   to finally . . . , end by
s'écrouler   to collapse
se laisser choir (se laisser tomber)   to drop
se passer (*time*)   to go by
y passer (*money*)   to be used up
y penses-tu?   are you serious?

[1] que veux-tu, i.e., que veux-tu que nous fassions?

Lesson *17*

Grammar and Usage

THE INFINITIVE

I. THE SUBORDINATE OR COMPLEMENTARY INFINITIVE

1. After a verb, the subordinate or complementary infinitive[1] is used to translate (1) an English infinitive, except as provided in Section III, Lesson 1, and in Section III, Lesson 8; (2) an English present (or perfect) participle used as a verbal noun or gerund, or as a participle.

(1) Je veux le voir.	I want to see him.
Il a refusé de venir.	He refused to come.
Vous ne semblez pas comprendre.	You do not seem to understand.
Elle prétend tout savoir.	She claims to know everything.
Nous lui avons demandé de rester.	We asked him to stay.
(2) Il a cessé de pleuvoir.	It stopped raining.
Il vous a vu venir.	He saw you coming (come).
Je ne me rappelle pas avoir dit cela.	I do not recall having said that.
Je l'ai entendu chanter cet air.	I heard her singing (sing) that aria.

NOTE   After declarative verbs or verbs of thinking, when there is no change of subject, either an infinitive or a subordinate clause may be used, as in English. In French, the infinitive construction is generally preferred. This applies also to the verbs **croire, penser, nier,** although in English *to believe*, *think*, *deny* may not normally be followed by an infinitive.

J'espère recevoir de ses nouvelles. (**J'espère que je recevrai de ses nouvelles.**)	I hope to hear from him. (I hope I shall hear from him.)

---

[1] Grammatically speaking there is a difference between a subordinate and a complementary infinitive, but for the purpose of these rules the difference is immaterial.

272

Je ne croyais (pensais) pas vous revoir avant la fin du mois.	I did not think I would see you again before the end of the month.
Je croyais être arrivé à l'heure.	I thought I had arrived on time.

Note also that with other verbs or expressions where there is no change of subject, a subordinate infinitive is used in French if it is possible and if no ambiguity results, in preference to a subordinate clause.

Je suis heureux de l'avoir vu.	I am glad I saw him.
Voici les gants que vous croyiez avoir perdus.*	Here are the gloves you thought you had lost.

* The use of the infinitive in a relative clause such as this is almost imperative. **Les gants que vous croyiez que vous aviez perdus,** although theoretically possible, would hardly be used because of the awkward repetition of **que**.

NOTE   The English construction *I wish I could* . . . is translated by the conditional of **vouloir** plus the infinitive, i.e., *I would like to be able to* . . . . A subordinate clause may not be used in French after verbs of willing when there is no change of subject.

Je voudrais savoir ce qu'il a fait.	I wish I knew what he has done.
Elle voudrait être à Paris.	She wishes she were in Paris.

2. Verbs governing the infinitive directly or indirectly.

As has already been seen in the exercises and in the examples above, certain complementary infinitives follow the verb without a preposition, others are preceded by the preposition **à** or **de**. This is largely a matter of usage and, for the student, of memory. However, some indication can be given as to which category of verbs govern the infinitive directly or indirectly with the preposition **à** or **de**. (See also Appendix I, pages 369–70.)

a. Verbs followed by the pure infinitive are relatively few. They include all verbs of motion, verbs of perception (**voir, entendre, apercevoir,** etc.), most declarative verbs or verbs of thinking (**croire, espérer, nier, affirmer,** etc.), and such common verbs as **vouloir, désirer, préférer, aimer mieux, devoir, pouvoir, savoir, faire, laisser, envoyer, falloir, faillir, oser, sembler, valoir mieux.**

Il est venu nous voir.	He came to see us.
Nous le regardons travailler.	We watch him work.
J'espère pouvoir venir.	I hope to be able to come.
Il sait lire le russe.	He can (knows how to) read Russian.

b. Verbs that govern the infinitive with **à** are fairly numerous. **A** often denotes tendency, yearning, aim. These verbs include most of those which would require **à** before a noun.

Aidez-moi à monter mes valises.	Help me (to) carry up my suitcases.
Je l'ai invité à venir avec moi.*	I invited him to come with me.
J'hésite à accepter.	I hesitate to accept.
Il a consenti à partir.	He consented to leave.
Il a renoncé à fumer.	He gave up smoking.
Ils m'ont incité à refuser.	They incited me to refuse.

* Compare: Je l'ai invité *à mon mariage.*

c. Verbs that govern the infinitive with **de** are by far the most numerous. They include: verbs of asking, permitting, forbidding, etc., which are used with an indirect object of the person concerned (see Lesson 10, Vocabulary Distinctions); verbs whose meaning is such that the dependent verb has almost necessarily the same subject: **essayer** or **tenter, négliger, s'arrêter** or **cesser, risquer,** etc.; idiomatic expressions formed with **avoir: avoir l'intention, avoir l'air, avoir peur,** etc.; verbs or expressions which require **de** before their complement: **blâmer, accuser quelqu'un de quelque chose, se plaindre, s'agir de quelque chose, de quelqu'un,** etc.

Je lui ai demandé de m'attendre.*	I asked him to wait for me.
Il m'a conseillé d'accepter.	He advised me to accept.
Il a l'air d'avoir peur d'entrer.	He seems to be afraid to come in.
Il m'accuse d'essayer de le tromper.	He accuses me of trying to deceive him.
Elle se plaint d'avoir trop de travail.	She complains of having too much work.

* **Demander** requires **à** before the infinitive when both verbs have the same subject: **il a demandé à parler au directeur.**

NOTE The verbs **commencer, continuer, s'efforcer** (*to strive*), **contraindre** (*to compel*), and **obliger** may govern the infinitive with either **à** or **de.** Note also: **aimer** or **aimer à; souhaiter** or **souhaiter de; détester** or **détester de.**

3. Pour with the infinitive. The preposition **pour** (*to*), or **afin de** (*to, in order to*), is used with an infinitive to denote a purpose.

Il faut de la patience pour élever les enfants.	It takes patience to bring up children.
Je l'ai invité pour (afin de) vous faire plaisir.	I invited him to (in order to) please you.
Il s'est levé de bonne heure afin de ne pas manquer son train.	He got up early in order not to miss his train.

NOTE After verbs of motion **pour** is usually omitted, unless the purpose is to be stressed.

Je viendrai vous voir demain.	I shall come to see you tomorrow.
Je suis venu pour travailler, non pas pour jouer.	I came in order to work, not to play.

NOTE **Pour,** but not **afin de,** is also used after **trop** and **assez** plus an adjective or adverb. It does not then denote purpose but has the sense of *to be able to.*

Il est trop fatigué pour vous aider.	He is too tired to help you.
Nous ne sommes pas assez riches pour acheter cette auto.	We are not rich enough to buy this car.
Ils étaient trop loin pour nous entendre.	They were too far to hear us.

4. The infinitive with **de** or **à** after nouns and adjectives.

When an infinitive serves as the complement of a noun, a pronoun, or an adjective, it is preceded in the majority of cases by the preposition **de.** But if the infinitive conveys a passive meaning, it is preceded by the preposition **à.** (I.e., **à** is used if the sense would permit the substitution of a passive in English, even though in practice such a construction might not be used.)

J'ai reçu l'ordre de partir.	I received the order to leave.
Nous n'avons pas le temps de vous écouter.	We don't have the time to listen to you.
Je suis charmé de faire votre connaissance.	I am delighted to meet you.
Etes-vous sûr d'avoir compris?	Are you sure you understood (of having understood)?

but

J'ai une lettre à écrire.	I have a letter to write (to be written).
Donnez-lui quelque chose à boire.	Give him something to drink (to be drunk).
Voici une maison à louer.	Here is a house for rent (to be rented).
C'est difficile à comprendre.	This is difficult to understand (not easily understandable).
un problème facile à expliquer	a problem easy to explain (easily explainable)

NOTE In the construction **ce** + **être** + adjective + **à** + infinitive, **ce** (or **ceci, cela**) is the real subject of the infinitive. The construction impersonal **il** + **être** + adjective requires **de** before the infinitive. This construction is used when the infinitive has a complement and the infinitive phrase is the logical subject of **être.**

Il est difficile de comprendre ce qu'il dit.	It is difficult to understand what he says. (To understand . . . is difficult.)
Il est impossible de savoir la vérité.	It is impossible to know the truth.
Il m'est impossible de vous aider en ce moment.	It is impossible for me to help you now.

NOTE **Le dernier, le seul, le premier** and other numerals, and a few adjectives and expressions denoting *tendency, fitness,* or *purpose,* require **à** before the infinitive.

Vous êtes le premier à me dire cela.	You are the first one to tell me that.
Il est *habitué à* se lever de bonne heure. (*tendency*)	He is used to getting up early.
Nous sommes *prêts à* partir.	We are ready to leave.
Il est lent à comprendre.	He is slow understanding.

De + infinitive is used after **que** in the second part of a comparison.

Je préfère lire que d'aller faire une promenade.	I prefer to read rather than go for a walk.

[I]

Reword the following sentences using an infinitive, and translate.

EXAMPLE   Il prétend qu'il les connaît.
Il prétend les connaître.

1. Nous les avons entendus qui parlaient de vous.
2. Il se rappelle qu'il l'a fait.
3. Ils vous ont entendus quand vous êtes sortis.
4. Elle nie qu'elle les ait perdus.
5. Il défend que nous fumions dans la classe.
6. Il sent que ses forces s'épuisent.
7. Elle prétend qu'elle a raison.
8. Il nie qu'il connaisse cet homme.

[II]

Replace the subordinate clause by the more idiomatic infinitive construction.

EXAMPLE   Il ne croyait pas qu'il pourrait venir.
Il ne croyait pas pouvoir venir.

1. Je pensais que je pourrais le faire.
2. Il espère qu'il aura une lettre demain.
3. Elle croit qu'elle a trouvé la réponse.

4. Nous ne pensons pas que nous arriverons avant minuit.
5. Espérez-vous que vous aurez le temps?
6. Nous croyons que nous savons où ils sont.
7. Pense-t-il qu'il pourra les voir demain?
8. Il croit qu'il les a laissés dans l'auto.

[III]

Reword the following sentences using the verb given to you in parentheses and adding **à, de,** or **pour** as needed.

EXAMPLE   Invitez-les.   (dîner)
Invitez-les à dîner.

1. Nous hésitons.   (répondre)
2. Il a travaillé dur.   (réussir)
3. Cela les a encouragés.   (se révolter)
4. Il a fait de gros efforts.   (être sage)
5. Vous leur avez défendu.   (jouer ici)
6. Nous lui avons demandé.   (se taire)
7. Nous le ferons.   (vous aider)
8. Aidez-le.   (descendre)
9. Elle se plaint.   (avoir trop de travail)
10. Ils vous attendent.   (partir)

[IV]

Reword the following sentences using **trop** or **assez** as indicated. Make all necessary changes. Notice the change in meaning.

EXAMPLE   Elle est stupide de le faire.   (assez)
Elle est assez stupide pour le faire.

1. Nous sommes fatigués de les écouter.   (trop)
2. Vous êtes sot de le croire.   (assez)
3. Nous sommes fatigués de travailler.   (trop)
4. Elle est intelligente d'y avoir pensé.   (assez)
5. Il est complaisant de le faire.   (assez)
6. Nous sommes las de lui parler.   (trop)
7. Es-tu fou d'avoir accepté?   (assez)
8. Ils sont patients de les écouter.   (assez)

[V]

Reword the following sentences, using the verb in parentheses and adding **à** or **de.**

EXAMPLE   Je suis enchanté.   (vous voir)
Je suis enchanté de vous voir.

1. Il a des devoirs.   (faire)
2. Voici une leçon difficile.   (comprendre)
3. Nous avons un problème.   (résoudre)
4. Je suis certain.   (l'avoir dit)
5. Vous êtes le seul.   (ne pas l'aimer)
6. Je voudrais quelque chose.   (manger)
7. Tu es toujours le dernier.   (être prêt)
8. Je te donne le conseil.   (te taire)
9. Elle est prête.   (vous suivre)
10. Il est désolé.   (ne pas être venu)

[VI]

Reword the following sentences by removing the complement of the infinitive. Make all necessary changes.

EXAMPLE   Il est impossible de comprendre ce qu'il veut.
C'est impossible à comprendre.

1. Il est facile de voir ce qu'il veut dire.
2. Il est impossible de chanter quelque chose de si difficile.
3. Il est difficile de décider qui a raison.
4. Il n'est pas impossible de faire cela.
5. Il est facile de nettoyer cette tache.
6. Il est impossible de résoudre ce problème.
7. Il n'est pas difficile de préparer ce repas.
8. Il est facile de dire cela.

II. THE INFINITIVE AS SUBJECT

As in English, the infinitive may serve in French as subject of a verb or as a predicate nominative. It may also translate an English gerund used as subject or predicate. It is generally used without a preposition.

Protester est inutile.	To protest is useless.
Dire la vérité est toujours le plus simple.	To tell the truth is always the simplest.
Pleurer ne servira à rien.	Crying (to cry) will be of no use.
Voir c'est croire.*	Seeing is believing. (To see is to believe.)

* **Ce** is used when an infinitive is a predicate nominative.

III. THE PAST INFINITIVE

The past infinitive (see also Lesson 8, page 128) must be used when the action it denotes was completed in the past prior to the time of the main verb, or will have been completed at a given time in the future.

Je me souviens de l'avoir vu.	I remember seeing (having seen) him.
Je croyais l'avoir déjà entendu.	I thought I had already heard it.
J'espère avoir fini demain.	I hope to have finished tomorrow.
Je voudrais avoir été là.	I wish I had been there. (I would like to have been there.)

When an infinitive is governed by a preposition, personal pronoun objects and reflexive pronouns are placed between the preposition and the infinitive: **il demande à vous parler, je vous prie de vous expliquer.**

The English construction *go* (*come*, etc.) *and . . .* used for *go* (*come*, etc.) + infinitive is translated **aller** (**venir**, etc.) + infinitive: **venez me dire ce que vous avez fait,** *come tell me* (*come and tell me*) *what you have done.*

Vocabulary Distinctions

Entendre parler de, Entendre dire que

Entendre parler de means *to hear about* things or persons. **Entendre dire que** means *to hear that* (literally *to hear it said that*), referring to facts. Neither **parler** nor **dire** may be omitted in French.

Avez-vous entendu parler du nouveau roman de Maurois?	Have you heard about Maurois' new novel?
Oui, j'ai entendu dire qu'il était très intéressant.	Yes, I heard it was very interesting.

When *to hear* is used in English in the sense of *to learn*, it is translated **apprendre: je suis heureux d'apprendre qu'il est bien arrivé,** *I am glad to* *hear that he arrived safely.* (**Apprendre** refers to an accomplished fact, **entendre dire** refers to an unverified fact, a rumor.)

Note also *to hear from,* translated **recevoir (avoir) des nouvelles de:** **vous recevrez bientôt de ses nouvelles,** *you will hear from him soon.* Note that the English pronoun is rendered by a possessive adjective in French.

To notice
Apercevoir, S'apercevoir, Remarquer

Apercevoir means *to notice* by means of the eyes, to see in the sense of *to catch sight of, have a glimpse of.* **Apercevoir** may not be followed by a subordinate clause introduced by **que** nor can it be used in the imperative.

Je vous ai aperçu au cinéma.	I noticed (saw) you at the movies.
Nous avons aperçu un lièvre dans la forêt.	We saw (caught sight of) a hare in the forest.
Je l'ai aperçu entrer dans un café.	I noticed (saw) him going into a café.

S'apercevoir de (que) means *to notice* by means of the mind only, *to become aware* or *conscious of* (*that*), *to realize, to discover.* **S'apercevoir** may only refer to facts, its object cannot be a concrete thing. It cannot be used in the imperative.

Ils ne se sont pas aperçus que nous les observions.	They did not notice (were not aware) that we were watching them.
Je me suis aperçu trop tard de mon étourderie.	I noticed my blunder too late.
Il s'est aperçu soudain qu'il avait laissé ses billets à la maison.	He suddenly discovered (realized) that he had left his tickets at home.

Note that in the last two examples the facts perceived remain within the subject.

Remarquer means *to notice* in the sense of *to note, to observe, to distinguish, to pay attention to.* The object of **remarquer** may be a concrete or an abstract noun. **Remarquer** may be followed by a subordinate clause and it may be used in the imperative. The facts perceived are usually outside the subject.

Avez-vous remarqué son nouveau manteau de fourrure?	Did you notice her new fur coat?
Je remarque votre intérêt avec plaisir.	I notice your interest with pleasure.
Il a remarqué que vous étiez en retard.	He noticed that you were late.
Remarquez les progrès qu'elle a faits le mois dernier.	Notice the progress she made last month.

Faire remarquer à quelqu'un means *to call someone's attention to, to have someone notice.* Note the construction:

Le juge a fait remarquer à l'accusé de nombreuses divergences dans son témoignage.	The judge called the attention of the accused to many discrepancies in his testimony.
Je voudrais vous faire remarquer qu'il est l'heure de partir.	I would have you notice that it is time to go.

To find
Trouver, Retrouver

Retrouver quelque chose (quelqu'un) means *to find something (someone)* that was lost, stolen, missing, or not seen for a long time. **Trouver** means *to find* in the ordinary sense of the word: to find something accidentally, something sought or wanted, to discover, to find something that was temporarily mislaid, etc. **Retrouver** may also mean literally *to find again.*

Avez-vous retrouvé votre porte-monnaie?	Have you found your purse? (*that was lost*)
La police a retrouvé ses bijoux.	The police found her jewels. (*that had been stolen*)
Je n'ai pu trouver un seul taxi.	I could not find a single taxi.
Où avez-vous trouvé cette jolie lampe?	Where did you find this pretty lamp?

See also **retrouver** meaning *to meet*, Vocabulary Distinctions, Lesson 12, page 198.

To please
Plaire, Faire plaisir

Faire plaisir à quelqu'un means *to please someone* in the sense of *to give pleasure, to make happy.* **Plaire à quelqu'un** means *to please someone* in the sense of *to be found attractive* or *likable by someone, to be liked by.* (Review the section on the use of **plaire**, Vocabulary Distinctions, Lesson 12, page 198.) The distinctions between **plaire** and **faire plaisir** avoid the ambiguity which occurs with *to please.*

Je n'ai accepté que pour vous faire plaisir.	I accepted only to please you.
Il fait tout ce qu'il peut pour lui plaire.	He does all he can to please her. (*so that she will like him*)
Rien ne lui plaît.	Nothing pleases her.

Déplaire, *to displease, dislike,* is used as the antonym of **plaire.**

Il me déplaît.	I dislike him.
En quoi vous a-t-il déplu?	In what way did he displease you?

To be pleased (*displeased*) *to* or *with* is translated **être content (mécontent) de.**

To enjoy
Jouir de, Aimer, S'amuser

The use of **jouir de,** the literal translation of *to enjoy,* is rather limited in French. **Jouir de** denotes a more intense enjoyment than *to enjoy* usually implies in English. It means *to derive a keen pleasure* or *satisfaction* (*from*), *to revel* (*in*). **Jouir de** may also mean, as *to enjoy* does in English, *to enjoy the possession* or *use of* (see last example).

Elle jouit de me voir dans l'embarras.	She enjoys (revels in) seeing me in trouble.
Il jouit de la vie.	He enjoys life (intensely).
Je jouis d'une excellente santé.	I enjoy excellent health.

Ordinarily, to translate *to enjoy,* it is necessary to paraphrase it according to the context or the idea. It may be translated variously by **faire plaisir, faire (quelque chose) avec plaisir, s'amuser** (when *to enjoy oneself* may mean *to have fun* or *a good time*), **plaire** or **aimer** (when *to enjoy* may mean *to like*), **apprécier,** etc. Study the following examples:

Votre visite nous a fait grand plaisir.	We enjoyed your visit.
J'ai lu ce livre avec plaisir.	I enjoyed this book.
Il aime la bonne table.	He enjoys good food.
J'apprécie votre cadeau. (*or,* **Votre cadeau m'a plu.**)	I enjoyed your present.
Avez-vous fait un voyage agréable?	Did you enjoy your trip?
Vous êtes-vous bien amusé pendant vos vacances?	Did you enjoy yourself (have fun) during your vacation?
J'ai passé une bonne soirée.	I enjoyed my evening.
Elle se plaît à taquiner son frère.*	She enjoys teasing her brother.
Vous plaisez-vous en Europe?*	Do you enjoy (living in) Europe?

* Se plaire à (or prendre plaisir à) means *to take pleasure in,* usually somewhat maliciously. Se plaire à, en, dans referring to a place means *to enjoy living, staying,* etc., in a place.

Room
Pièce, Chambre, Salle

Une pièce means any one of the rooms in a house or apartment: **une maison de dix pièces,** *a ten-room house.*

Une chambre refers to one's room: **ma chambre** (short for **ma chambre à coucher**), *my* (*bed*)*room. Bedroom,* unqualified, is usually translated **chambre à coucher** in order to distinguish it from other rooms such as **chambre d'ami,** *guest room* or *spare bedroom;* **chambre de bonne,** *maid's room,* etc.: **Cet appartement n'a que deux chambres à coucher,** but, **cet hôtel n'a que dix chambres.**

Nous cherchons une maison se composant d'un salon, salle à manger, quatre chambres à coucher, trois salles de bains, cuisine, office, chambre de bonne.	We are looking for a house composed of a living room, dining room, four bedrooms, three bathrooms, kitchen, pantry, maid's room.

Except in **salle à manger** and **salle de bains,** the word **salle** usually suggests a room of large proportions, a hall, generally in a public place: **une salle d'attente,** *a waiting room* (in a railroad station); **salle de concert,** *concert hall;* **salle d'audience,** *court room,* **salle de classe,** *classroom,* etc.

[VII]

Replace the verb of the main clause by **entendre dire** or **entendre parler de.**

EXAMPLE   Nous avons su que vous partiez.
Nous avons entendu dire que vous partiez.

1. Avez-vous vu cette pièce?
2. J'ai appris qu'elle doit arriver demain.
3. Vous penserez probablement que c'est ma faute.
4. On discute souvent cette question.
5. Elle a cru que vous ne l'aimiez pas.
6. Avez-vous lu ce roman?
7. J'ai cru qu'il n'était pas venu.
8. Ils n'ont pas regardé cette nouvelle revue.

[VIII]

Reword the following sentences using **apercevoir** or **s'apercevoir de** as needed.

EXAMPLE   Nous avons vu un ami de l'autre côté de la rue.
Nous avons aperçu un ami de l'autre côté de la rue.
Il a remarqué que nous le regardions.
Il s'est aperçu que nous le regardions.

1. Elle a remarqué son erreur.
2. J'ai remarqué qu'il n'écoutait plus.
3. Tu nous as vus trop tard.
4. Il a vu un étrange objet dans le ciel.
5. Nous avons remarqué un fait surprenant.
6. Vous avez vu cette auto qui vient de passer, n'est-ce pas?
7. Ils ont remarqué que vous n'étiez pas là.
8. Ils ont vu leurs amis qui arrivaient en courant.

[IX]

Complete the following sentences.

1. Nous lui avons fait remarquer avec plaisir que vous étiez à l'heure.
Ils _____.
_____ étonnement _____.
_____ tu _____.
_____ en retard.
_____ votre nouvelle auto.
_____ un enfant qui avait l'air perdu.

2. Nous ne savons plus que faire pour lui faire plaisir.
Il _____.
_____ dire _____.
_____ vous _____.
_____ ferait n'importe quoi _____.
_____ essaierait _____.
_____ irait _____ où _____.

3. Je voudrais bien savoir comment plaire au patron.
Ils_____.
_____au professeur.
_____ pouvoir vous _____.
_____ lui _____.
Vous ne réussirez pas à_____.

[X]

Translate, using *enjoy*.

1. Il jouit d'une santé inaltérable.
2. Je les ai revus avec plaisir.
3. Se plaît-il à Paris?
4. Nous avons passé de bonnes vacances.
5. Ils se sont bien amusés hier.
6. Tu te plais à dire des choses désagréables.
7. J'ai apprécié votre visite.
8. Il aime les bons vins.

[XI]

Reword the following sentences using **chambre, chambre à coucher, salle,** or **pièce.**

EXAMPLE   Il y en a huit dans notre maison.
Il y a huit pièces dans notre maison.

1. L'hôtel était plein et ils n'ont pas pu nous en donner.
2. Le règlement défend que les élèves fument en classe.
3. Il s'y est enfermé pour travailler en paix.
4. Je peux vous montrer un appartement qui en a sept.
5. Montez-y ce lit.
6. Si les enfants sont insupportables, envoyez-les-y.
7. Nous avons dû faire repeindre tout l'appartement.
8. Au premier nous en avons deux et une salle de bains.
9. Je serai au théâtre et je vous y attendrai.
10. On ne sait jamais dans quelle partie de la maison il se cache.

IDIOMATIC EXPRESSIONS

au premier   on the first floor (*U.S. : second floor*)
être sage   to behave
n'importe quoi   anything
rendre service   to do a favor
ses forces s'épuisent   his strength gives out

La Grand'maman Nozière
(*extrait*)

ANATOLE FRANCE

Ma grand'mère était alors âgée de vingt et un ans et mariée depuis trois ans au citoyen Danger, adjudant-major[1] d'un bataillon de volontaires du Haut-Rhin.[2]

— C'est un fort joli homme, disait ma grand'mère, mais je ne serais pas sûre de le reconnaître dans la rue.

Elle assurait ne l'avoir vu, en tout, plus de six heures en cinq fois. En partant pour la gloire, Danger avait laissé pour tout bien à sa femme, dans le tiroir d'un secrétaire, des reçus d'argent d'un sien frère,[3] Danger de Saint-Elme, officier à l'armée de Condé,[4] et un paquet de lettres écrites par des émigrés. Il y avait là de quoi faire guillotiner ma grand'mère et cinquante personnes avec elle.

Elle en avait bien quelque soupçon, et à chaque visite domiciliaire dans le quartier, elle se disait: « Il faudra pourtant que je brûle les papiers de mon coquin de mari. » Mais les idées lui dansaient dans la tête. Elle s'y décida pourtant un matin.

Elle avait bien pris son temps!...

Assise devant la cheminée, elle triait les papiers du secrétaire, après les avoir répandus pêle-mêle sur le canapé. Et tranquillement, elle faisait des petits tas, mettant à part ce qu'on pouvait garder, à part ce qu'il fallait détruire. Elle lisait une ligne de ça, une ligne de là, telle page ou telle autre, et son esprit voyageant de souvenir en souvenir, picorait en route quelque brin du passé, quand tout à coup elle entendit ouvrir la porte d'entrée. Aussitôt par une révélation soudaine de l'instinct, elle sut que c'était une visite domiciliaire.

QUESTIONS

1. A quelle époque de l'histoire de la France se passe cet épisode? 2. A quel âge Mme Danger s'était-elle mariée? 3. Pourquoi disait-elle qu'elle n'aurait pas été sûre de reconnaître son mari dans la rue? 4. Qu'est-ce que le citoyen Danger avait laissé pour tout bien à sa femme en partant

[1] adjudant-major, at that time, *second in command.*
[2] le Haut-Rhin, a French department.
[3] un sien frère, *a brother of his.*
[4] Army organized in 1792 by the Prince of Condé, a French exile who tried to restore the monarchy.

pour l'armée? 5. Pourquoi ces papiers étaient-ils dangereux? 6. Que se disait Mme Danger à chaque visite domiciliaire? 7. Où avait-elle répandu les papiers? 8. Que faisait-elle au lieu de tout brûler immédiate-ment? 9. Qu'a-t-elle entendu tout à coup? 10. Qu'a-t-elle deviné ins-tinctivement?

IDIOMATIC EXPRESSIONS

à part   aside
de ça ... de là   ... here ... there
il y avait là de quoi   there was enough there to
(elle) picorait en route quelque brin du passé   she picked as she went along at a few bits of the past
(la) porte d'entrée   front door
pour tout bien   as sole possession
le secrétaire   desk
se décider   to make up one's mind
tel ... ou tel autre   one ... or another
tout à coup   suddenly
(la) visite domiciliare   house search

Lesson *18*

Grammar and Usage

I. THE PRESENT AND PERFECT PARTICIPLES

1. *The present participle with* **en.** The preposition **en** (*while, on, upon, by, in, when*) plus the present participle constitute a gerund, the only form of the gerund used in modern French. **En** must be used even if no preposition is used with the English gerund.

The present participle with **en** denotes:

a. Simultaneity.

Il chante en travaillant.	He sings while working.

b. Means or manner with implication of simultaneity.

En persévérant, vous réussirez.	By persevering you will succeed.
Ils sont arrivés en courant.	They arrived running.

c. Time or circumstance, implication of simultaneity.

En vous quittant, il était très découragé.	On leaving you he was very discouraged. (When he left you he was very discouraged.)
Il est tombé en prenant l'autobus.	He fell (while, when, on, as he was) taking the bus.

CAUTION   Except in some sayings such as **l'appétit vient en mangeant,** *appetite comes while (one is) eating,* the gerund may refer only to the subject of the verb it modifies, i.e., the two actions expressed in the sentence are performed by the same subject.

En may be reinforced with **tout** to stress simultaneity, usually with the idea of continuity, or to emphasize a concession or a restriction.

| Tout en bavardant, nous sommes arrivés devant chez nous. | While chatting (all along) we arrived in front of our house. |
| Tout en connaissant ma situation, il n'a pas offert de m'aider. | While knowing (although he knew) my situation he did not offer to help me. |

NOTE   The English construction *to begin by* or *to end by* or *to finally* . . . is translated in French by **commencer par** or **finir par** plus an infinitive, provided **commencer** and **finir** have no direct object.

Il a commencé par refuser.	He began by refusing.
Il a fini par accepter.	He finally accepted.
but	
J'ai commencé ma journée en manquant le train.	I began my day by missing the train.

2. *The present participle without* **en.** The present participle without **en,** hereafter simply referred to as the present participle, is used as in English to denote:

a. Cause, reason, or motive.

| Voyant qu'il était ennuyé, je l'ai laissé tranquille. | Seeing that he was worried, I left him alone. |
| Le directeur étant occupé, j'ai dû revenir plus tard. | The director being busy, I had to come back later. |

b. An action which took place immediately before the action of the main verb, or at the moment it began.

| Prenant son fusil, il courut après le voleur. | Taking his gun, he ran after the thief. |
| Ouvrant la porte avec précaution, il est entré sans faire de bruit. | Opening the door cautiously, he walked in without making any noise. |

c. A condition.

| Dieu aidant, nous vaincrons. | God helping, we shall vanquish. |

d. Result.

| Le garde s'endormit, laissant échapper le prisonnier. | The guard fell asleep, (thereby) letting the prisoner escape. |

e. An attending or incidental circumstance.

| Il est descendu du train, oubliant sa valise. | He got off the train, forgetting his suitcase. |

3. The present participle may be used instead of a relative (adjectival) clause to distinguish or identify the object or subject of the main verb. However, when the antecedent of **qui** is a definite noun or pronoun, it is usually preferable to retain the relative clause, even though one might not be used in English.

Un homme, prétendant (qui prétend) vous connaître, désire vous parler.

A man claiming to know you (who claims he knows you) wishes to speak to you.

Il a cédé sa place à une femme portant (qui portait) un enfant.

He gave his seat to a woman carrying (who was carrying) a child.

but

Qui est ce monsieur qui parle au docteur?

Who is that gentleman speaking (who is speaking) to the doctor?

Nous l'avons trouvé qui arrosait son jardin.

We found him watering his garden.

Note also the use of **en train de** (*in the act of*) + infinitive to stress that an action was in progress: **Nous l'avons trouvé en train d'arroser son jardin.**

With verbs of perception, only, it is possible in certain cases to translate an English present participle by a French present participle instead of the complementary infinitive, in order to qualify the object perceived or to show that an action is or was in progress; but, for that purpose, it is safer to use a relative clause or **en train de** + infinitive.

J'ai vu un homme cueillir (cueillant) vos fleurs.
J'ai vu un homme qui cueillait vos fleurs.
J'ai vu un homme en train de cueillir vos fleurs. ⎫⎬⎭ I saw a man picking your flowers.

4. *The perfect participle.* The perfect participle is used as in English to show that the action has been completed in relation to another action.

Ayant fini mes leçons, je suis (étais) complètement libre.

Having finished my lessons, I am (was) completely free.

Etant parti à huit heures, il était ici à midi.

Having left at eight, he was here at noon.

NOTE The present or perfect participle may be used after **quoique** or **bien que** instead of a subjunctive clause when its subject is the same as that of the main verb. This construction is used particularly to avoid the imperfect subjunctive (see Lesson 16, page 259).

Quoique travaillant ensemble, nous ne nous aimions guère. (*instead of* **Quoique nous travaillassions ensemble . . .**)	Although we were working together we did not like each other much.

5. The present participle cannot be used:

a. To translate the English progressive form *to be* + present participle. As already noted in Lesson 1, when the speaker wishes to emphasize that an action is in progress, **être en train de** + infinitive is used.

Il est (était) encore en train de dépenser tout son argent.	He is (was) spending all his money again.

b. To translate an English gerund used as an alternative to a complementary infinitive.

Je préfère rester à la maison.	I prefer staying (to stay) home.

c. To translate an English gerund or verbal noun used as subject or as predicate. An infinitive is used in French if one could be used in English (see Lesson 17, page 272), otherwise a noun.

La nage et le tennis sont mes sports favoris.	Swimming and tennis are my favorite sports.

d. To translate a gerund used in English with a possessive noun or adjective. A subordinate clause must be used in French.

Nous le ferons sans que Jean s'en doute.	We shall do it without John's suspecting it.

e. To translate an English present participle used adjectively to denote a position already assumed such as: *sitting, leaning, bending,* etc., a past participle must be used in French, except that *standing* is translated **debout** (see Vocabulary Distinctions, this lesson). In French the present participle of these verbs, which for the most part are reflexive, denotes the action of assuming a position.

Agenouillés derrière un tronc d'arbre, ils attendaient l'ennemi. (*state*)	Kneeling behind a tree trunk, they were awaiting the enemy.
but	
S'agenouillant derrière un tronc d'arbre ils attendirent l'ennemi. (*action*)	Kneeling behind a tree trunk they waited for the enemy.

REMINDER   An infinitive must be used in French after all prepositions, except the preposition **en.**

6. *The present participle used as an adjective.* As in English, many participles in French serve as adjectives or have become adjectives; in either case they agree in gender and number with the noun they qualify, whereas the present participle used as a verb to denote action always remains invariable.

une histoire intéressante	an interesting story
une journée fatigante	a tiring day
Les nouvelles sont rassurantes.	The news is reassuring.
une charmante femme	a charming woman.

NOTE   Most participles ending in **–quant** and **–guant** changed to **–cant** and **–gant** when they became adjectives; a certain number of **–ant** endings changed to **–ent.** (Note that it is in these forms that a number of adjectives borrowed from the French appear in English: **une enfant negligente,** *a negligent child;* **une maison vacante,** *a vacant house.*)

[I]

Reword the following sentences, using the present participle with or without **en,** as needed.

EXAMPLE   Il est parti. Il courait.
> *Il est parti en courant.*

1. Elle s'est calmée quand elle l'a vu.
2. Il avait faim, il a envoyé chercher des sandwichs.
3. Elle conduisait et elle écoutait la radio.
4. Pendant qu'il marchait il nous parlait des gens du village.
5. J'ai vu qu'il était de mauvaise humeur, je n'ai pas insisté.
6. Il a renversé une lampe quand il est sorti.
7. Elle pleurait pendant qu'elle lisait la lettre.
8. Il n'avait rien de mieux à faire, il est allé au cinéma.
9. L'orage a rompu toutes les lignes d'électricité. Il a laissé toute la ville sans courant.
10. Il écoutait mais il avait l'air de ne pas faire attention.

[II]

Reword the following sentences, using the verbs **commencer** and **finir** to replace **au début** and **à la fin.** Make all necessary changes.

EXAMPLE   Au début nous avons refusé.
Nous avons commencé par refuser.
Au début de la lettre il s'est excusé de ne pas avoir répondu plus tôt.
Il a commencé la lettre en s'excusant de ne pas avoir répondu plus tôt.

1. Au début de l'entrevue il s'est excusé de son retard.
2. A la fin ils se sont enfuis.
3. A la fin de son histoire elle pleurait.
4. Au début de la leçon il a fait une dictée.
5. A la fin ils ont envoyé chercher un médecin.
6. Au début cela m'a donné le vertige.
7. A la fin ils se sont trompés de chemin.
8. Au début de la classe il nous a dit que les examens seraient difficiles.

[III]

In the following sentences, replace the relative clause by a present participle.

EXAMPLE   Un garçon qui portait une énorme valise lui a parlé.
Un garçon portant une énorme valise lui a parlé.

1. Un homme qui poussait une bicyclette montait la côte.
2. Une fillette qui pleurait à chaudes larmes les a arrêtés.
3. Un avion qui transportait du courrier s'est perdu en mer.
4. Ils entrèrent dans une pièce qui sentait le tabac.
5. Nous nous sommes adressés à un homme qui portait un uniforme blanc.
6. Un employé qui fumait une cigarette lui demanda ce qu'il voulait.
7. Un étudiant qui conduisait une vieille auto est venu vous demander.
8. Une femme qui semblait affolée est entrée chez le commissaire de police.

[IV]

In the following sentences, replace the construction with **en train de** by a relative clause.

EXAMPLE   Je l'ai vu en train de lire le journal.
Je l'ai vu qui lisait le journal.

1. Nous l'avons surpris en train de tricher.
2. Ils ont réveillé l'enfant qui était en train de s'endormir.

3. Nous regardons la marée qui est en train de monter.
4. Elle l'a trouvé en train de fumer tranquillement sa pipe.
5. Connaissez-vous ce garçon qui est en train de parler?
6. Il rallume sa pipe qui est en train de s'éteindre.
7. Ils ont sauvé l'enfant qui était en train de se noyer.
8. Regardez l'avion à réaction qui est en train d'atterrir.

[V]

The following sentences describe a position being taken. Make all necessary changes to have them describe a state.

EXAMPLE   S'asseyant au pied d'un arbre il admira le paysage.
Assis au pied d'un arbre il admirait le paysage.

1. S'adossant à la cheminé, il a regardé autour de lui.
2. Se penchant sur son livre, elle a lu chaque mot avec soin.
3. S'allongeant au soleil, il écouta le bruit de la mer.
4. S'accoudant sur le parapet, il regarda passer les bateaux.
5. Se penchant par la fenêtre, elle a appelé les enfants.
6. S'agenouillant, elle a prié avec ardeur.
7. S'asseyant dans son fauteuil, il nous a regardés.
8. S'appuyant sur sa cane, il surveilla la route.

[VI]

Give the adjective formed from the present participle of the following verbs.

EXAMPLE   Charmer: *Charmant*.

1. Convaincre.   3. Intriguer.   5. Décourager.
2. Satisfaire.   4. Surprendre.   6. Engager.
            7. Changer.   9. Fatiguer.
            8. Obliger.   10. Négliger.

II. THE PAST PARTICIPLE

Besides serving to form the compound tenses the past participle may, as in English, serve as an adjective used to qualify a noun either as an epithet or as an attribute, usually with a passive meaning. As an adjective the participle agrees in gender and number with the noun it qualifies. (For the agreement of the past participle in compound tenses, see Lesson 6, page 94.)

une personne distinguée	a distinguished person
Ils sont épuisés.	They are exhausted.
Convaincus de son innocence, les juges l'ont acquitté.	Convinced of his innocence, the judges acquitted him.
Elles ont vécu respectées de tout le monde.	They lived respected by everyone.

REMINDER   The past participle used as an epithet follows the noun it qualifies.

Vocabulary Distinctions

Verbs and expressions of locomotion

To walk: **marcher, aller (venir) à pied**

Marcher means the actual motion of walking, of proceeding on one's feet, or *to walk* as opposed to *to run*, also *to step, to tread*.

Aller (venir) à pied (*to go, come on foot*) denotes a mode of locomotion as opposed to *to drive* or *ride*. **A pied** is omitted if it is understood or obvious from the context that no conveyance is used.

Il marchait le long de la route.	He walked alongside the road.
Marchons plus vite.	Let us walk faster.
Ne marchez pas sur ce tapis.	Don't walk (step) on this rug.
Il a dû aller à la gare à pied.	He had to walk to the station (go to the station on foot).
Comment êtes-vous venu? — Je suis venu à pied. (*or simply:* A pied.)	How did you come? — I walked.
Il est allé à la poste chercher un colis.	He walked (went) to the post office to get a parcel.

To drive: **aller (venir) en ..., conduire;** *to ride:* **aller (venir) en, à ..., monter à ...**

The verbs *to drive* and *to ride*, denoting a mode of locomotion, are translated by **aller** or **venir** followed by **en auto, en voiture, à cheval, à bicyclette,** etc. (i.e., *to go [come] by automobile, by car, on horseback, on a bicycle*). However, when the means of locomotion is obvious from the context or is understood, **aller, venir** are used without qualification just as *to go* or *come* could be used in English instead of *to drive (ride)*.

Irez-vous à Washington en auto?	Will you drive to Washington? (Will you go to Washington by car?)
Oui, voulez-vous venir avec moi?	Yes, will you ride with me?

Comment est-il venu? — Il est venu à bicyclette.	How did he come? — He rode (came) on a bicycle.
Nous sommes allés au collège dans la nouvelle voiture d'Emile.	We drove (rode, went) to school in Emile's new car.
Il y est allé sur sa bicyclette.	He rode (went) there on his bicycle.

Conduire, used absolutely, means to act as the driver of a vehicle. *To drive (someone) to . . .* is translated **conduire quelqu'un en auto.**

Ne conduisez pas si vite.	Don't drive so fast.
Je l'ai conduit à la ville en auto (dans mon auto).	I drove him to town (in my car).

Monter à . . . expresses the actual action of riding and controlling a conveyance: **monter à cheval,** *ride (horseback);* **monter à bicyclette, à motocyclette,** *to ride a bicycle, a motorcycle.*

Savez-vous monter à cheval?	Do you know how to ride?
Il apprend à monter à bicyclette.	He is learning to ride a bicycle.

NOTE   **Une voiture** means any type of carriage, but nowadays it is taken to mean *an automobile,* unless otherwise specified. Note also that **une auto** is a colloquialism like many other abbreviated words. Formally, **une automobile** is used.

The following are given as examples of how to translate expressions of locomotion:

To fly: **aller (venir, voyager) en avion,** i.e., *to go (come, travel) by plane;* in the ordinary sense: **voler.**

To drive back from (to): **revenir de (retourner à) en auto;** *to drive someone back:* **reconduire (ramener) quelqu'un en auto;** *to drive across (through):* **traverser en auto;** etc.

To walk across meaning *to cross:* **traverser;** *to walk across* meaning *to cross on foot:* **traverser à pied;** *to swim across:* **traverser à la nage.**

Take (go for) a drive: **faire une promenade en auto;** *a horseback (bicycle) ride:* **une promenade à cheval (à bicyclette);** *a walk:* **une promenade (à pied),** added only if it is desired to indicate that no conveyance was used). In these expressions, **promenade** is the equivalent of *outing.*

Note also that *to walk in (into)* is translated **entrer (dans),** i.e., *to enter, come in; to walk out:* **sortir;** *to walk down:* **descendre;** *to run in:* **entrer en courant,** i.e., *to come in running.* **Il est entré dans ma chambre en courant,** *He ran into my room.*

Passenger
Passager, Voyageur

Un **passager** (*fem.* **passagère**) is used for *passenger* on a ship, a boat, or a plane. With other types of conveyance **voyageur** is used (*fem.* **voyageuse**).

Positions of the body

To sit: **s'asseoir, être assis, rester assis**

S'asseoir expresses the act of sitting down; **être assis** expresses a state, denotes a position: *to be sitting;* **rester assis** means *to remain seated* or *to sit* over a given time period. Assis (*sitting* or *seated*) is a participle used adjectivally and therefore agrees in gender and number with the subject.

Asseyez-vous, je vous prie.	Sit down, please.
Où voulez-vous que je m'asseye?	Where do you want me to sit?
Elle était assise devant son miroir.	She sat (was sitting) in front of her mirror.
Que tout le monde reste assis!	Everybody remain seated!
Elles sont restées assises dans le jardin toute la matinée.	They sat in the garden the whole morning.
Il se reposait assis à l'ombre.	He rested sitting in the shade.

Similarly used are other verbs denoting position: **s'agenouiller,** *to kneel,* **être agenouillé** or **à genoux,** *to be kneeling, to be on one's knees;* **se pencher,** used absolutely or followed by **sur (au dessus),** *to lean over;* **s'adosser contre (à),** *to lean back against.* (For the use of the past or present participle of these verbs, see page 291, this lesson.)

To stand up: **se lever, se mettre debout;** *to stand:* **être debout, rester debout, se tenir debout**

Se lever expresses the act of standing up from a sitting or lying position: *to get up, to rise;* **se mettre debout** means *to stand up* but not necessarily from a sitting or lying position, and it must be used when *to stand up* is followed by a prepositional complement of place.

Il s'est levé quand nous sommes entrés.	He stood up (rose, got up) when we entered.
Je me suis mis debout sur un banc pour mieux voir.	I stood up on a bench in order to see better.

Etre debout, rester debout are used in the same way as **être assis, rester assis,** but **debout** being an adverb, it remains invariable.

Est-elle assise? — Non, elle est debout.	Is she sitting? — No, she is standing.
Ne restez pas debout.	Don't remain standing.
Ils ont dû rester debout pendant tout le trajet.	They had to stand (remain standing) during the whole trip.

Se tenir debout (literally, *to hold oneself standing up*) is nearly a synonym of **rester debout** but with a more active meaning, i.e., it implies that the position has been assumed and held more or less deliberately, rather than just to denote a passive state.

Il s'est tenu debout toute la soirée.	He stood up the whole evening. (*he chose or preferred to remain standing*)

Se tenir assis (or other positions) may also be used in the same way.

NOTE   **Se tenir** is used without **debout** when the position can be inferred from the context or is immaterial. It translates *to stand* used in the sense of *to occupy a place, to be located, to remain* or *stay.*

Il s'est tenu sous un arbre pendant l'orage.	He stood (remained) under a tree during the storm.

Comfortable
Confortable, Bien, A l'aise

Confortable can only be used for referring to things, mostly objects one uses: pieces of furniture, dwellings, vehicles, etc. *To be comfortable* referring to persons is translated **être bien** or **être à l'aise,** the latter implying the additional idea of roominess.

Ils habitent un appartement confortable.	They live in a comfortable apartment.
Etes-vous bien (à l'aise) dans ce fauteuil?	Are you comfortable in this armchair?

[VII]

Replace the verb describing the action in the following sentences by **marcher** or **aller à pied.**

EXAMPLE   Il se promène lentement.
    Il marche lentement.

1. Il a couru à la gare qui était pourtant assez loin.
2. Nous nous promenons depuis une heure.
3. Il est retourné chez eux.
4. Il est défendu de se promener sur l'herbe.
5. Je l'ai vu qui s'acheminait vers l'université.
6. Il aime se promener.

[VIII]

Complete the following sentences.

1. Ils sont allés à New York en auto.
———————————— en avion.
——————— à la campagne à bicyclette.
———————————— à cheval.
——————— se promener ————.
———————————— à pied.

2. Nous avons traversé l'Atlantique en avion.
——————————— la rivière à la nage.
Elle ——————————————.
——————————— la Manche ———.
——————————— la rue en courant.
————— monté l'escalier ————.

3. Je sais monter à cheval.
J'apprends à ————.
——————— à bicyclette.
——————— conduire.
———————une auto.
J'aimerais savoir —————.

4. Les passagers sont descendus de l'avion.
———————————— du bateau.
———————————— paquebot.
—— voyageurs ——————— train.
———————————— métro.
———————————— de l'autobus.

5. Il se tient debout parce qu'il le veut bien.
— reste—————————————.
——————— assis —————————.
— se tient ————————————.
——————— là ————————————.

[IX]

Replace **s'asseoir** by **se lever, être assis** by **être debout**, and **rester assis** by **rester debout**. Translate into idiomatic English.

EXAMPLE   Asseyez-vous donc!   *Do sit down.*
Levez-vous donc!   *Do get up.*

1. Il est resté assis pendant la cérémonie.
2. Nous nous sommes assis rapidement.
3. Elles sont assises depuis longtemps.
4. Ne restez pas assises!
5. C'est fatigant d'être tout le temps assis!
6. Pourquoi ne vous asseyez-vous pas?
7. Elle est restée assise sans parler.
8. Asseyons-nous!

[X]

Reword the following sentences, using **confortable** or **à l'aise.**

EXAMPLE   Nous sommes bien.
Nous sommes à l'aise.

1. Ce fauteuil est très commode.
2. Jean n'est jamais bien.
3. Etes-vous bien?
4. Voici un salon où on aime s'asseoir.
5. Je voudrais une chaise sur laquelle on soit bien assis.
6. Vous êtes sûr qu'il est bien?
7. Ces chaussures ne sont pas assez grandes.
8. Que je suis donc bien!

IDIOMATIC EXPRESSIONS

au début   in the beginning
depuis longtemps   for a long time
donner le vertige   to make dizzy
en avion, en auto   by plane, by car
en mer   at sea
faire une dictée   to give a dictation
les lignes d'électricité   electric lines
pleurer à chaudes larmes   to weep bitterly
s'acheminer   to set out, make one's way toward

sans courant   without electricity
s'appuyer sur   to lean on, rest
se calmer   to quiet down, calm down, become calm
s'éteindre   to be extinguished, be put out
se pencher par   to lean out of
se tromper de chemin   to take the wrong road
traverser la rivière à la nage   to swim across the river

La Grand'maman Nozière
(*suite*)

Elle saisit à brassée tous les papiers et les jeta sous le canapé, dont la housse traînait jusqu'à terre. Et, comme ils débordaient, elle les repoussa du pied sous le meuble. Une corne de lettre passait encore comme le bout de l'oreille d'un petit chat blanc, quand un délégué du Comité de sûreté générale[1] entra dans la chambre avec six hommes de la section,[2] armés de fusils, de sabres et de piques. Madame Danger se tenait debout devant le canapé. Elle songeait que la certitude de sa perte n'était pas tout à fait entière, qu'il lui restait une petite chance sur mille et mille, et ce qui allait se passer l'intéressait extrêmement.

— Citoyenne, lui dit le président de la section, tu es dénoncée comme entretenant une correspondance avec les ennemis de la République. Nous venons saisir tous tes papiers.

L'homme du Comité de sûreté générale s'assit sur le canapé pour écrire le procès-verbal de la saisie.

Alors ces gens fouillèrent tous les meubles, crochetèrent les serrures et vidèrent les tiroirs. N'y trouvant rien, ils défoncèrent les placards, culbutèrent les commodes, retournèrent les tableaux et crevèrent à coups de baïonnette les fauteuils et les matelas; mais ce fut en vain. Ils éprouvèrent les murs à coups de crosse, explorèrent les cheminées et firent sauter quelques lames du parquet. Ils y perdirent leur peine. Enfin, après trois heures de fouilles infructueuses et de ravages inutiles, ils se retirèrent en promettant bien de revenir. Ils ne s'étaient pas avisés de regarder sous le canapé.

QUESTIONS

1. Qu'est-ce que Mme Danger a fait de tous les papiers? 2. A-t-elle réussi à les bien cacher? Expliquez. 3. Qui est entré dans la pièce et comment les hommes étaient-ils armés? 4. Mme Danger était-elle certaine de sa perte? Expliquez. 5. De quoi était-elle accusée? 6. Où le délégué du Comité de sûreté générale s'est-il assis? 7. Qu'est-ce que lui et ses hommes étaient venus faire? 8. Combien de temps ont-ils passé à fouiller et ravager la chambre? 9. Quel a été le résultat de la fouille? 10. De quoi aucun d'eux ne s'était avisé?

[1] **le Comité de sûreté générale,** *Committee of Public Safety.*
[2] **la section,** district revolutionary committee.

IDIOMATIC EXPRESSIONS

à brassée   by the armful
à coups de baïonnette   with bayonet thrusts
à coups de crosse   with blows of rifle butts
crocheter les serrures   to pick locks
faire sauter   to pry open
(la) lame de parquet   floor board
perdre sa peine   to waste one's effort
le procès-verbal de la saisie   record of confiscation
s'aviser   to think of, occur to one
se retirer   to retire, withdraw

Lesson **19**

Grammar and Usage

SPECIAL CONSTRUCTIONS WITH CERTAIN INFINITIVE SENTENCES

REGULAR CONSTRUCTIONS

So far, no special attention has been given to the position of nouns or pronouns serving as object of the infinitive since with the majority of verbs this presents no problem. As with any other form of the verb, the infinitive is preceded by pronoun objects, followed by noun objects.

Nous voulons voir *Jean.*	We want to see *John.*
Elle veut *le* voir aussi.	She wants to see *him* too.
Voulez-vous *le lui* dire?	Will you tell *it to him?*
Il a oublié de *vous en* parler.	He forgot to speak *to you about it.*
Je regrette de *vous l'*avoir donné.	I regret having given *it to you.*
Nous *lui* avons promis de venir.*	We promised *him* to come.

* In this example, lui is the object of the main verb and therefore precedes it.

In the above sentences the action of the main verb and that of the infinitive is performed by the same subject. In the following sentences the action of the main verb and that of the infinitive is performed by different subjects.

J'ai demandé *à Paul* de m'apporter le journal.	I asked *Paul* to bring me the newspaper.
Il *m'*a dit de me dépêcher.	He told *me* to hurry.
C'est moi qui *l'*ai invitée à nous accompagner.	It is I who invited *her* to accompany us.
***Lui* conseillez-vous d'accepter?**	Do you advise *him* to accept?
Elle ne *nous* a pas entendu rentrer.	She did not hear *us* come home.
Je *vous* ai vu le lui donner.	I saw *you* give it to her.
Empêchez-*les* de faire une sottise.	Prevent *them* from making a blunder.

303

In French as in English, the words in italics serve at the same time as object of the main verb and as subject of the infinitive. They retain the position they would have if they were simply objects of the main verb. Nouns or pronouns so used are often called by French grammarians *l'objet-sujet;* however, for the sake of convenience they will be referred to as subject of the infinitive in the discussion of the special constructions that follows.

SPECIAL CONSTRUCTIONS

With the verbs **faire** and **laisser** and with verbs of perception followed by an infinitive, the rules governing the use of the subject and object of the infinitive deviate in certain cases from those given in the preceding section. The following rules of usage are not exhaustive but should suffice in the majority of cases.

1. The causative **faire.**

Faire + infinitive, meaning *to make* or *have someone do something, to have something done, to cause to do* or *to be done*, requires special attention.

Faire and the infinitive it governs form a unit. Consequently, all nouns, whether subject or object of the infinitive, must follow it; all pronouns, whether subject or object of the infinitive, must precede **faire,** except in the affirmative imperative where they follow it. Otherwise, the only other words that may separate **faire** from its infinitive are the second part of a negation (in simple tenses, of course), certain adverbs, or a reflexive pronoun.

Faites venir *le caissier* dans mon bureau.	Have the cashier come to my office.
Je *l'y* ferai venir immédiatement.	I shall have him come (there) immediately.
Avez-vous fait réparer *votre bicyclette?*	Did you have your bicycle repaired?
Je ne *la* ferai pas réparer.	I shall not have it repaired.
Nous *le* ferons écrire à sa famille.	We shall make him write to his family.

Study the following explanations and examples:

a. Whenever a direct object is present, be it a pronoun, a noun, or a clause, the subject of the infinitive is expressed by an indirect object pronoun.

Je *lui* ferai lire ce document.	I shall have him read this document.
Je le *lui* ferai lire.	I shall have him read it.
Les documents que je *lui* ai fait lire...	The documents I had him read ...
Faites-*lui* comprendre que je suis occupé.	Make him understand that I am busy.

b. When in the English sentence the subject of the infinitive is a noun and a direct object is present, the subject in the French sentence is expressed by **à** + noun or by **par** + noun, i.e., an agent. In those cases the infinitive has a passive meaning in French.

Vous devriez faire lire ces documents *à votre avocat.*	You ought to make your lawyer read these documents. (You ought to have these documents read by your lawyer.)
J'ai fait écrire *à Paul* **une lettre de remerciements à Mme X.**	I made Paul write a letter of thanks to Mrs. X.

If **à** + noun could be confused with an indirect object, **par** + noun must be used. In the sentences above, **à votre avocat** may be used because it is unlikely that the documents will be read *to* the lawyer, and **à Paul** is used because the context makes clear that the letter can be written only *by Paul*, not *to Paul*. But in the following examples, the distinction must be made to avoid ambiguity.

J'ai fait écrire une lettre *par* **Paul.**	I made Paul write a letter.
J'ai fait écrire une lettre *à* **Paul.**	I had a letter written to Paul.

In doubtful cases it is usually safer to use **par** + noun.

c. **Par** + noun must be used when in the English sentence *by* + noun is used to specify the agent of the action in a passive construction.

J'ai fait réparer ma bicyclette par un bon mécanicien.	I had my bicycle repaired by a good mechanic.

Par + noun must also be used to express the agent when the object of the infinitive is a person or when the infinitive has an indirect object (last example).

Faites réveiller les enfants par la bonne.	Have the maid wake the children.
Il lui a fait répondre par sa secrétaire.	He had his secretary answer him.
Je ferai répondre à cette lettre par ma secrétaire.	I shall have my secretary reply to this letter.

d. **Lui, leur, me, nous,** etc., are used whether the antecedent is **à** + noun or **par** + noun. The apparent ambiguity is only one of form. Normally, the context will make the meaning clear, and it is only in rare cases that it should be necessary to use **par** + a disjunctive pronoun.

Je la lui ferai écrire.	I shall have it written *to* (or *by*) him.
Je leur en ferai donner.	I shall have some given *to* (or *by*) them.

Je lui ferai faire une robe.	I shall have a dress made *for* (or *by*) her.
Je vous en ferai faire une.	I shall have one made *for* (or *by*) you.

e. Most of the adverbs that are placed between the auxiliary and the past participle may be placed between **faire** and the infinitive (see Appendix III, page 376).

Vous me faites toujours punir.	You always cause me to be punished.

NOTE   When the infinitive is a reflexive verb, it is treated as if it were an ordinary verb: **faites-*le* se laver,** but **faites-*lui* se laver les mains.** (With a few verbs, the reflexive pronoun may be omitted: e.g., **faites-le [s']asseoir,** but it is never incorrect to retain it and it is safer.)

CAUTION   The causative **faire** cannot be used if it would require an impossible juxtaposition of pronouns, subject or object of the infinitive: two indirect object pronouns, three pronoun objects, or **me, te, nous, vous** used with one another or with **lui, leur.** In such cases, **demander (de), dire (de)** are used instead of **faire.**

Je lui demanderai de leur envoyer un chèque. (*Not:* **Je lui leur ferai envoyer un chèque.**)	I shall have him send them a check (I shall ask him to send them a check).
Je lui dirai de vous récompenser. (*Not:* **Je vous lui ferai récompenser.**)	I shall have him reward you.

2. Se faire + infinitive is used to show that the subject will have, had, or is having something done for himself or to himself.

Nous nous sommes fait bâtir une nouvelle maison à la campagne.	We had a new house built in the country (for ourselves).
Je me ferai couper les cheveux.	I shall have my hair cut.
Il s'est fait donner un livre par le bibliothécaire.	He had the librarian give him a book.

3. Laisser *and verbs of perception* + *infinitive.* Some of the constructions which are mandatory with the causative **faire** + infinitive are or may be used with **laisser,** particularly, and with the verbs of perception **voir, entendre, regarder, écouter, sentir,** and **apercevoir.** The constructions given below are not all compulsory but are quite customary.

a. When the subject of the infinitive is a noun, or an indefinite pronoun, it usually follows the infinitive of an intransitive verb, provided the latter has no complement.

Je vois venir *un taxi*.	I see *a taxi* coming.
Ne laissez pas partir *vos amis*.	Don't let *your friends* leave.
Nous sentions venir *un orage*.	We felt *a storm* coming.
but	
Avez-vous vu ma sœur descendre du train?	Did you see my sister get off the train?

b. With the infinitive of a transitive verb, the noun used as subject precedes the infinitive in accordance with the general rule.

| Elle regarde ses enfants manger. | She watches her children eat. |

NOTE Following the infinitive of a transitive verb, a noun can only be its object. If there is no subject, or if the subject is expressed by **par** + noun (agent), the French infinitive has a passive meaning and is used to translate an English past participle.

| Nous avons vu *arrêter* un pickpocket. (**t** *is silent*) | We saw a pickpocket being *arrested*. |
| J'ai entendu *louer* votre thèse par un de vos professeurs. | I heard your thesis *praised* by one of your professors. |

When the object of an infinitive having a passive meaning is a pronoun, it precedes the main verb.

| Nous *l'*avons vu arrêter. | We saw *him* being arrested. |
| Je *l'*ai entendu louer par un de vos professeurs. | I heard *it* praised by one of your professors. |

c. When both the subject and the direct object of the infinitive are pronouns, either one of these two constructions is possible:

(1) Both pronouns may precede the main verb, in which case an indirect object pronoun is used for the subject.

(2) The pronouns may be used in the regular manner, i.e., subject before the infinitive, object before the main verb, in which case a direct object pronoun is used for the subject.

The first construction is the more usual, particularly with **laisser,** and when the object is a thing. The second construction must be used if the first would result in an impossible juxtaposition of pronouns (see Caution, page 306).

Nous ne *le leur* laisserons pas lire.	We shall not let *them* read *it*.
Je *le lui* ai vu lire. (*Rather than:* **Je** l'ai vu le lire.)	I saw *him* read *it*.
but	
Je *l'*ai entendu *vous* louer. (*Not:* **Je** vous lui ai entendu louer.)	I heard *him* praise *you*.

Note also:

Nous *lui en* avons laissé prendre une. (*or* Nous *l'*avons laissé *en* prendre une.)	We let *him* take *one* (of them).
Je *l'y* ai vu aller. (*or* Je *l'*ai vu *y* aller.)	I saw *him* go *there*.
Je *l'*ai vu *en* revenir.	I saw *him* return *from there*.

When **y** and **en** are adverbs a direct object pronoun is used, whatever the construction.

d. With **laisser**, sometimes with **voir** and **entendre**, when the direct object of the infinitive is a noun or a clause, an indirect object pronoun is used for the subject.

Je *lui* ai laissé voir mon inquiétude.	I let *her* see my anxiety.
Je *lui* ai laissé voir que j'étais inquiet.	I let *her* see that I was worried.
Nous *lui* avons entendu dire que vous aviez renoncé à votre voyage.*	We heard *him* say that you had given up your trip.

* Lui or leur are almost always used with **entendre dire que**.

e. With **laisser** + **voir, croire, entendre** (*to hear* or *understand*), **faire**, and a few other verbs (which must be learned from observation), the noun subject is expressed by **à** + noun if a direct object is present.

Ne laissez pas voir votre inquiétude *à votre femme*.	Don't let your wife see your anxiety.
Ne laissez pas voir *à votre femme* que vous êtes inquiet.	Don't let your wife see that you are worried.

f. When the infinitive has an indirect object, or both a direct and an indirect object, or when the infinitive is a reflexive or a reciprocal verb, the regular construction is used.

Avez-vous vu le caissier leur donner leur chèque?	Did you see the cashier give them their check?
Oui, je l'ai vu le leur donner.	Yes, I saw him give it to them.
Je les entends se quereller.	I hear them quarreling.
Ne le laissez pas s'en approcher.	Don't let him go near it.

[I]

In the following sentences replace the objects by the suitable pronouns.

EXAMPLE   Voulez-vous demander à Jean d'attendre?
Voulez-vous le lui demander?

1. J'ai oublié de parler à Marie de nos projets.
2. Il regrette de vous avoir dit cela.

3. Nous voulons emprunter son phono à Henri.
4. Dites à Jacques de corriger ses exercices.
5. Nous avons demandé à Janine de conduire vos amis à la gare.
6. Pourquoi as-tu refusé d'écouter ton père?
7. Il ne veut pas parler de ses ennuis à ses parents.
8. Conseillez à Hélène de ne jamais prêter ses disques à cet étudiant-là.

[II]

In the following sentences replace the objects by pronouns.

1. Nous ferons savoir cela à vos amis.
2. Faites comprendre à Jean qu'il a tort.
3. Faites servir immédiatement leur repas à ces clients impatients.
4. Il a fait donner de l'eau à son cheval.
5. Faites dire à ces personnes d'attendre un moment.
6. Vous avez fait remarquer leurs erreurs aux étudiants.
7. Fais taire ces enfants.
8. Nous avons fait voir l'article à Jean.
9. Avez-vous fait venir le charpentier chez vous?
10. Il a fait recopier l'exercice par ses élèves.

[III]

In the following sentences replace the direct object pronoun by **la lettre** and the indirect object pronoun by **Jean.** In so doing, you will notice that two different sentences can be formed. Give both.

EXAMPLE   Je la lui fait lire.
Je fais lire la lettre à Jean.
Je fais lire la lettre par Jean.

1. Il la lui fait dicter.
2. Nous la lui faisons donner.
3. Vous la lui faites écrire.
4. Elle la lui a fait porter.
5. Tu la lui feras envoyer.

[IV]

In the following sentences replace the pronoun **les** by **les enfants.**

EXAMPLE   Je les ai vus arriver à l'école.
J'ai vu les enfants arriver à l'école.

1. Elle les laisse pleurer.
2. Vous les avez entendu gronder par leur mère.
3. Nous les voyons venir.
4. Il les regarde descendre de voiture.
5. Nous les avons vus boire.
6. Je les ai entendu appeler par leurs amis.
7. Tu les regardes jouer.
8. Ne les laissez pas partir.

[V]

In the following sentences replace the nouns by pronouns.

EXAMPLE   Nous laissons Jean écouter ce programme.
          Nous le lui laissons écouter.

1. Il a vu l'enfant manger le fruit.
2. Avez-vous entendu Marie chanter cet air?
3. Il laisse son fils conduire l'auto.
4. Elle regarde l'archiviste classer des dossiers.
5. Il aime voir les badauds admirer la vitrine.
6. J'ai entendu Marie louer le concert.
7. Nous avons laissé l'étudiant prendre le livre.
8. Il a vu l'homme voler le sac.

[VI]

Replace the noun object by a pronoun and the noun of location by the appropriate adverb. Give the two possible constructions.

EXAMPLE   Il laisse les enfants aller au cinéma.
          Il les y laisse aller.
          Il les laisse y aller.

1. Nous avons vu Jean entrer dans la salle.
2. La police a laissé l'homme sortir de la ville.
3. J'ai entendu mon frère descendre de sa chambre.
4. Elle a vu sa mère aller chez le boulanger.
5. Il a laissé les voyageurs descendre du train.
6. Nous avons entendu Jean sortir du garage.
7. Je verrai les enfants partir à la campagne avec plaisir.
8. Elle laisse la fillette travailler au jardin.

[VII]

Replace **lui** by **à Jean** and **leur** by **aux étudiants.**

EXAMPLE   Ne lui laissez pas voir ce livre.
Ne laissez pas voir ce livre à Jean.

1. Il leur laisse entendre que l'examen sera difficile.
2. Ce n'est pas gentil de lui laisser croire cela.
3. Il ne faut pas lui laisser voir que vous avez peur.
4. Il lui a laissé prendre tout ce qu'il voulait.
5. Il lui a laissé entendre la vérité.
6. Ne lui laissez pas croire un tel mensonge.
7. Le professeur leur a laissé voir qu'il n'était pas content.
8. Laissez-lui faire ce qu'il veut.

Vocabulary Distinctions

To hurt	*To harm*
Faire (du) mal, Blesser, Abîmer	**Nuire, Faire du tort**

Faire mal (à) means *to hurt* in the sense of inflicting physical pain on a person or an animal.

Les dentistes disent toujours qu'ils ne vous feront pas mal.	Dentists always say they won't hurt you.
Faites attention, vous lui faites mal.	Watch out, you are hurting him.
Je me suis fait mal à la main.*	I hurt my hand.

* For the use of the reflexive verb, see Lesson 6, page 91.

Faire du mal (à) means *to hurt* in a general, indefinite way, *to cause some physical harm, to be injurious* (antonym: **faire du bien**).

N'ayez pas peur de ce chien, il ne vous fera pas de mal.	Don't be afraid of that dog, he won't hurt (harm) you.
Ne buvez pas de cette eau, elle pourrait vous faire du mal.	Don't drink any of this water, it might hurt you.

To hurt used in the sense of *to wound* is translated **blesser.**

Ils ont eu un accident, mais personne n'a été grièvement blessé.	They had an accident, but nobody was seriously hurt (wounded).
Il s'est blessé en jouant avec une hache.	He hurt (wounded) himself playing with an ax.

Note the use of **grièvement**, not **sérieusement**, to modify **blessé.**

Abîmer refers to material objects and translates *to hurt* used for *to spoil, injure, harm.*

Voici un vernis que même l'eau bouillante ne peut abîmer.	Here is a varnish that even boiling water cannot hurt (injure).

Nuire or **faire du tort (à)** means *to hurt, to harm* in a moral sense, *to be* prejudicial.

Sa mauvaise conduite lui nuira (fera du tort).	His bad conduct will harm him.
La dernière grève a nui (a fait du tort) à nos affaires.	The last strike hurt our business.

Note also: **faire de la peine à quelqu'un:** *to hurt someone's feelings:* **vous lui avez fait de la peine,** *you hurt his feelings.*

Make + Adjective
Rendre, Donner

Make used with an adjective is translated **rendre** (*to render*).

Je suis sûr qu'elle le rendra heureux.	I am sure she will make him happy.
Vous avez rendu toutes mes précautions inutiles. (Vous avez rendu inutiles toutes mes précautions.)	You made (rendered) all my precautions useless.

To make is translated **donner** in expressions in which a noun, not an adjective, is used in French: **donner chaud, froid, faim, soif, sommeil (à),** *to make* or *make feel hot, cold, hungry, thirsty, sleepy;* also in **donner l'air (de) (à),** *to make look* (*like*), **donner envie de (à),** *to make* (*someone*) *feel like* (*doing something*). Note that these expressions correspond to some of those formed with **avoir: avoir soif, avoir envie,** etc.

Le grand air lui a donné faim.	Fresh air made him hungry.

But, *to make* (or *make* [*someone*] *feel*) *ashamed*, or *to shame*, is translated **faire honte (à).**

Je lui ai fait honte de sa conduite.	I made him ashamed of his conduct.
Votre conduite me fait honte.	Your conduct shames me.

Some common expressions with **Faire**

Faire is used in a number of expressions, some of which already have been mentioned or discussed in the vocabulary distinctions in this and previous lessons.

Faire in expressions of atmospheric conditions (Lesson 7).
Faire la connaissance de, to *meet* (Lesson 12).
Comment se fait-il que, *how does it happen that* (Lesson 15).
Faire plaisir (à), to *please* (Lesson 15).
Faire voir (à), to *show* (used a great deal instead of **montrer**).
Faire peur (à), to *scare*.
Faire semblant (mine) de, to *pretend to*.
Faire savoir (à), to *let know* (used with a clause).
Faire connaître (à), faire part (à) de, to *inform of, to let know* (used with a noun).
Faire venir quelqu'un, to *call someone, to send for someone*.*
Faire entrer quelqu'un, to *show someone in*.†
Cela ne fait rien (à), it *does not matter, it's all the same (to)*.
Faire une malle, to *pack a trunk*.
Faire un voyage, to *take a trip*.
Faire un compliment (à), to *pay a compliment*.
Faire compliment de (à), to *compliment for*.
Faire la cour (à), to *court, woo*.
Faire suivre, to *forward* (postal term).
etc.

* *To send for* may also be translated **envoyer chercher** but only in the sense that *a person,* whether named or not, is sent to get *someone* or *something.*
† *To show someone out* is translated **reconduire quelqu'un. Faites sortir ce monsieur** would mean, practically, *get this gentleman out of here.*

Sensible	*Sensitive*
Sensé	**Sensible**

For the English-speaking student these adjectives are frequently a source of error when translating from French into English and vice versa. *Sensible* is translated **sensé,** or **raisonnable,** or **judicieux. Sensible** means *sensitive.*

une personne sensée (raisonnable)	a sensible person
une personne sensible	a sensitive person
une réponse sensée	a sensible answer
une décision sensée (judicieuse)	a sensible decision
une peau sensible	a sensitive skin

[VIII]

Using **faire mal, faire du mal, se blesser, abîmer, nuire,** or **faire du tort,** supply a short sentence that would summarize the sentence given or that would be its logical consequence.

EXAMPLE   Il est tombé du troisième étage.
Il s'est grièvement blessé.

1. Le dentiste m'a arraché une dent.
2. Ce n'est pas bon de laisser les chaises sous la pluie.
3. N'ayez pas peur de ce chien.
4. Ce scandale n'est pas bon pour sa réputation.
5. L'enfant est tombé et il pleure.
6. Sois raisonnable! Ce médicament te fera du bien.
7. Il a eu un grave accident d'auto.
8. Ne mangez pas ces champignons.
9. Vous pouvez dire tout ce que vous voulez sur mon compte. Cela m'est égal.
10. Elle a renversé une tasse de café sur sa robe.

[IX]

Reword the following sentences using **rendre, faire,** or **donner.**

EXAMPLE   Après son dernier accident il est devenu plus prudent.
Son dernier accident l'a rendu plus prudent.

1. J'ai envie de pleurer en écoutant cette histoire.
2. Nous sommes honteux de votre grossièreté.
3. Après notre conversation elle était toute pensive.
4. Avec ce chapeau tu as l'air d'une enfant.
5. Le chien est devenu méchant à cause des mauvais traitements.
6. J'ai sommeil quand j'écoute un si long discours.
7. Il l'a rendu honteux devant tout le monde.
8. J'ai trop chaud au soleil.

[X]

Reword the following sentences, using an idiomatic expression with **faire** that would have approximately the same meaning.

EXAMPLE   J'ai été présenté à Mme Lebrun.
J'ai fait la connaissance de Mme Lebrun.

1. Je lui ai montré mon cahier.
2. Dites-lui ce que vous désirez.
3. Il nous a parlé de ces intentions.
4. Cela n'a pas d'importance.
5. Priez ce monsieur d'entrer.
6. Il veut faire croire qu'il travaille.
7. Téléphonez au médecin de venir immédiatement.

8. Vos menaces ne m'effraient pas.
9. Vous me dites toujours des choses très aimables.
10. J'irai en Europe cet été.
11. Il m'a dit que ma composition était excellente.
12. Elle était en train de mettre ses affaires dans sa malle.

[XI]

Using **sensible** or **sensé,** summarize the following sentences.

EXAMPLE   Elle pleure trop facilement.
           Elle est trop sensible.

1. Réfléchis et agis d'une façon raisonnable.
2. La lumière est trop vive pour ses yeux.
3. C'est un garçon sérieux et réfléchi.
4. Il ne dit jamais rien d'intelligent ou de raisonnable.
5. La musique le touche plus que la littérature.
6. Il a pris une résolution que nous approuvons.
7. Elle n'aime guère le froid qui la rend mal à l'aise.
8. Elle n'aime pas rester au soleil à cause de sa peau.

IDIOMATIC EXPRESSIONS

avoir chaud   to be warm (hot)
avoir sommeil   to be sleepy
cela m'est égal   it's all the same to me, I don't care
faire remarquer   to point out, call attention
faire taire   to silence, reduce to silence
grièvement blessé   seriously wounded
laisser entendre   to hint
mal à l'aise   uncomfortable
sur mon compte   about me

La Grand'maman Nozière
(*suite*)

Peu de jours après, comme elle rentrait chez elle, ma grand'mère trouva
à la porte de sa maison un homme décharné, blême, défiguré par une barbe
triste et sale, qui se jeta à ses pieds et lui dit:
— Citoyenne Danger, je suis Alcide, sauvez-moi!
Elle le reconnut alors.
— Mon Dieu! lui dit-elle, se peut-il que vous soyez monsieur Alcide,
mon ancien maître à danser?[1] En quel état vous revois-je, monsieur Alcide!
— Je suis proscrit, citoyenne; sauvez-moi!
— Je ne puis que l'essayer. Je suis moi-même suspecte, et ma cuisinière
est jacobine.[2] Suivez-moi. Mais veillez à ce que mon portier ne vous voie
pas. Il est officier municipal.
Ils montèrent l'escalier, et cette bonne petite madame Danger s'enferma
dans son appartement avec le déplorable Alcide, qui grelottait la fièvre[3]
et répétait en claquant des dents:
— Sauvez-moi, sauvez-moi!
A lui voir une si pitoyable mine, elle avait envie de rire. La situation
pourtant était critique.
— Où le fourrer? se demandait ma grand'mère en parcourant du regard
les armoires et les commodes.
Faute de lui trouver une autre place, elle eut l'idée de le mettre dans
son lit.
Elle tira deux matelas en dehors des autres[4] et, formant ainsi une espèce
de trou près du mur, elle y coula Alcide. Le lit avait de la sorte un air
bouleversé. Elle se déshabilla et s'y mit. Puis, sonnant la cuisinière:
— Zoé, je suis souffrante; donnez-moi un poulet, de la salade et un
verre de vin de Bordeaux. Zoé, qu'y a-t-il de nouveau aujourd'hui?
— Il y a un complot de ces gueux d'aristocrates. Le portier m'a dit
qu'un scélérat du nom d'Alcide est recherché dans la section, et que vous
pouvez vous attendre à une visite domiciliaire cette nuit.

[1] **le maître à danser,** more usual, **le maître de danse.**
[2] **Les jacobins:** a radical revolutionary party that started the terror of 1793.
[3] **grelottait la fièvre,** more usual, **grelottait de fièvre,** *shivered with fever.*
[4] **en dehors des autres,** *away from the others.* At the time, bedding consisted of three to
four mattresses, usually feather.

QUESTIONS

1. Décrivez l'homme que Mme Danger a trouvé un soir à sa porte.
2. Qui était Alcide?   3. Pour quelles raisons Mme Danger se méfiait-elle de son portier et de sa cuisinière?   4. Où s'est-elle enfermée avec le malheureux Alcide?   5. Pourquoi avait-elle envie de rire?   6. Où a-t-elle eu l'idée de le cacher?   7. Comment explique-t-elle à sa cuisinière qu'elle se soit couchée si tôt?   8. Que commande-t-elle pour son dîner?   9. Qui, la cuisinière dit-elle, est le scélérat recherché dans la section?   10. A quoi, ajoute-t-elle, Mme Danger doit-elle s'attendre cette nuit?

IDIOMATIC EXPRESSIONS

couler (*here*)   to slip
en claquant des dents   his teeth chattering
faute de   for want of, for lack of
fourrer (*here*)   to hide
parcourir du regard   to run or cast one's eye over
se mettre au lit   to get into bed
se peut-il?   is it possible?
qu'y a-t-il de nouveau?   what is the news?
veiller à ce que   to see to it that

Lesson 20

Grammar and Usage

I. THE PASSIVE VOICE

1. The passive, **être** + past participle, is used as in English to indicate that the subject of the verb undergoes the action but does not perform it. The past participle of a passive verb agrees with the subject.

Jeanne a été félicitée par tous ses amis.	Jean was congratulated by all her friends.
J'ai été récompensé par mon père.	I was rewarded by my father.

However, in French a verb may be used in the passive only if its subject could become the DIRECT object of that verb used in the active. In the examples above, **Jeanne** and **je** could become the direct objects of the active verb: **Tous ses amis ont félicité *Jeanne*, mon père *m*'a récompensé.**

But in the following sentence, **lui** is an indirect object and cannot become the subject of the passive.

Son père *lui* a donné un fusil.	His father gave him a gun.
(*No passive*)	He was given a gun by his father.

In other words, only when a verb can be used as a direct transitive can it be made passive. This rule applies whether the agent (**par** + noun or **de** + noun) is given or implied, or when there is no agent.

J'ai été blessé à la bataille de Verdun.	I was wounded at the battle of Verdun.
Les méchants seront punis.	The wicked will be punished.
Cette histoire m'a été racontée plusieurs fois.	This story was told to me several times.

But no passive:

On m'a dit la bonne nouvelle. (dire à quelqu'un)	I was told the good news.
On a conseillé à Jean de se reposer. (conseiller à quelqu'un)	John was advised to rest.

318

The indefinite **on** is used when no agent is given in English and the French verb needs a subject. Remember that some verbs are used as direct transitive in English and as indirect transitive in French (see Lesson 10, Vocabulary Distinctions, page 160).

2. Use of the passive or of the active construction with **on.**

a. Generally, the passive may be used in French when the agent is mentioned in the English sentence, provided of course that the French verb is used as a direct transitive.

Elle a été grondée par sa mère.	She was scolded by her mother.
Il a été accompagné à la gare par un de ses amis.	He was accompanied to the station by one of his friends.
Etait-elle seule? — Non, elle était accompagnée de sa mère.	Was she alone? — No, she was accompanied by her mother.
Il était craint de tous ses ennemis.	He was feared by all his enemies.

NOTE   The agent is introduced in French by **par** or **de.** Usually, **par** denotes a specific action performed by the agent, while **de** denotes a state rather than an action, and the past participle has nearly the value of an adjective.

b. When in the English sentence the agent is not mentioned but could be implied, usually the passive may be used in French.

Il a été blessé à la jambe.	He was wounded in the leg.
Les justes seront récompensés.	The righteous shall be rewarded.
L'armistice a été conclu à Reims.	The armistice was concluded in Rheims.
Notre cave a été inondée pendant le dernier orage.	Our cellar was flooded during the last storm.

c. When the agent is not mentioned but could be implied, an English passive may also be translated by an active construction using the indefinite pronoun **on** as subject; the implied agent, however, MUST be a person (**on,** *we, they, one,* comes from the Latin *homo*). The use of **on** with an active verb depends a great deal on the meaning. Looking at the examples above: the first sentence is better in the passive, because the agent is more likely to be a thing; one would not say **on récompensera les justes** for an obvious reason; **on a conclu l'armistice à Reims** could be used as well as the passive, for **on** refers to a group of persons; the last sentence could not be changed because it is unlikely that a person would be the agent.

d. On must be used in the case mentioned in Section 1, this page.

e. **On** must be used also when the English passive verb is in a progressive form, and no agent is mentioned.

On répare notre auto.	Our car is being repaired.
On servait le dîner.	Dinner was being served.

Notre auto est réparée, le dîner était servi, can only mean *our car is repaired, the dinner was served,* the past participle having the value of an adjective as in **le dîner est prêt,** *dinner is ready.*

Usually, when no agent is mentioned, the present and imperfect of **être** in a French passive express a state. The other tenses of **être** always express an action. Compare:

Tous les ponts ont été (avaient été, seront) détruits pour arrêter l'ennemi. (*action*)	All the bridges were (had been, will be) destroyed to stop the enemy.
Il ne savait pas que tous les ponts étaient détruits. (*state*)	He did not know that all the bridges were destroyed.

NOTE 1 The English expression *is to be* + past participle is translated **être à** + infinitive: **C'est vous qui êtes à blamer,** *It is you who are to be blamed.*

With **parler** followed by a name of a language, the passive is not used in French: **On a parlé français toute la soirée,** *French was spoken the whole evening.*

NOTE 2 A reflexive verb is frequently used in French to translate an English passive: **Cela ne se fait pas,** *That is not (being) done,* instead of: **On ne fait pas cela.** This construction, however, is not always possible, and it will be sufficient for the student to recognize it when he encounters it in a French text.

NOTE 3 In a relative clause introduced by **que,** when the subject is a noun and an indirect object pronoun is present, French has a tendency to invert the order of subject and verb. This construction, which emphasizes the subject, is particularly useful to translate an English passive when the agent is qualified by a clause.

Voici le tapis que m'a envoyé un de mes amis qui demeure en Iran. (*Rather than the clumsy:* **Voici le tapis qui m'a été envoyé par un de mes amis qui demeure en Iran.**)	Here is the rug sent to me by one of my friends who lives in Iran.

REMINDER After **laisser, faire,** and verbs of perception, the passive is expressed in French by the infinitive: **Je l'ai vu faire (par...),** *I saw it being done (by...).* (See Lesson 19, *Special Constructions.*)

[I]

Reword the following sentences using the passive, if French usage allows it. Otherwise, say "no passive."

EXAMPLE   On l'a opéré hier.
Il a été opéré hier.

1. On l'a envoyé à la campagne.
2. On ne lui a pas dit que j'étais ici.
3. On a volé ma bicyclette.
4. On m'a ordonné de rester au lit.
5. A-t-on répondu à ce télégramme?
6. On m'a autorisé à vous faire voir cette dépêche.
7. On a vendu tous nos meubles.
8. On lui a conseillé de cueillir les fruits.
9. Ils regardaient peindre la maison.
10. On a dit à Jean de s'en aller.
11. Nous avons entendu gronder les enfants.
12. On a peint la maison.
13. Il a vu faire ce travail.
14. On a pris sa place.

[II]

Reword the following sentences using **de** or **par** to denote the agent if the sentence may be changed to the passive. Otherwise, say "no passive."

EXAMPLE   La maîtresse l'a récompensée.
Elle a été récompensée par la maîtresse.

1. Tout le monde la respecte.
2. Mon libraire m'a envoyé ce nouveau roman.
3. Mes parents m'ont défendu de sortir.
4. Un excellent docteur m'a recommandé ce remède.
5. Tous les élèves admirent le professeur X.
6. Les soldats craignent le colonel.
7. Qui vous a autorisé à prendre mon auto?
8. La peur le paralyse.
9. Sa secrétaire lui a rappelé qu'il avait un rendez-vous à midi.
10. Bien des gens les aiment.

[III]

Change the following sentences to the active voice, using **on** if the agent can logically be a person. Otherwise say "no change."

EXAMPLE   J'ai été opéré hier.
           On m'a opéré hier.

1. Notre auto a été réparée sans délai.
2. Il a été blessé à Bastogne.
3. Ce pauvre chat a été écrasé.
4. Lors de l'ouragan de 1954 tous nos arbres ont été déracinés.
5. Le prisonnier a été interrogé.
6. Il a été loué de son courage.
7. J'ai été mordu à la jambe.
8. Le dîner a été servi à huit heures.
9. Pendant les grosses pluies la ville a été inondée.
10. Ses tableaux ont été admirés.

[IV]

The following passive sentences express an action. Supply the corresponding passive sentences that express a state.

EXAMPLE   Les ponts ont été détruits.
           Les ponts sont détruits.
           Les ponts avaient été détruits.
           Les ponts étaient détruits.

1. L'incendie a été éteint.
2. Il avait été blessé à la jambe.
3. Les enfants ont été punis.
4. La route avait été bloquée.
5. Son manteau a été abîmé.
6. La vaisselle a été lavée.
7. Le pneu avait été raccommodé.
8. Les soldats ont été vaccinés.
9. La maison avait été peinte en rouge.
10. La lettre a été écrite.

[V]

Reword the following sentences using a reflexive construction, and translate.

EXAMPLE   On voit rarement une telle conduite.
Une telle conduite se voit rarement.
Such behavior is rarely seen.

1. On joue cette marche aux mariages.
2. On ne fait pas cela.
3. On boit du vin blanc avec le poisson.
4. On ne perd pas cette habitude facilement.
5. On peut dire cela d'une autre façon.
6. On ne porte plus ce genre de vêtements.

II.   ITERATIVE VERBS

1. *Again* used with a verb to denote the repetition of an action is translated in many cases by **de nouveau** (literally, *anew*): *to try again,* **essayer de nouveau;** *to show again,* **montrer (faire voir) de nouveau;** *to forget again,* **oublier de nouveau;** *to stop again,* **s'arrêter de nouveau;** etc.

2. With a certain number of French verbs, *again* is rendered by the prefix **re–**: **revoir,** *to see again;* **recommencer,** *to begin again;* **repartir,** *to leave again;* **resortir,** *to go (come) out again;* **revenir,** *to come again;* **se recoucher,** *to go to bed again;* **refaire,** *to do (over) again;* **relire,** *to read (over) again, to reread,* etc. These verbs must be learned through observation, or by checking to see whether the basic verb is listed in the French-English section of a dictionary under **re–** or **r–,** for instance: *to threaten again: to threaten,* **menacer, remenacer?** not listed, therefore, **menacer de nouveau;** *to go up again: to go up,* **monter, remonter?** listed. When in doubt use **de nouveau,** which cannot be entirely wrong. Use **de nouveau** also when the verb begins with an **r–**: **refuser de nouveau, revenir de nouveau,** etc.

3. With a few verbs repetition is shown by the prefix **re–** in English as well as in French: **reconstruire,** *to rebuild;* **réapparaître,** *to reappear;* etc. (In French **re–** becomes **ré–** or **r–** before a verb beginning with a vowel.)

NOTE 1   See Vocabulary Distinctions, Lesson 17, for **re–** meaning *back.*

Once again (once more) is translated **encore une fois.**

NOTE 2   When two verbs which have an opposite meaning, such as **arriver, partir; ouvrir, fermer; entrer, sortir,** etc., are used in succession, the second one is generally used with the prefix **re–,** even though *again* or *back* would not normally be used in English. The first verb may even be understood, as in the third example.

Il est arrivé à cinq heures et est reparti à six.	He arrived at five and left at six.
Nous avons acheté une auto et l'avons revendue au bout d'un mois.	We bought a car and sold it at the end of a month.
Vous avez oublié de refermer la porte du jardin. (*i.e., you had opened it*) *but*	You forgot to shut the door of the garden.
N'oubliez pas de fermer la porte du garage. (*i.e., you had not opened it*)	

Vocabulary Distinctions

People
Les gens, Le monde, Les personnes, Le peuple, On

Les gens is a collective plural meaning *people* in general, an undetermined number of individuals.

Qui sont ces gens?	Who are these people?
Beaucoup de gens savent cela.	Many people know that.
les vieilles gens	old people
Ce sont des gens vertueux.	They are righteous people.

Gens was originally feminine. Now, only adjectives immediately preceding **gens** are used in the feminine; all adjectives following **gens** and past participles are masculine. (**Bon,** unmodified, is always placed before **gens, des bonnes gens,** in order to avoid a pun: **des gens bons** sounds like **des jambons** (*hams*). **Bon,** when modified, may be used preceding or following **gens, de très bonnes gens** or **des gens très bons.**)

Le monde is a collective singular meaning *a gathering of people,* and also an assembly of people at social or other functions.

Les magasins regorgeaient de monde.	The stores were overflowing with people.
Y avait-il beaucoup de monde au musée?	Were there many people at the museum?
Nous avons du monde à dîner.	We have people (company) for dinner.

Le monde also translates *world* in most of its various meanings: our planet, its inhabitants, mankind, etc., or in such expressions as **le monde**

des affaires, *the business world;* le monde littéraire, *the literary world,* etc. (Used as an adjective, *world(wide)* is translated **mondial.**)

Gens and monde are not numerable. Following a number and after plusieurs and quelques, personnes (*fem.*) is used.

Il y a cinq personnes qui vous attendent!	There are five people waiting for you!
Nous avons douze personnes à dîner.	We are having twelve people for dinner.
J'ai rencontré plusieurs personnes de connaissance au théâtre.	I met several people I knew (acquaintances) at the show.

Le peuple, from the Latin *populus,* is used in its etymological sense to mean *the mass of individuals* constituting a nation: **le peuple français;** national or ethnic groups within a country: **les peuples de l'Amérique du Sud;** the whole body of citizens, *the electorate:* **un gouvernement élu par le peuple;** etc.

Le peuple may also mean *the common people, the masses,* the less educated and less privileged class as opposed to **la bourgeoisie** and **l'aristocratie.** In this latter sense, **peuple** has often a disparaging connotation: **un homme du peuple,** *a man of the lower class, a plebeian.* The word, therefore, should be used in French with some circumspection.

On. When *people* is used in an indefinite sense for *one, you, we,* it is translated **on.**

On ne fait pas cela ici.	People don't do that here.

The end
Le bout, La fin

Le bout means *the end* in a concrete sense, the physical limits, the extremity of a thing, the tip.

La fin has practically all the meanings *the end* has when used in an abstract sense. It also means *the ending* in the sense of *conclusion.*

Vous trouverez sa maison au bout de la rue.	You will find his house at the end of the street.
Placez ces planches bout à bout.	Place these boards end to end.
Elle l'a pris du bout des doigts.	She took it with the tip of her fingers.
Venez me parler à la fin de la classe.	Come to speak to me at the end of the class.
La fin de l'hiver est proche.	The end of winter is near.
La fin justifie les moyens.	The end justifies the means.
La fin de ce roman m'a déçu.	The ending of this novel disappointed me.

The distinction between **le bout** and **la fin** is not absolute and **le bout,** in **au bout de,** is frequently used in expressions such as: **au bout de quelques jours, au bout de mes ressources, vous n'êtes pas au bout de vos peines** (*trouble*), etc., and in the adverbial locution **jusqu'au bout,** *to the end:* **j'ai lu ce livre jusqu'au bout, ils ont résisté jusqu'au bout.**

However, until the student gains further evidence that **le bout** may be used in an abstract sense instead of **la fin,** it is safer to use the latter. But remember that **le bout** must be used when *the end* has a concrete meaning.

Note the adverbial expression **à bout** (*at an end*) used idiomatically for **épuisé** (*exhausted*): **ma patience est à bout, je suis à bout** (*I am all in*).

In (*Into*) referring to place
Dans, A, En

The translation of *in* referring to place presents some difficulty. The following explanations are not all-inclusive, but they will be useful in many cases.

Dans is used with the restricted meaning of *inside, within* an enclosed or specific place. It suggests the building, the room itself, within the boundaries, the container, etc.

Je demeure dans un appartement.	I live in an apartment.
Ils se sont perdus dans la forêt.	They got lost in the forest.
Le patron est dans son bureau.	The boss is in his office.
Ils ont de beaux meubles dans leur salon.	They have beautiful furniture in their living room.
Vos chemises sont dans la commode.	Your shirts are in the bureau.

A is less restricted in its use than **dans.** It is used with names of places when referring to a general location and when specific boundaries are not suggested or implied. **A** must be used when the place named is an institution, such as museum, college, church, etc., unless *inside the building* is meant.

A is usually followed by the definite article to mean *in the.*

Il a passé la matinée à l'église.	He spent the morning in church.
Ils nous ont reçus à la cuisine.	They received us in the kitchen,
Faites-les entrer au salon.	Show them into the living room.

Note as a further guide that in most cases **dans** is used when the name of a place is preceded by an indefinite article, a possessive or a demonstrative pronoun.

Dans is also used when the name of a place is qualified: **j'ai passé la matinée dans une église intéressante.** This does not apply when the qualifier is part of the official name of the place, e.g., **le musée du Louvre, l'université de Paris,** etc.

En referring to a place is used instead of **à** + definite article with a certain number of nouns of which the more common are **en ville, en pension, en prison** (*in jail*), **en mer** (*at sea*), and in such expressions as **en pleine campagne** (*in the open country*), **en pleine forêt** (*deep in the forest*). Note that **en ville** may also mean *downtown, out.*

Nous demeurons en ville.	We live in town.
Irez-vous en ville ce soir?	Will you go in town (downtown) tonight?
Nous dînons en ville.	We are dining out.
Elle est en pension.	She is in boarding school.
On l'a mis en prison.	He was put in jail.
but	
Je demeure dans cette ville.	I live in this town.
Il travaille à la prison.	He works in the prison. (*i.e., in the institution*)
Je l'ai vu entrer dans la prison.	I saw him walk into the prison. (*i.e., into the building*)

[VI]

Reword the following sentences so that **les gens, personnes, le peuple,** or **le monde** becomes the subject.

EXAMPLE   Quelques-unes sont venues.
           Quelques personnes sont venues.

1. Ils sont drôles.
2. Il élit le gouvernement dans une démocratie.
3. Plusieurs sont arrivées en retard.
4. Ils sont venus en foule à la réunion.
5. Quelques-unes se promenaient dans le parc malgré la pluie.
6. Il y avait peu d'auditeurs au concert dimanche dernier.
7. Cinq sont descendues du train.
8. Ils se précipitent dans le métro à cinq heures.
9. Il n'y a pas beaucoup de spectateurs au théâtre ce soir.
10. Il a pris la Bastille en 1789.

[VII]

Add **la fin** or **le bout** to the following sentences.

EXAMPLE   Il habite dans cette rue.
           Il habite au bout de cette rue.

1. Je compte les voir cette année.
2. Le bateau part du quai.
3. Nous lui avons parlé au concert.
4. Ils ont attrappé la corde.
5. Cette histoire ne me plaît guère.
6. La cane est cassée.
7. Je n'ai pas pu entendre leur conversation.
8. Il ne voit pas plus loin que son nez.

[VIII]

Answer the following questions using **à, en,** or **dans** and the words given to you in parentheses.

EXAMPLE   Où est-elle?   (le bureau)
Elle est au bureau.

1. Où est sa maison?   (la pleine campagne)
2. Où allez-vous les retrouver?   (le café)
3. Où a-t-il passé l'après-midi?   (le musée)
4. Où se sont-ils assis?   (la salle d'attente)
5. Où ses parents l'ont-ils mise?   (la pension)
6. Où est-il cette année?   (l'université)
7. Où sont ses gants?   (la commode)
8. Où ont-ils invité du monde?   (la campagne)
9. Où passe-t-elle la journée?   (la bibliothèque)
10. Où fait-il ses études?   (une université de l'ouest)
11. Où avez-vous vu ce paquebot?   (la mer)
12. Où y a-t-il beaucoup de monde?   (les grands magasins)
13. Où travaille-t-il?   (l'hôpital Beaujon)
14. Où a-t-il passé la soirée?   (sa chambre)
15. Où sont-ils tombés?   (la rivière)
16. Où dînons-nous ce soir?   (la ville)

La Grand'maman Nozière
(*suite*)

Alcide, entre les deux matelas, entendait ces douceurs. Il fut pris, après le départ de Zoé, d'un tremblement nerveux qui secouait tout le lit, et sa respiration devint si pénible qu'elle emplissait toute la chambre d'un sifflement strident.

— Voilà qui va bien! se dit la petite madame Danger.

Et elle mangea son aile de poulet, et passa au triste Alcide un peu de vin de Bordeaux.

— Ah! madame! Ah! mon Dieu! s'écriait le pauvre Alcide.

Et il se mit à geindre avec plus de force que de raison.

— A merveille! se dit madame Danger; la municipalité n'a qu'à venir . . .

Elle en était là de ses pensées quand un bruit de crosses tombant lourdement à terre ébranla le palier. Zoé introduisit quatre officiers municipaux et trente soldats de la garde nationale.

Alcide ne bougeait plus et ne faisait plus entendre le moindre souffle.[1]

— Levez-vous, citoyenne, dit un des gardes.

Un autre objecta que la citoyenne semblait souffrante.

Un citoyen voyant une bouteille de vin, la saisit, y goûta et les autres burent à la régalade.

— Quel dommage qu'avec une si jolie figure elle soit une aristocrate et qu'il faille couper ce petit cou-là, dit un autre.

— Allons! dit madame Danger, je vois que vous êtes des gens aimables. Faites vite et chercher ce que vous avez à chercher, car je meurs de sommeil.

Ils restèrent deux mortelles heures dans la chambre; ils passèrent vingt fois l'un après l'autre devant le lit et regardèrent s'il n'y avait personne dessous. Puis, ils s'en allèrent.

Ne fut-elle pas excellente, ma grand'mère, avec son pauvre monsieur Alcide? Elle alla le lendemain le cacher à Meudon et le sauva gentiment.

QUESTIONS

1. Dans quel état était Alcide après le départ de la cuisinière? 2. Qu'est-ce que Mme Danger lui a passé? 3. Que dit Mme Danger en écoutant les gémissements d'Alcide? 4. Qu'est-ce qu'elle a entendu aussitôt après avoir prononcé ces paroles? 5. Combien d'officiers municipaux et de

[1] **un souffle,** here, *the slightest sound;* otherwise, *breath.*

soldats Zoé a-t-elle introduits? 6. Qu'est-ce que l'un des hommes ordonne
à Mme Danger? 7. Que fait un autre de la bouteille de vin? 8. Qu'est-
ce qui est dommage, déclare un troisième? 9. Combien de fois les
hommes sont-ils passés devant le lit? 10. De quoi se sont-ils assurés
chaque fois?

IDIOMATIC EXPRESSIONS

allons! well now!
à la régalade right out of the bottle
à merveille wonderful
(les) douceurs (*here*) pleasant things
faire entendre to utter
(la) municipalité n'a qu'à venir the officers of the municipality have but to
come
elle en était là she was at this point
quel dommage! what a pity!
triste (*here*) wretched
voilà qui va bien that's fine

Supplementary Drills and Appendixes

Compositions

Aids to translation are indicated throughout as follows:

1. Bracketed words are to be omitted: He came [to] see you. **Il est venu vous voir.** Put your coat [on]. **Mettez votre veston.** This will not include such common verbs as: to look at, **regarder**; to look for, **chercher**; to wait for, **attendre**; to listen to, **écouter**, etc.

2. Italicized words in parentheses indicate grammatical directions: I saw him coming (*infinitive*). **Je l'ai vu venir.**

3. Boldface words in parentheses translate the preceding word or need to be added: I shall try to (**de**) help you. **J'essaierai de vous aider.** Obey (**à**) your father. **Obéissez à votre père.** This will not include words which are understood but omitted in English: What did you give Mary (i.e., to Mary)? **Qu'avez-vous donné à Marie?**

4. A list of idiomatic expressions or constructions is found at the head of the exercise. As lessons dealing with particular points of usage or grammar are reached, these translation aids will be omitted.

A deals with the Grammar and Usage section of the lesson and **B** with the Vocabulary Distinctions.

LESSON 1

déjeuner (dîner) to have lunch (dinner)
il est douteux it is doubtful
avoir bonne mine to look well

venir de + *infin.* to have just + *past participle*
se sentir to feel
à l'heure on time

A 1. Have you seen Paul's new (**nouvelle**) automobile? 2. I am writing to my friends in (**à**) Paris that you are going to (**en**) France this summer. 3. I want you to speak more slowly. 4. I am sure he will arrive on time. 5. It is doubtful that he will be able [to] help you. 6. You do not look well and I prefer that you stay home (**à la maison**) today. 7. Let us have lunch in this restaurant. 8. There is (**il y a**) a gentleman who wishes [to]* speak to the director. 9. I in-

---

* No preposition is used in French before the infinitive after verbs of wanting, wishing, or after verbs of like, dislike, and preference.

sist on your being more polite to (**envers**) your mother.   10. I doubt that you will find this play very amusing.   11. The student to whom you have just spoken is the dean's son.   12. Our professor wants us to speak French in his class.   13. Bring me the newspaper which is on my desk.   14. Mother, let us play here; we shall not make any (**de**) noise.   15. I have already read the book you lent me.

B   1. How long have you been working on (**à**) this translation?   2. The children have been playing in the garden since two o'clock.   3. For how long are you going to (**en**) Germany? — For two or three weeks.   4. Since you are not ready, I am leaving without you.   5. They have been living in (**au**) Canada for twenty years.   6. I have been working hard since the beginning of the semester.   7. He wants to know how long you waited for the train.   8. We lived in an apartment for a year.   9. He has been sleeping for three hours; let us wake him up.   10. How long will you be away (**absent**)? — A month or two.   11. I have been feeling much better since I have been smoking less.   12. He has been ill for several weeks and his doctor wants him to go to the hospital.   13. We are going to the country for the month of July.   14. He studied French history (**l'histoire de France**) for two years.   15. We are trying to (**de**) rent our house for six months.

LESSON 2

se lever to get up	**se coucher** to go to bed
être pressé (de) to be in a hurry (to)	**comme d'habitude** as usual
se presser to hurry	

A   1. What are you going to do with all these flowers?   2. Which of these novels have you already read?·   3. Whom do you wish to see?   4. Have you learned the good news? — What news?   5. Perhaps you are right, but you have not convinced me.   6. What is a paradox? — What a question! Don't you know that?   7. What prevents you from leaving (*infin.*) if you are in a hurry?   8. Can you tell me which one of these houses is for sale (**à vendre**)?   9. Why is John getting up so early? Is he in such a (**si**) hurry to go to school?   10. What an interesting story! But, do you believe all that?   11. Has someone taken my dictionary? — Not I (**pas moi**). Isn't it on your desk?   12. Which do you prefer for your birthday, a phonograph or a typewriter?   13. How pretty she is! And what pretty eyes!   14. What is the price of this armchair?   15. Where are all those people (**gens**) going? Why are they running?

B   1. At what time do the children go to bed? — At nine-thirty.   2. Why is he leaving so early? His train does not leave until (**avant**) ten after eight.   3. He does not like to hurry and he does not want to be late.   4. What time is it? Have I (**le**) time to have (**de prendre**) a cup of coffee?   5. Is it too late to (**pour**) give you some (**un**) good advice?   6. Each time I try to (**de**) telephone to the station, the line is busy.   7. Is the plane from Paris on time? — Yes, it has just landed.   8. You can do this translation in one hour, can't you? — Why yes, it is very easy.   9. They want you to come early, at a quarter past four.   10. The train for London leaves at 10:47 P.M., doesn't it?   11. The doctor has just telephoned that he will be here in half an hour.   12. I think (*use* **croire**) my watch is fast; what time have you? — Exactly twelve.   13. As usual, your brother is late; we cannot wait any longer (**plus longtemps**).   14. I doubt that we shall arrive in time for the beginning of the ceremony.   15. You spent too much time repairing (**à** + *infin.*) your bicycle. Now it is dinnertime and you have not done your homework.

LESSON 3

se passer   to happen, be going on
changer d'avis   to change one's mind
assister à   to attend, be present
se rendre compte de   to realize
donner un coup de téléphone   to give a ring

faire une promenade *or* **se promener** to take a walk
se réveiller   to wake up
avoir lieu   to take place
avoir l'intention de   to intend
avoir peur (de)   to be afraid (to *or* of)

A   1. I have not seen your brother this week; I hope he is not ill.   2. As soon as I have learned what (**ce qui**) happened,* I shall give you a ring.   3. We are glad that you can accept our invitation.   4. Nobody will understand why you changed your mind.   5. Doesn't the General realize the danger of the situation?   6. I have neither the means (*singular*) nor the time to (**de**) go to Paris with you.   7. When you see Paul, ask him [for] his doctor's address.   8. I have neither taken nor seen your key.   Maybe you will find it in one of your pockets.   9. I am afraid that you will not arrive in time to help him.   10. We are sorry that we shall not be able to attend your lecture.   11. When you have finished your composition, show it to your father.   12. The doctor advised me not to (**de**) drink any (**de**) coffee.   13. Did anyone tell you (*use* **apprendre**) the news? — No, nobody told me anything.   14. Neither John nor his brother will go to the country this summer.   15. He is very busy and does not want to see anybody.

B   1. Last night I took a walk in the park until eight and (I) spent the rest of the evening reading (**à** + *infin.*).   2. For several years Victor Hugo lived on the isle of Guernsey.   3. Yes, he spent eighteen years in exile, from 1852 until the fall of Napoleon III in 1870.   4. When are you leaving for (**l'**) Europe? — A week from Monday.   5. He had nightmares last night and woke up several times.   6. The examinations will take place early this year, won't they?   7. It is late; I shall not work any longer.   8. We shall take our vacation (*plural*) from the fifteenth of May to the first of July.   9. I am very disheartened and I no longer know what (**que**) [to] do.   10. They will not sell their house until next year.   11. We can offer up to ten thousand dollars for (**de**) the boat they bought five years ago.   12. We shall wait until fall to (**pour**) buy a new car.   13. Last Sunday it rained the whole day.   14. How long do you intend to stay in (**à**) Geneva (**Genève**)? — About two weeks.   15. What did you do today? — I spent the whole morning studying (**à** + *infin.*) and in the afternoon I played (**au**) tennis.

* Remember that reflexive verbs are conjugated with **être**.

LESSON 4

toutes les fois   every time, whenever
manquer de   to lack
se passer de   to do without
avoir besoin de   to need

se dépêcher   to hasten, to hurry up
s'habiller   to get dressed
il faut + *period of time*   to take

A   1. What may I offer you? Tea, coffee, or a piece of cake?   2. Thank you;
I drink neither coffee nor tea, but I shall accept a little cake.   3. Who is talking
with Colonel Gerard? — General Voisin, the new chief of staff (état major).
4. Is Renée a Catholic? No, she and her family are Protestants.   5. Are you
going out without a hat in (par) this weather? — Yes, I never wear a hat.   6. You
say that cats are more intelligent than dogs. Perhaps you are right, but dogs are
more faithful.   7. They seem [to] find good excuses whenever they are late.
8. Don't you have a car? — No, we prefer to take taxis.   9. He has many good
qualities but he lacks patience.   10. You do not need an umbrella; I am sure it
will not rain today.   11. At (à) our school classes do not begin until nine-thirty.
12. The situation is not entirely without hope, is it?   13. The novels of Balzac,
a French writer of the nineteenth century, have been translated into (en) many
languages.   14. He does not like wine. If you have no milk, give him some
water.   15. Can't you do without servants for a few days?
B   1. Hurry up! You have only five minutes to (pour) get dressed.   2. The new
liners can reach a speed of thirty-five miles an hour.   3. It takes only five days
to cross the Atlantic from New York to Cherbourg.   4. We have now a forty-
hour week: eight hours a day, five days a week.   5. They lived five years in
South America: three years in Argentina (Argentine), two years in Brazil (Brésil).
6. He is so surprised that he can hardly say a word.   7. How do you sell these
peaches? By the dozen or by the pound? — Ten francs a dozen.   8. I think
that only Professor Brunot will be able to answer (à) your question.   9. This
wooden bridge is very picturesque.   10. Their house is very large but they have
scarcely any furniture.   11. I am going to the dressmaker's to (pour) try [on]
my new silk dress.   12. We shall spend the Christmas vacation (*plur.*) in Boston.
13. He has hardly arrived and already he wants to leave.   14. He writes us
often, but only short letters.   15. Who gave you these very pretty teacups?

LESSON 5

se servir de   to use
faire une conférence   to give a lecture
   (*formal*)
la petite monnaie   small change

s'intéresser à   to be interested in
d'occasion *or* usagé   second-hand
faire attention à   to pay attention to

A   1. It is going to rain. You may take my umbrella; I have another one.
2. You have too many toys; you ought to (devriez) send some to your sick little
cousin.   3. What do you want me to do with (de) this old, torn overcoat?
4. Lucienne is an intelligent girl, but she does not write as well as her sister.
5. Mrs. Brown is the best-dressed woman in town.   6. I like the white dress

and the large blue hat she is wearing today.   7. What are you reading? — A very interesting novel by **(de)** Walter Scott.   8. I have already read several of his works; he **(c')** is my favorite English author.   9. Where did you find this pretty little square table?   10. I haven't the least desire to see that long play.   11. The burglars entered (*use* **pénétrer dans**) the house through **(par)** an open window.   12. You often interrupt me when I am speaking. This is an impolite and irritating habit that you have.   13. You may use my typewriter; I shall not need it until tomorrow.   14. Have we enough beer for tonight? — Yes, we have enough; I bought a dozen bottles this morning.   15. He never remembers that I don't smoke, and he always offers me cigarettes.

B   1. She spoke of different things, but she did not mention the real purpose of her visit.   2. The signals from the last satellite **(satellite,** *m*) are becoming weaker and weaker.   3. Few students are interested in ancient history.   4. If you need some chairs, I can lend you a few.   5. Why do you want another dictionary? You already have three.   6. My former professor at the Sorbonne is now a member of the French Academy.   7. We have a new car, a second-hand Simca, which is in excellent condition.   8. Believe it or not, it is a true story.   9. He leads a very simple life and has few needs.   10. I never saw such a crowd. Let's go [and] see what is happening.   11. I am afraid no one will want to put money into such a dangerous speculation.   12. I have no small change. Can you lend me a few pennies **(sous)**?   13. Some of your mistakes are inexcusable; you do not pay enough attention to what **(ce que)** you are doing.   14. The more you wait, the more difficult it will be to **(de)** make **(prendre)** a decision.   15. He eats little for a boy of his age. He should **(devrait)** eat more.

LESSON 6

s'amuser bien to have a good time, have fun	**se demander** to wonder
	s'abriter to take shelter
se moquer de to make fun of	**éclater de rire** to burst out laughing
aimer bien to be fond of	

A   1. She came home late and went to bed immediately.   2. Did the young people have a good time at the Bergerets' last Sunday?   3. These two brothers are fond of each other but they often quarrel.   4. Where did the hunters take shelter during the storm?   5. The records you sent me have not arrived yet.   6. My sister fell and broke her arm.   7. What have you done with **(de)** the flowers I put in the living room?   8. They did not write to each other, not even a post card.   9. Our friends are late; I wonder whether they got lost.   10. Has his wife seen the new ties he bought himself? — She has not seen them yet, but I doubt that she will like them.   11. Why did you let Louise play with scissors? Look! She has cut herself.   12. Did the children wash their hands before dinner?   13. The rugs they bought in Iran are very beautiful.   14. Don't you see that she is making fun of you?   15. They looked at each other and burst out laughing.

B   1. Did you return the books you borrowed last month?   2. She does not remember where she left her umbrella.   3. I have told you many times that I do not want you to use my fountain pen.   4. My aunt returned from Italy two weeks ago.   5. He does not suspect that we have learned the truth.   6. Telephone my secretary that I shall not return to the office for the rest of the day. 7. The train for Marseille leaves from platform number five at 8 : 50 P.M.   8. Do not stop in the middle of the street; it (c') is dangerous.   9. We shall leave Paris in about ten days.   10. Perhaps that will serve you as a lesson, but I doubt it. 11. I would like (**voudrais**) you to stop interrupting me all the time while (**pendant que**) I am working.   12. Do you remember Mr. Lafont? — Yes, but I don't recall where I met him.   13. If I am dictating too fast, stop me.   14. Remind me to telephone my wife before five o'clock.   15. I have just remembered that in Paris many stores are closed on Mondays.

LESSON 7

aller (venir) chercher   to go (come) to get

envoyer chercher   to send for

se faire mal   to hurt oneself

tous (toutes) les + *period of time*   every

avoir tort   to be wrong

vouloir dire   to mean

aller à la pêche (à la chasse)   to go fishing (hunting)

de temps en temps   from time to time, once in a while

A   1. Did you know that he intended to leave all his fortune to his nephew? 2. While we were getting (*use* **prendre**) our tickets, the porter went to get the suitcases we had left in (**à**) the check room.   3. I had just sent him a wire when his letter arrived.   4. If I should tell you what he said about (**de**) you, you would not believe it.   5. I suppose your mother was not feeling well, for she hardly touched (**à**) her dinner.   6. We are sorry that you did not explain more clearly what (**ce que**) you thought of his proposal.   7. When he was in Paris he used to take long walks in the Bois de Boulogne every Sunday.   8. We could see that he hesitated to repeat such a story.   9. He was unable to find the book he was looking for.   10. When I was preparing for (**à**) my examinations, I often worked until midnight, and once in a while I would work all night.   11. I doubt that he understood what (**ce que**) you meant.   12. He knew he was wrong, nevertheless he refused to admit it.   13. We are glad that he succeeded in finding (**à** + *infin.*) a good job.   14. For a moment I thought that everything was lost. 15. He spent three years in France and when he came back he spoke French fluently.

B   1. As soon as the newspapers have arrived, bring me the ones that I sent for.   2. If you go to the ministers' conference in Paris, will you take your secretary with you?   3. Your husband has just telephoned. He wants to know whether he can bring a friend to dinner.   4. It was daylight when we arrived in Cherbourg, but it was foggy and we waited for two hours outside (**devant**) the harbor. 5. If you are in a hurry, I shall take you to the station in my car.   6. The movers carried up the piano with a great deal of difficulty because the stairs were so narrow.   7. If the weather is good and if it is not too windy, we shall go fishing tomorrow.   8. Don't take these letters away; I have not finished reading (**de** + *infin.*) them.   9. He went down the stairs too fast and fell, but he did not hurt himself.   10. I am going to Europe on (**pour**) business and I shall not take my family this time (*add* –**ci**).   11. In the tropics it is very humid for the greater part of the year.   12. Bring me back the documents I gave you this morning; I want to show them to my lawyer.   13. It is going to storm; look! it is already lightning.   14. I brought back your car; here are (**voici**) the keys.   15. Bring down the small armchair which is in my room.

LESSON 8

s'agir de   to be a question of, to be (all) about

avoir mauvais caractère   to have a bad temper

s'apercevoir   to become aware, to discover

les grandes vacances   summer holidays

se mettre en colère   to get angry

se perdre   to become lost

se tordre de rire   to roar with laughter

A   1. We were sure that he had not understood what it was all about.   2. He did not show me the manuscript of his book before sending it to the publishers.   3. As soon as the prisoners had eaten, the guards would take them back to their cells.   4. When I was in (**au**) college, my parents used to send me to France for the summer holidays.   5. I used to live in a French pension and for three months I spoke only French.   6. If he had paid more attention to the spelling, his translation would have been excellent.   7. After walking for three hours, they reached the end (**le bout**) of the forest.   8. When he had finished the chapter he was writing, he decided he had worked enough that day (*add* –**là**).   9. You say the boss wants to see me! I thought he had not come back to his office after lunch.   10. When he arrived at the station, he discovered that his watch was slow and learned that his train had already left.   11. Mr. Bergeret had been living in the same house for twenty years when he moved.   12. She had a bad temper; she became angry easily and would say things that she regretted afterward.   13. You had promised to write us every week, but we have not received anything from you for more than a month.   14. He has not missed a single class since the beginning of the semester.   15. He got lost in the desert and when we found him he had neither eaten nor drunk for three days.

B   1. Formerly parents married their children without asking their consent.   2. Now it is (**ce sont**) the children who marry without asking their parents' consent.   3. Tell the jury whether you knew the accused and what you know about (**de**) his relations with the victim.   4. I know it was not your fault that (**si**) you were late, but I could not wait any longer.   5. What does he teach? — Literature, but he could teach history also.   6. I could have helped you to (**à**) carry your baggage down; why didn't you call me?   7. Perhaps you could tell us what they were doing at three o'clock last Sunday?   8. Can you read German?— A printed text, yes. But I never could read German handwriting.   9. You told me that he did not know how to play (**au**) bridge. You were right!   10. I may not be free tonight, but I am sure that I can come tomorrow night.   11. You might have told me that you already knew this story!   12. He told us how, after many difficulties, he succeeded in (**à**) capturing the fugitive.   13. Do you want me to teach you how to drive? 14. I might go to England next summer. Do you want to come with me? 15. He told us several very amusing stories. Everybody was roaring with laughter.

LESSON 9

le froid cold weather	**tenir à** to be anxious to
règle à calcul slide rule	**se tromper** to be mistaken

A   1. Did you take my dictionary? Give it back to me; I need it.   2. Have you replied to his wire? — No, and I don't intend to reply to it.   3. Is she really anxious to go to that lecture tonight? — Yes, she is.   4. May I borrow your slide rule? — I am sorry but I am using it myself.   5. Did your father see your marks for the semester? — Yes, I showed them to him.   6. I don't like cold weather; I am not used to it.   7. Haven't you gone to the grocer's? — No, I haven't. Did you ask me to?   8. Mary, you do not look well. Are you tired? — Yes, I am.   9. Did you give John some beer? — No, he said he did not want any. 10. Is the boss in his office? — Yes, he is, but he is busy.   11. I have just received a letter from Paul. Do you want me to read it to you?   12. He does not like good music, does he? — You are mistaken; he is very much interested in it. 13. He asked you to (**de**) send him some shirts. Did you do it? — Yes, I sent him some a few days ago.   14. Did you tell them to (**de**) hurry? — I told them to; they will be here in a few minutes.   15. How many pieces of cake did you give her? — I gave her only one.

B   1. Isn't he cold without an overcoat?   2. I am afraid they will be late; no, there they are.   3. This novel does not seem to me very interesting.   4. How old is your brother? — He is thirteen; he is two years older than I (**moi**).   5. What is the matter with her? Why does she look so sad?   6. I feel like telling him what I think of his behavior.   7. Is there anything to (**à**) drink? I am very thirsty. 8. Aren't you ashamed to be afraid of such a little dog?   9. He was eager to know the results of the examinations.   10. You look hungry. — Yes, I didn't have any lunch.   11. She won't tell her age, but I know she is over fifty.   12. Are there any fish in this river? — Why, yes. Look! There is one that has just jumped out of the water.   13. If you want some milk, there is some in the refrigerator. 14. Don't make any noise; your mother has a headache.   15. Here I am. I hope I did not keep you waiting (*use* **faire attendre**) too long.

LESSON 10

il se fait tard it is getting late	**faire de l'exercice** to take exercise
faire des excuses to apologize	**tout de suite** right away

A   1. He and I have known each other for a long time.   2. Janine is almost ready; don't leave without her.   3. He (**c'**) is one of my best students. I am very interested in him and in his work.   4. It is getting late. Tell Miss Jones that I shall not need her any more today.   5. He refused to help you! He, your best friend!   6. He never contradicts her for fear that she may get angry.

7. Why do you compare me to him? Perhaps he works faster, but I work more carefully. 8. We shall be at your house in ten minutes, unless we cannot find a taxi. 9. Do you know Mr. Gerard? Could you recommend me to him? 10. Neither my wife nor I will want to see this play. 11. Although we have a car, we prefer to go to town by (le) train. 12. Why do you scold me and not him? He also disobeyed you. 13. Your friends left. They said they could not wait until you have finished your homework. 14. They want you to return the money *to them* personally. 15. I saw (*use* **apercevoir**) you and your sister at the movies last night.

B 1. If he apologizes to you, will you forgive him for his rudeness? 2. Everybody says that she looks like her father. 3. How much did you pay for your new car? 4. We told him frankly what we thought of his offer. 5. He does not allow his students to write the answers in their books. 6. I was thinking of her when she telephoned. 7. Why didn't you answer his wire right away? 8. If you are hungry, ask the maid to give you something to (à) eat. 9. They thought over your offer and decided to accept it. 10. The doctor advised my brother to eat less and to take more exercise. 11. He does not want to play bridge; he prefers to listen to records. 12. You don't think of your friends except when you need them. 13. I think your Mother is calling you. Answer her. 14. My son wants to learn to play the violin. 15. You ought to (**devriez**) return to your professor the books that you borrowed from him.

LESSON 11

se trouver to be (*when referring to location*)
s'inquiéter to worry
aussitôt après immediately after
tout seul (all) by myself
se reposer to rest
se baigner to go swimming

A 1. What is the name of the explorer whose adventures you were relating to us last night? 2. If she has not missed her train, she will be here in ten minutes. 3. Had I known the real situation I would have acted differently. 4. The street on which we live is very quiet. 5. Have you given him the money that he will need for his trip? 6. We admire the patience with which they listen to his old stories. 7. Do you remember the name of the mountain on the top of which is the largest telescope in the world? 8. If he were more generous he would have offered to lend you some money. 9. It is the work of a painter whose name is not well-known. 10. Is he (**ce**) the painter in whom you are interested? 11. If you have not yet visited the Louvre Museum, we shall take you there tomorrow. 12. I told him I could not do this translation by myself. 13. July is the month when many people (**gens**) like to take their vacations. 14. If they needed us, why didn't they tell us? We could have helped them. 15. I would have thought that *he* would know how to keep a secret.

B 1. If they were so tired, they ought to have stopped and rested for a few hours. 2. He should have told us that he intended to spend the night at his friends'. 3. It took more than a hundred years to build Rheims cathedral. 4. You must not worry; he drives very well and is always cautious. 5. We took all the clothes that were needed. 6. During the war men often had to do without rest for several days. 7. You don't have to shout; I am not deaf. 8. He should not have gone swimming immediately after having eaten. 9. A lot of effort was needed to carry this large trunk up to my room. 10. You say that I owe you fifty dollars? You must be mistaken; I think I owe you more. 11. They absolutely must pay more attention to what (ce que) they are doing. 12. You have not had any lunch? You must be hungry. 13. We could not take the boat we wanted and we had to postpone our trip. 14. You must promise me that you will not drive too fast; otherwise you will have to take the train.

LESSON 12

être de l'avis de to agree with*	faire un voyage to take a trip
fait à la main hand-made	fermer à clef to lock
faire de la peine à to grieve (someone)	

* Note the construction: he agrees with me, il est de mon avis.

A 1. Is it the dressmaker who just telephoned? — Yes, it is she. 2. She is the one Mrs. Leblanc recommended to you, isn't she? 3. I know what you will say, but that does not mean that I shall follow your advice (*plur.*). 4. Our flowers are not so large as our neighbor's, but nevertheless, they are very pretty flowers. 5. It will be impossible for him to take his vacation this month. 6. What do you think of these two cars? I like the color of this one, but that one looks more comfortable. 7. What annoys me is that he never pays any attention to what (on) tell him. 8. It is essential that you write him without delay what you intend to do. 9. I agree with you and I think it would be even better that we send him a wire. 10. What is your father's profession? — He is a lawyer. 11. It is strange that he did not answer your letter. — Yes, it is very strange. 12. It is too bad you could not come that day; you missed a very interesting evening. 13. This is very important: do not forget to lock the door when you leave your office. 14. It grieves your mother very much that you do not write her more often. 15. There are two Dumas: Dumas [the] father and Dumas [the] son. The former is the one who wrote the well-known novels, the latter wrote mainly for the theater.

B 1. I would like you to go to the post office to buy some stamps. 2. She hopes you will be able [to] meet her at the airport. 3. The Americans introduced the expression "O.K." to (dans) almost the entire world. 4. What would you like to do if you were very rich? 5. The English like to have a cup of tea as soon as they get up in the morning. 6. We met your cousin in the park yesterday but she did not recognize us. 7. How do you like these ties? They are hand-painted. 8. You don't know the Dubois? I thought I had introduced you to them when you arrived. 9. Do you realize how lucky you are to be able to take this trip? 10. Where and at what time do they want us to meet them? 11. I am willing to play bridge with you tonight provided we do not play too late. 12. She would like to try to (de) do this translation without a dictionary. 13. What will you have with your lunch? Tea or coffee? 14. I have spoken of

you to Mrs. B. She will be delighted to meet you and I am sure you will like her.
15. Would you like to go to the theater with us? — I would like to, but I have
to study for my examinations.

LESSON 13

se tenir debout   to stand
se plaindre   to complain

être à l'aise   to be comfortable
d'un cheveux   by a hair's breadth

A   1. Have you ever been to Paris? You would love its monuments, theaters,
museums, and its intellectual atmosphere (ambiance intellectuelle). 2. Don't
take that hat; it is not yours, it is mine. 3. He looks less distinguished since he
has shaved his moustache. 4. You don't need to raise your voice, I am not
deaf. 5. I met Dr. Bernard and his wife yesterday. I was sorry to learn that his
Mother is very ill. 6. They did not want to listen to my story, but they listened
to his. 7. Whose shoes are these? — They are not mine; they must be hers.
8. One of my students broke his nose while (en) playing football. 9. What do
you think of Mary's translation and her brother's? — His is fairly (assez) good,
hers is excellent. 10. Put another pillow under her head; she will be more comfortable. 11. Two students, their books in their hands, stood near the door.
12. I am going to cut her hair; it is much too long. 13. She held her gloves
with (de) the tip of her fingers. 14. Whose dog is this? I don't know but I think
it belongs to one of our neighbors. 15. Don't wipe your dirty hands with that
clean towel; wash them first (d'abord).
B   1. When the maid brought the cakes the children shrieked with joy.
2. Did you miss me during my trip? — Yes, I missed you a great deal. 3. He
is very clever with his hands; he repaired this clock with the skill of a professional.
4. He complains that he has no clean shirts left and that the last time they came
back from the laundry there were two missing. 5. I cannot find my books. —
Look on the third shelf; they are the two books with the green covers. 6. Ara-
bian women cover their faces with a thick veil. 7. I can't give you any milk;
there is none left. 8. He lacked the qualities which would make him (de lui) a
good officer. 9. I miss my old car; I was used to it and I don't know why I
sold it. 10. What have we left to do before leaving? — There is nothing left to
do but to (que de) make sure (s'assurer) that all the windows are shut. 11. There
is something lacking in (à) this room (pièce), but I don't know exactly what.
12. We have only two bottles left of that very good wine you sent us. 13. Do
not fail to notify the minister that an important dispatch arrived during the night.
14. The car skidded and we almost hit another car. We missed it by a hair's
breadth. 15. Two teaspoons are missing. I wonder if the maid could have
thrown them [away]?

LESSON 14

Le (la) camarade de . . .   . . . mate
un pain   a loaf of bread
faire plaisir   to please

faire peur (à)   to scare
livre de lecture   reading book

A 1. Is there anyone who knows when the professor will return from Europe? 2. This is the most incredible story that we have heard for a long time. 3. We do not want anyone who has not had at least five years of French. 4. You are not so busy. There is no reason why (**pour que**) you couldn't take a vacation this summer. 5. He is looking for an apartment that has [a] view on the Seine. 6. I know very few restaurants where one (**l'on***) can eat better than in this one. 7. He wants an overcoat that is light and at the same time† very warm. 8. We are thinking of buying a house that has five bedrooms, four bathrooms, and a large garden. 9. If it is possible, I would like a roommate who does not know a word of English. 10. We have not found anyone yet who is willing to accept this job in Vietnam. 11. I know a man who would like to go, but I am afraid that he does not have the required qualifications. 12. Is it the only letter that he has written you since he left a year ago? 13. I would like to tell you about the most extraordinary adventure that happened (*use* **arriver**) to me during my last trip. 14. That is not the only news you have learned! I am sure you have not told me everything you know. 15. I met very few people (**gens**) I knew at the theater.

B 1. At the price (**que**) we are selling them now, any one of these rugs is a bargain that you should not miss. 2. Our professor of French took the whole class to see the Comédie Française in *Le Cid*. 3. Whoever stole those jewels will be very disappointed, for all of them were false. 4. This problem is not difficult, so that you can ask anyone who was in class yesterday to help you. 5. I invited two of my classmates to spend the weekend with us and both accepted with great pleasure. 6. I am in a great (**très**) hurry. Serve me anything at all, provided you can serve it quickly. 7. Choose any passage whatever in your reading book and translate it without anyone's help. 8. You look all upset, both of you. Has anything or anyone scared you? 9. He was very hungry and he ate a whole loaf of bread and drank a whole bottle of milk all by himself. 10. I shall confide a secret to you if you promise me not to repeat it to anyone at all. 11. You forgot to lock the door before leaving. Anyone could have entered the house and taken anything he wanted. 12. Are all the students present? — Yes, I think they are all here, but I am going to make sure and shall let you know if anybody is missing. 13. I am not at all surprised you got lost. Anyone could get lost in this city. 14. We go to Europe every other year, but if we could, we would go more often. 15. Don't buy him anything expensive. Any little souvenir (*m*) will please him.

* L' is sometimes used for euphony, particularly between **où** and **on**.
† Placed immediately after the verb.

LESSON 15

se fâcher   to get angry
par hasard   by (any) chance
se mettre en route   to get under way, start out
faire un compliment   to pay a compliment

s'opposer à   to be opposed to
se vanter   to boast
un appel téléphonique   a telephone call
le rendez-vous   appointment

A 1. I don't remember your telephoning me that you would come today. 2. However rich you may be, there are things that money cannot buy. 3. After what you said to him we understand very well that he got angry. 4. Do you really believe that he intends to sell his stamp collection? *I* don't believe it. 5. Whatever talent you may have, you must not boast of it. 6. Are you opposed to my reading the letter you have just received? You may be assured that I shall be discreet. 7. It does not seem to me that he understood what you meant. 8. You do not suppose by any chance that he did not tell the whole truth? 9. Whatever you may think of his decision, you must accept it without arguing. 10. It is essential to prevent these documents from falling into enemy hands. 11. I talked about your case to my lawyer and he suggests that you come [to] consult him as soon as possible. 12. It seems now that there are chances that the strike will not take place. 13. Whomever you engaged, I hope you made sure that he has good references. 14. I propose that the expedition get under way without further (**plus de**) delay. 15. Do you consider that this answer is the only [one] possible?

B 1. We expect that you will spend at least a week with us. 2. Did you expect what happened to you? And now, what do you intend to do? 3. The plane from London has not arrived yet. Has something happened to it? It is usually on time. 4. I am sorry that I cannot have lunch with you, but I am expecting a telephone call and I must stay in my office. 5. How does it happen that you have changed your mind after having accepted our conditions? 6. It does not happen to him very often to get angry, but when it does happen he is unable to (**de**) control (**maîtriser**) himself. 7. I count on his bringing (*use* **rapporter**) from Paris some records that I could not find here. 8. She is used to his never paying her a compliment when she wears a new dress. 9. It is too bad, but I don't expect that he will return from Europe just (**rien que**) for your daughter's birthday. 10. He predicted what would happen if we did not follow his advice. 11. His bad behavior no longer annoys me; I am used to it and I don't pay any attention to it. 12. It happens that even the bravest are sometimes afraid before danger. 13. I am accustomed to keeping my word (**parole,** *f*) and do not permit anyone to doubt it. 14. I expect that you will let me know as soon as possible what you have decided. 15. If you happen to see Mr. Leblanc, will you remind him that we have an appointment tomorrow at five?

LESSON 16

peu sage unwise	**de l'autre côté de** across
renoncer à to give up	**valoir la peine de** to be worthwhile to
malgré in spite of	

A 1. Don't let that prevent you from doing what you have decided. 2. They insisted that we show them the pictures (**photos,** *f*) we took last summer. 3. I doubt that they were listening to what I was saying. 4. They did not sell anything that was not of [the] best quality. 5. Whatever he did, he was never satisfied. 6. Let those who know the answer raise their hands. 7. Although we arrived at the theater early, there were no good seats left. 8. Weren't the doctor's orders that you stay in bed until the end of the week? 9. If he had thought it over, I doubt that he would have refused that job. 10. May you not regret such an unwise decision. 11. Although he had realized the dangers of the mission, he had accepted it. 12. We were looking for someone who knew the town well. 13. He had done it without our knowing it. 14. Were they sorry that we had been unable to accept their invitation? 15. I don't think she would have waited so long if she had not been anxious to see you.

B 1. We tried in vain to (**de**) find an interpreter. 2. He thought there was a direct plane from here to Casablanca, but they told him he would have to change planes twice. 3. No matter how much you try you will not succeed in making him change his mind. 4. In spite of your objections, we shall not change our plans. 5. I insisted in vain, I could not induce him to go to Paris by plane. He is determined to take the boat. 6. This child does not look well; what she needs is a change of air. 7. It is curious, isn't it, that he should be so small while his brother is so tall? 8. After much hesitation he decided not to change his job. 9. What do you intend to do? Can't you make up your mind? 10. I have only a ten dollar bill. Can you lend me some small change? 11. While you are changing I am going to telephone the Duponts that we shall be a few minutes late. 12. I am so glad you decided to give up smoking. 13. I would have recognized him immediately; he has not changed at all. 14. We decided that after all it was not worthwhile to take this trip. 15. They say they do not accept foreign currency, but I am convinced they will accept dollars.

LESSON 17

s'évader to escape (*from a place of confinement*)
trouver à redire to find fault with

un bonbon a piece of candy; **les bonbons** candy
un avion à réaction jet plane

A 1. It will be difficult to decide what will be the best thing to do. 2. I came especially to help you write your composition and you haven't even begun it. 3. Can you recommend something interesting to see in this town? 4. Your duty consists in (**à**) going to the police and telling them what you have learned. 5. I do not remember telling you that I intended to marry. 6. I wish I knew at what time they will arrive. 7. I believe I [can] guess why you did not allow him to read this novel. 8. We saw the doctor coming out of the house across the street. 9. He persists in denying that you told him not to give this information (*plur.*) to the press. 10. Hurry up and tell me the purpose of your visit. I have very little time to spend with you. 11. I wish I had learned sooner that he intended to change his plans for the summer. 12. Let him do what he wants. I have nothing more to say to him. 13. She is too proud to admit that she made a bad choice. 14. I refuse to believe that you could not have prevented the prisoner from escaping. 15. This was not something impossible to foresee and you should have been more careful.

B 1. We enjoy his conversation very much. He always finds something interesting to say. 2. He did not notice that he had taken my overcoat instead of his [own]; they look so much alike. 3. I was very pleased to find an old friend in Paris whom I had not seen for years. 4. We heard the museum had acquired a new Rembrandt. 5. Please notice that we have already discussed this question. 6. My mother enjoyed very much the candy you sent her for Christmas. 7. If he has done something that has displeased you, he did not do it on purpose. 8. I dislike his manners. Did you notice the way in (de) which he just spoke to me? 9. Have they heard from their brother in Japan? 10. You should have notified us immediately when you noticed that your jewels had disappeared. Now, it is going to be difficult to find them. 11. If you want to please the children, take them to the movies. 12. We enjoy very much living in the country. We do not miss the city at all. 13. Have you heard about the new American jet plane? 14. I try in vain to please her, she finds fault with everything I do or say. 15. He was so sleepy that he did not notice I had left.

LESSON 18

se calmer to calm down
plutôt que de rather than
le sergent de ville policeman

ni l'un(e) ni l'autre neither
descendre de to get off (*a vehicle*)
par terre on the floor

A 1. By taking a taxi you will arrive in time for the eight o'clock train. 2. Seeing that he was asleep, I went out of the room trying not to make any noise. 3. He began his first class by explaining to the students his method of teaching. 4. Without adding a word he left, banging the door. 5. He finally realized that it was useless to insist. 6. A young man, speaking several languages, is looking for a job abroad. 7. Accompanied by (de) their children, the President and his wife got off the plane. 8. On arriving at the hotel she discovered that one of her suitcases was missing. 9. He acquired most of his education by attending the evening courses offered by the university. 10. "Don't be angry," she said, laughing. "Don't you see that I was only joking?" 11. Forgetting that it was Saturday, he went to his bank and found it closed. 12. Where is the gentleman wishing to see me? — He is waiting in my office. 13. Hunting and fishing are my favorite sports. 14. Having traveled a lot he has had many interesting adventures. 15. He began by scolding me, then, when I told him I had not done it on purpose, he calmed down.

B 1. Will you drive back to Boston, or will you take the train? — Neither, we shall fly. 2. Do you remember the name of the first woman who swam across the Channel? 3. When the weather is good, I prefer walking to the office rather than taking the bus. 4. The little girl was doing her homework sitting on the floor. 5. I rode to Versailles on the bicycle of one of my friends. 6. Don't you want to sit down? — No, thank you, I prefer to stand. 7. After walking for two hours they still had not reached the end of the forest. 8. Be more careful! You almost ran over a dog while driving through the last village. 9. Realizing that he was in danger of being caught, he jumped on his motorcycle and rode away at full (toute) speed. 10. During the war I flew across the Atlantic at least a dozen times. 11. Sit in this armchair; you will be more comfortable in it than on that chair. 12. The policeman stood in the middle of the avenue and directed the traffic. 13. If you fell it was your (de votre) fault, for I had told you not to run down the hill. 14. The passengers complained that the train was not heated. 15. The colonel, standing on a mound (**un monticule**), was observing the positions of the enemy.

LESSON 19

les montagnes russes	scenic railway	**avoir le mal de mer**	to be seasick
libraire (*m f*)	bookseller	**la bibliothèque**	library
la librairie	bookshop	**bibliothécaire** (*m f*)	librarian

A 1. You will never make John admit that he made a mistake. 2. She is lucky to be able to have all her dresses made at Dior's. 3. If you wish, while I am in Boston, I'll have my bookseller send you some books. 4. You said it was I who broke the mirror! Did you see me break it? 5. He is a very good officer; he knows how to make himself obeyed by his men without ever punishing them. 6. We saw your son being decorated by the Commander-in-Chief himself. 7. As soon as the letter is finished, have it taken to the post office without delay. 8. Is the dean in the library? I doubt it, I believe I saw him come out of it ten minutes ago. 9. The professor had the problem explained to the class by one of his students. 10. In order to avoid an argument (**une discussion**), he let his chief believe that he agreed with him. 11. We are beginning to know that song by heart! We have heard her sing it too often. 12. I see our guests arriving. Have the tea brought [in], please. 13. Don't let the children go to bed late and don't forget to make them brush their teeth. 14. Stop making so much noise while I am working; you made me make several errors. 15. Now that your daughter is sixteen you ought to let her buy her clothes herself.

B 1. What happened to you? — I hurt my foot while playing tennis. 2. Don't pay any attention to his bad humor. He is not used to this and it makes him angry. 3. Doesn't it make you ashamed always to be the last in your class? 4. His lack of tact hurt our relations with several countries. 5. Something frightened my horse and he almost threw me into the ditch. 6. Why don't you try this new remedy? Perhaps it will do you some good and certainly it cannot hurt you. 7. He pretended to read, but I was sure he was listening to us. 8. Don't stand up on (the) top of that rock, it makes me dizzy to watch you. 9. He is a sensible man and I am sure he will understand the reasons for (**de**) your behavior. 10. The train derailed and several passengers were hurt, but none seriously. 11. You ought to change the needle of your phonograph; it is worn and might hurt your records. 12. It is very annoying that he did not inform us of his intention. 13. They neglected to let me know what had been decided. 14. If this bandage is too tight and is hurting you, tell (it to) me and I shall call one of the interns (**internes**). 15. She cannot ride on the scenic railway, it makes her seasick.

LESSON 20

Quel dommage!	What a pity!	**entre-temps**	in the meantime, meanwhile
Faites attention! or **Prenez garde!** Watch out!		**faire la queue**	to stand in line

A 1. If I am not mistaken, this letter has not been answered. 2. They should have told us that the road was blocked by snow. 3. The great Armada (*f*) was defeated by the English and the greater part of its ships were sunk. 4. The thief succeeded in escaping again, thanks to the negligence of a guard. 5. What a pity! The most beautiful trees in this forest have been cut [down] to make (**fabriquer**) paper. 6. You know perfectly well that you were forbidden to read in (**au**) bed because it hurts your eyes. 7. "We are discovered!" exclaimed one of the thieves when the police entered. 8. Let's go and have lunch while the tire is being changed. 9. When will that letter be ready? — It is being written and you will have it in a few minutes. 10. Only French is spoken in certain parts of the province of Quebec. 11. I shall come to see you again in a few days unless I am sent to Chicago. 12. I see that your roof has been re-covered. By whom did you have it done? 13. The Sorbonne, one of the oldest universities in Europe, was founded in (**sous**) the reign of Saint Louis. 14. Were you permitted to tell him what the dispatch contained? — No, but I was not told that it was secret. 15. We were offered a painting by (**de**) Renoir, but the price was too high (**élevé**).

B 1. The only place you can find that manuscript is at the National Library. 2. In spite of the cold, I have never seen so many people at a football game. 3. The policeman questioned the few people who were present at the accident. 4. There is a saying (**dicton**, *m*) in English: "It takes all kinds of people to make a world." 5. Watch out! You are lighting your cigarette by the wrong end. 6. He wrote us in French and we are not sure whether he means that he is working in a prison or whether he is in prison. 7. Americans are a very hospitable and generous people. 8. What is the name of the famous marbles which are now in the British Museum (**le British Museum**)? 9. We went downtown to go to the movies, but we soon gave (it) up; there were too many people standing in line. 10. I think that all your students are in class today. 11. I am speaking to you now in (**au**) the name of all the peoples who believe in (**à la**) freedom. 12. At the end of his speech he thanked his audience. 13. You will find room number 50 on the (**au**) third floor at the end of the corridor. 14. I have worked all day without stopping and I am all in. 15. His speech was so boring that I couldn't listen to it to the end.

Supplementary Compositions

Before writing a composition, the student should read with attention the French text of the two lessons on which the composition is based. He should refer to these texts as often as necessary to make certain of the constructions, idiomatic expressions, and other information needed to do the work correctly. Additional aids are provided in the Vocabulary and Appendix at the back of the book, such as verbs that require a preposition before an infinitive, verbs used reflexively in French, prepositions used after certain expressions, etc., and particularly cross-references to words and expressions which are given under the heading Vocabulary Distinctions.

The student should follow the model set by the text in the use of the past definite in past narratives, and in the use of **tu** when required in conversation.

I
(*Lessons 1 and 2*)

This scene takes place in the study of Mr. Lepoupin at about eight o'clock in the evening. Mr. Lepoupin is waiting for his wife who is late for dinner, as (*it*) often happens [1] to her when she goes shopping in department stores on (**les**) bargain days, or when she plays [2] bridge with her friends. Mr. Lepoupin is used to that and he waits patiently while reading [3] his newspaper in a comfortable armchair. From time to time he looks at the clock and sighs with resignation.

On his desk there is (**se trouve**) a large package addressed to Mr. and Mrs. Lepoupin. Nevertheless he has not opened it. First, because he lacks curiosity, but also, because he knows that his wife does not like him to open a package without her, even if it is for both of them.[4] Half-past eight. Mr. Lepoupin begins to show [4] some signs of impatience. "Where can she be?" [5] he wonders. "What can she be doing?" [5]

At last, a few minutes before nine, his wife arrives and when she sees the package she wants to open it immediately.

"Ah no! Please (**je t'en prie**), not before dinner," says her husband, "have you looked at the time?"

"Heavens," exclaims Mrs. Lepoupin, "I had not realized it was so late. It is Mrs. Girardon's fault, she insisted that we finish the rubber we had begun. Girardon was furious, but you,[6] you are not angry, are you?"

"I am not angry, but I am hungry,[7] and I am not in a hurry to see another New Year's present. Be reasonable and let us have dinner. The package will not run away."

After dinner.

The Lepoupins have opened the package. It is a present from the Boisvieux, a vase in (**de**) the worst modern style.[8] They are very disappointed. For once Mrs. Lepoupin agrees with her husband. She admits that the vase is ugly and that they do not want to see it in their house. But what are they going to do with it? [9] Mr. Lepoupin suggests hiding [10] it somewhere and forgetting [10] it. But his wife, who is of a more practical mind, reminds (*to*) him that they have not yet sent a present to the Girardons.

"It would be better not to send them anything at (**du**) all rather than such a horror," protests Mr. Lepoupin, "I would be ashamed (*of it*)."

"Don't worry," replies his wife, "the Girardons have no better taste than the Boisvieux, and I am sure that the vase will go very well with the rest of their furniture. It is too late to send it by (*the*) mail, they would not receive it before the New Year. Tomorrow morning I shall have [11] it taken [12] to their house by the chauffeur. And now I shall write to Mrs. Boisvieux to thank her for (de) the beautiful present and compliment her on (de) her exquisite taste."

[1] Lesson 15, Vocab. Dist.   [2] Lesson 10, Vocab. Dist.   [3] Lesson 18, Sec. I–1.   [4] See Vocabulary.   [5] Insert **bien** after **pouvoir**.   [6] Lesson 10, Sec. I–4.   [7] Lesson 9, Vocab. Dist.   [8] Lesson 5, Sec. III–1, 8.   [9] *To do with*, **faire de**, Lesson 9, Sec. I–B–4.   [10] Lesson 17, Sec. I.   [11] Lesson 19, Sec. I–(3).   [12] Lesson 7, Vocab. Dist.

II

(*Lessons 3 and 4*)

Two days later Mrs. Lepoupin received from Mrs. Girardon a note of thanks almost identical to the one [1] she had written to Mrs. Boisvieux. She showed it to her husband.

"Look, what did I tell you? They adore the vase!"

Mr. Lepoupin smiled but said nothing.

The truth is that Mrs. Lepoupin was mistaken when she had said that the Girardons had no taste. When the package arrived, Mr. Girardon, without any (aucune) hesitation and in spite of the absence of his wife, opened it and exclaimed:

"What [2] do the Lepoupins think we are going to do with (de) that trash!"

When his wife saw the vase and learned who had sent it to them, she merely said:

"I always thought the Lepoupins lacked taste, but that (ça) . . .! Is it a joke?" Then she added:

"It's too late now, but we shall put it away and shall give it to someone next year."

We shall not relate in detail the travels of that unfortunate vase. It had visited many homes but had stayed in none for more than a year, when one day, at (la) Christmas Eve, it arrived at the Corbulons'. Mr. Corbulon was one of those *parvenus* who had made [3] a considerable fortune during the war. He [4] and his wife found the vase neither beautiful nor ugly, they did not know whether it was modern or ancient, but they had already too many vases and they did not want another one. However, the Corbulons, in spite of all their money, had remained thrifty.

"After all," suggested Corbulon, "perhaps the vase is ancient; let's take [5] it to Wasserman and perhaps he will exchange it for something [6] else. It does not cost anything to try."

Wasserman, the well-known antique dealer, looked at the vase and said disdainfully:

"It's modern."

And so the vase spent another year in a closet.

A few days before Christmas, upon returning [7] home, Mrs. Lepoupin found in the hallway a large package wrapped in (de) brown paper and addressed to her and her husband. She opened it immediately, of course, and when she saw what was inside she called her husband, who was in his study, and cried:

"Adolphe, guess what [8] we have just received from the Corbulons!"

"What?"

"The vase!"

"What vase?"

"The same piece of copper we received from the Boisvieux six years ago. Don't you remember?" [9]

Mr. Lepoupin burst out laughing and then said:

"Now we have to get rid of it again. To whom are you going to send it this year?"

"Are you crazy? Don't you know that the price of copper is very high at (en) this moment? I am sure that a junk dealer (**marchand de bric à brac**) will give us at least 150 francs for it." [10]

---

[1] Lesson 12, Sec. I–A.   [2] Use long form.   [3] See Vocabulary.   [4] Lesson 10, Sec. I–5.   [5] Lesson 7, Vocab. Dist.   [6] Lesson 14, Vocab. Dist., Note.   [7] Lesson 18, Sec. I–1.   [8] Lesson 12, Sec. III.   [9] Lesson 6, Vocab. Dist.   [10] Lesson 9, Sec. I–B–4.

III

(*Lessons 5 and 6*)

Moving day [1] has come. Riquet, the Bergerets' little dog, does not understand what is happening.[2] Already, the day before,[1] he had begun to worry when he saw the kitchen utensils, the dishes and small household objects disappear into packing cases. And now, half a dozen unknown and noisy men have just invaded his house and are beginning to take the furniture away.[3] He had barked at first. But instead of encouraging him to chase away the invaders, Miss Zoé had scolded him and told him to keep quiet.

"Man's ways (**les voies,** *f*) are mysterious," he thinks sadly. "And you,[4] my master, whom I believed so powerful, how can you let these badly dressed strangers steal all your possessions, even your own armchair!"

He tries in vain to hide under a piece of furniture, but it is soon removed. And so he flees from room to (en) room, his [5] tail between his legs, more and more [1] worried. The most alarming is that old Angélique, the cook, has forgotten to give him his breakfast. He is not really hungry, but she has never done such a thing before. However, the dust raised by the movers has made [6] him thirsty. He goes to the kitchen and looks for his bowl of fresh water. Alas, it [7] also has disappeared. What does all that mean? His little mind cannot conceive a worse catastrophe.

Suddenly, it occurs to him (**il lui vient à l'esprit**) that maybe he will be abandoned in the empty house. This thought terrifies him. He must stay close to a member of the family so that they (on) will not forget him, and also he feels [7] the need for comforting. First he thinks of [8] his master but remembers that the latter left the house early in the morning and has not yet returned. He does not much like Miss Zoé who often scolds him; Angélique seems too busy to pay attention to him.[9] Perhaps Miss Pauline, who is always so kind to (envers) him, will show [1] him a little sympathy.

He finds her in her room putting [10] her clothes in a big, gaping trunk. She is singing and appears very cheerful. When she sees Riquet's pitiful look, she begins to laugh:

"Riquet, you are ridiculous. Aren't you pleased to go into a new apartment, much bigger and more comfortable than this one? *I* [4] am so happy to leave this decrepit old house."

Then she realizes that the poor animal is distressed and she guesses why. She calls him in (**de**) a consoling voice:

"Come Riquet, come to your mistress. Don't be afraid, we shall take [3] you with us."

---

[1] See Vocabulary.   [2] Lesson 15, Vocab. Dist.   [3] Lesson 7, Vocab. Dist.   [4] Lesson 10, Sec. I–4.   [5] Lesson 13, Sec. II.   [6] Lesson 19, Vocab. Dist.   [7] Lesson 10, Sec. I–3.   [8] Lesson 10, Vocab. Dist.   [9] Lesson 10, Sec. I–7.   [10] Lesson 18, Sec. I–3.

IV

(*Lessons 7 and 8*)

Instead of coming to his young mistress, Riquet pretended not to hear her and even avoided looking [1] in her direction. She called him several times, but he did not budge from where he stood. [2] There was something in Pauline's voice that made [3] him suspicious and he thought that she was making fun of him. When she tried to take him in her arms he ran away and, panic-stricken, jumped into the gaping trunk.

"Very well, stupid little dog," she cried, "you want to be in the trunk, then you shall stay there!"

And she closed the lid on him.

At first, Riquet thought it was a game and that Pauline would soon let him out [4] of this dark prison. But when he heard her leave the room he began to be frightened. He wondered: "Am I [being] punished? What have I done wrong (**de mal**)? How long am I going to be left in this fearful situation?" He did not even dare to bark for fear [5] of a more severe punishment. However, exhausted by so many emotions, he finally [6] fell asleep.

Suddenly he was awakened by the voice of his master:

"Riquet, do you want to come for a walk? Riquet, where are you?"

Riquet barked in response to his master's call, but his voice was muffled (**assourdie**) and Mr. Bergeret, who was in another room, did not hear him. He asked Pauline whether she knew where the dog was. [7] Pauline blushed and confessed:

"In my trunk, papa. He jumped in it [5] and I closed the lid to tease him. I did not intend to leave him there for long, then I forgot about him."

"What a cruel joke to play on (**à faire à**) a poor animal. He was probably terrified, and don't you realize that he might have stifled (**étouffé**)?"

"And now, Riquet," he said (**on**) raising the lid, "let us go for our walk. You deserve it well." Riquet jumped out of the trunk with relief and joyfully followed his master.

They went down together into the street. There, a distressing spectacle awaited Riquet. All their furniture was spread out in front of the house and the same men who had removed it from the apartment were loading it into a big truck. "This is the end of everything," thought Riquet. He looked sadly at his master and his eyes seemed to say:

"You may have [8] lost your house and all your possessions, but you have one thing left: [9] your dog who will not abandon you."

[1] Lesson 17, Sec. I.   [2] Lesson 18, Vocab. Dist., Note.   [3] Lesson 19, Vocab. Dist.
[4] Use **faire sortir**.   [5] See Vocabulary.   [6] Lesson 18, Sec. I-1, Note.   [7] Invert: verb, subject.   [8] Lesson 8, Vocab. Dist.   [9] Lesson 13, Vocab. Dist.

V

(*Lessons 9 and 10*)

As (*it*) was still the custom in old aristocratic families, particularly among those who lived in the provinces,[1] Hector de Gribelin's parents had entrusted his education to a tutor. The latter, an old country priest, had taught him Latin, arithmetic, a little history and geography, had read with him some of the more important classics, but, aside from that, had not taught him much [2] else. From his parents, who lived entirely in the past, Hector had learned nothing of the requirements of modern life. So that he was poorly prepared for the day when [3] he would have to earn his living, for what remained of the family domain was to go to his elder brother.

When Hector had reached his twenty-first year, friends of the family in Paris found him a position in the Department of the Navy, at fifteen hundred francs a year. Having no special knowledge,[4] nor particular talents, and lacking self-assurance, he remained in the same post, at the same salary, for several years. When he finally obtained a raise, he married a childhood friend, pretty, but as poor as he was.

They lived in the aristocratic quarter of the faubourg Saint-Germain, but on the (*au*) sixth floor of an old apartment house. They economized on everything. Henriette de Gribelin made her own dresses and most of their two children's clothes; they seldom accepted an invitation to dinner in order not to have to return it. They had a maid, but that could not be considered (*as*) a luxury: at that time (**époque**, *f*) servants' wages were low.[5]

They had been living in that state of half-poverty when one evening, upon coming home, Hector announced to his wife that he had been granted [6] another raise, and also had received a three hundred franc bonus for some (**un**) special work he had done for his chief.

"What would you like me to give [7] you to celebrate (**fêter**) the good news? A jewel? A fur coat? A trip to the seashore? . . ."

"Why . . . I don't know," replied Henriette. "I don't think that I want [8] to spend anything [9] on (**pour**) myself; there are so many things we need for the house. However, I would like to do something for the children, they do not have much fun, you know. Do you think it would cost too much to rent a carriage to take them [*out*] to the country for the day, let us say, next Sunday, if the weather is good?"

"That is [10] an excellent idea," exclaimed Hector, "and I shall rent a horse and accompany the carriage on horseback. I have not ridden for years and I have missed it a great deal."

[1] Singular in French.   [2] **Pas grand'chose de.**   [3] Lesson 11, Sec. I–5.   [4] Plural in French.   [5] Use **peu élevé.**   [6] Lesson 20, Sec. I–1.   [7] Use **offrir.**   [8] Lesson 15, Sec. II–A–1.   [9] Lesson 14, Vocab. Dist.: *anything at all.*   [10] Emphatic: **ça c'est.**

VI

(*Lessons 11 and 12*)

During the rest of the week, at every meal, Hector spoke of nothing but [1] horses and horsemanship, and of his exploits on horseback when he was young.

However, his wife, who remembered vaguely that all that Hector had ridden in his youth were the two rather quiet horses that belonged to his father, suggested timidly:

"Perhaps you should ask the riding school to send you a horse that is [2] not too spirited."

And, as Hector looked at her with surprise:

"After all," she added, "as you said (*it*) yourself, you have not ridden for several years!"

"On the (**au**) contrary!" exclaimed her husband, "I hope they will send me a horse that is a little difficult. You seem to have forgotten that I was well-trained at my father's. Furthermore, I bought myself a riding crop, and if my horse should take it into his head [3] to act up, I'll teach him [how] to behave."

The following Sunday, at the appointed time, the carriage arrived, a brand (**tout**) new break, driven by a coachman in uniform. Then, while Hector was helping his wife to place the provisions for luncheon into the box seat, his horse arrived, led by a groom. It was a fine animal and it was spirited enough,[4] for when Hector tried to put his foot into the stirrup, it began to prance in (**de**) an alarming way. It was only with the help of the groom that Hector succeeded at last in getting into the saddle.[5] The horse continued to prance for a moment, but finally calmed down.

"Are we ready?" asked Hector, a little pale, "then, let's go."

At this early hour [6] of the day, there was very little traffic, so that the little cavalcade was able to proceed at a good trot. They rode [7] through the Bois de Boulogne and soon reached the open country.[8]

Everything was going well when they met another carriage full of children who greeted them with wild shrieks. Hector's horse shied [9] and began to prance again, almost [10] unseating his rider. Hector hit him with his crop. The horse immediately broke into a gallop. With some difficulty, Hector managed to make him [11] resume a more peaceful pace, but he was quite shaken.

When they arrived at their destination without further incidents, Hector said to his wife:

"He gave me a little trouble in the (au) beginning; but you saw how (comme) I showed him who was the master. Don't worry, you can be sure that he will behave now."

[1] Ne . . . rien que.   [2] Lesson 14, Sec. II-1.   [3] Use se mettre en tête.   [4] A souhait.
[5] Use se mettre en selle.   [6] Heure matinale, omit *of the day.*   [7] Lesson 18, Vocab. Dist.   [8] See Vocabulary.   [9] Use faire un écart.   [10] See Vocabulary.   [11] Lesson 19, Sec. 1.

VII
(*Lessons 13 and 14*)

On the way back, when Hector and his family reached the Champs Elysées, the wide avenue, almost deserted in the morning, was now swarming with carriages of all sorts. The break slowed down, but not so [1] Hector's horse. Impatient to go back to his stable, he continued to trot at an even [2] faster gait, in spite of the efforts of his rider to (de) master [3] him.

Halfway to the Place de la Concorde, the animal recognized a street leading to his stable and turned so abruptly that Hector lost his balance and fell off his mount. The horse, feeling free, broke into a gallop.

Stunned by his fall, but otherwise unhurt, Hector rose slowly to his feet,[4] picked up his hat and his crop, and looked in the direction in which his horse had run away. At about a hundred meters,[5] he saw a group shouting and gesticulating, and a policeman holding a horse by the bridle. He ran toward them.

Fearing the worst, he asked the policeman:

"What happened?"

"A poor old woman was knocked down by a runaway horse, this one, as she was walking across [6] the street."

Then, noticing Hector's clothes covered with (de) dust and his riding crop:

"Your horse, isn't it?" he added. "You are the cause of the accident, follow me to the police station. And you," he said to four men who were lifting the woman carefully,[7] "carry her to the nearest pharmacy and send for a doctor immediately."

Hector looked at the woman and turned pale: her dress was torn, her face yellow, her eyes closed. She seemed dead.

At the police station, Hector gave his name, address, profession, some references, and tried to explain how the accident had happened.

"When one does not know how to manage a horse, one should stay home," grumbled the police magistrate. "Anyhow, you are responsible. However, you are lucky, I have just been informed that your victim is alive and does not even appear seriously hurt. A doctor has examined her and has not found anything broken, but she complains of internal pains. Her name is Mme Simon, she is a charwoman and she has no other means of existence except her work. If you promise to pay her medical expenses, I shall not detain you any longer."

Relieved, Hector promised what he was asked.[8]

"All right. Then you must go to the pharmacy where she was taken [9] in order to make the necessary arrangements with her and the doctor. One of my men will show you the way."

Downcast and humiliated, Hector followed the policeman to the pharmacy.

[1] Non pas.   [2] Encore.   [3] **Maîtriser.**   [4] Use **se mettre debout.**   [5] Appendix IV.
[6] Lesson 18, Vocab. Dist.   [7] **Avec précaution.**   [8] Lesson 20, Sec. I–1.   [9] **Transportée.**

VIII

(Lessons 15 and 16)

When he arrived at the pharmacy, Hector introduced himself to the doctor who was still examining [1] Mme Simon slumped in an armchair:

"I am the author of the accident."

On hearing this the old woman began to whimper again,[2] complaining that she felt violent pains "like a fire inside."

"What do you think of her condition?" [3] he asked the doctor. "And what do you recommend that I do? I must tell you that I am not rich."

"She may have [4] internal injuries, probably nothing very serious. But she will need care [5] for a few days. I know a nursing home where they will take her for six francs a day, which is not expensive. If that suits you, I shall have [6] her transported there."

Hector thanked the doctor and, having no alternative, accepted his offer.

On arriving home, he found his wife in tears.

"Hector, at last!" she exclaimed. "What happened to you? After you left us on the (au) Champs Elysées, the coachman drove us (*back*) straight home. I had expected to find you there. Then as [7] time passed and you did not return, I was more and more worried, imagining the worst."

He recounted his misadventure and the arrangements he had made with the doctor.

"And don't get panicky," he concluded, "the doctor assured me it would be a matter of a few days only."

"I hope he is right," sighed Henriette. "Fortunately,[8] you are not hurt."

Two days later, he went to the nursing home to inquire about Mme Simon. He found her settled in a comfortable armchair, eating [1] her dinner with a (de) good appetite.

"Good evening, Mme Simon. I am happy to see that you are recovering rapidly."

"But I am *still* [3] feeling very weak," she complained, "and I *still* have those pains, and I can hardly move."

At the end of the week Hector came again.

Mme Simon, looking in perfect health, was chatting gaily with the other patients. When she saw Hector walk into [9] the room, she began to whimper.

"Well?" asked Hector.

"Ah, my poor sir! There is no improvement. It is even worse; now I can't move my legs at all. Oh! I shall never be able to walk again!"

He consulted the doctor.

"What can I say to you?" answered the latter. "She looks well, she eats well, she is getting fatter, but each time we try to make her stand up,[10] she howls. Perhaps she is shamming, but I can't prove it, unless I see her walking." [11]

A month went by, then two. Mme Simon continued to claim that she could not use her legs. Hector requested a consultation. The four other doctors who examined her and tried in vain to make her walk were sceptical also; however, they could only declare that the woman was crippled and incapable of working!

[1] Use en train de.   [2] Translate: *began again to.*   [3] See Vocabulary.   [4] Lesson 8, Vocab. Dist.   [5] Plural in French.   [6] Lesson 19, Sec. 1.   [7] *As . . . and:* à mesure que . . . et que.   [8] Omit the comma and use que.   [9] Lesson 18, Vocab. Dist. [10] *To make stand up,* mettre debout.   [11] Lesson 17, Sec. I-1.

IX

(*Lessons 17 and 18*)

The following episode is taken (tiré) from Anatole France's *Le Livre de Mon Ami,* which consists in great part of the childhood memories of the author. Anatole France had hardly known his grandmother, for he was still a child [1] when she died, but he had heard the story of her eventful life told [2] many times. This episode takes place during the period of the French Revolution called "la Terreur," when almost no one was safe from house searches, or from arrest, followed by (de) imprisonment or the guillotine (*f*).

Anatole France's grandmother married, very young, Citizen Danger who, at the time of this story, was an officer in the Revolutionary army and was fighting on the Rhine against the enemies of the Republic. For this reason she believed herself relatively safe. However, among the papers that her husband had left in a desk, there were some that were very compromising, especially letters from his brother who had entered the ranks of the Royalists — enough to [3] send her to (en) prison or worse. For some months she had been thinking, from time to time, of sorting them and destroying those that were dangerous.

One evening, having heard that several houses in the neighborhood had been searched, she made up her mind to do it. She took the papers out of the desk, spread them on the sofa and began to sort them, putting back in the desk those that were not compromising. She took her time, and read some of the letters that interested her. At the end of two hours, feeling tired, she decided to leave the rest until the next morning and to go to bed.

In (à) the middle of the night she woke up believing that she heard someone walking up the stairs. She listened attentively; everything was quiet. "I must have been mistaken," she said to herself, "or perhaps it was my maid returning from a date with her fiancé." But she could not go back to sleep. She was thinking of the papers scattered on the sofa. "Why did I spend so much time reading old letters instead of simply burning everything?" Finally she fell asleep.

At dawn she was awakened again [4] by the sound of loud (grosses) voices at the front door. Her maid ran into the room and said:

"Madame, it's a house search!"

Then she saw the papers on the sofa and asked:

"What is all that?"

"That!" replied Madame Danger calmly, "that is going to send me to the guillotine."

The maid quickly pushed the papers into a corner of the sofa and made her mistress sit on them. It was time! A second later six men invaded the room. They searched it thoroughly **(de fond en comble)** but not one had the idea of asking her to get up.

[1] Lesson 4, Sec. IV–2.   [2] Lesson 19, Sec. 3–b, Note.   [3] See Vocabulary.   [4] Lesson 20, Sec. II.

X
(*Lessons 19 and 20*)

She had hardly recovered from this alert when a few days later she had another one, which she afterward found very comical. One evening, as she was returning from a visit to her sister, she noticed a man standing in front of her door. In spite of the darkness, she could see that he was shivering and looked terrified.

"What is the matter with you and what are you doing here?" she asked him.

The wretched creature threw himself on his [1] knees and said to her:

"I am [being] pursued, Citizeness Danger, for [the] love of God, help me! Hide me!"

"But I don't know you. Who are you?"

When he told her his name she could hardly believe it: "What? Is it possible that this dirty and bearded man can be Monsieur Alcide, the handsome and elegant [2] dancing master whom all the young ladies used to adore?" Then she said aloud:

"But my poor Monsieur Alcide, what has happened to you that I find [3] you in such a pitiful state?"

He explained to her that he had helped a number of suspects to escape abroad and that now he was himself in danger of being arrested.

Madame Danger wondered how she could help him, but nevertheless she opened the door and told him to follow her. They walked up the stairs, avoiding making any noise and hoping not to meet another tenant or a servant; before letting Alcide into her apartment, she made sure that the cook, who was a "Jacobine," was busy in her kitchen. Then she took him into her room.

Madame Dangër was seldom short (**à court**) of ideas. After looking around the room, she decided that the best place to hide him would be between two mattresses close to [4] the wall, and to leave the covers in disorder as though the bed had not been made. She herself [5] would put on a dressing gown as though she were preparing to go to bed.

Hardly had she finished carrying out this plan when she heard a noise of heavy footsteps in the vestibule and a cry of terror. She opened her door and saw a dozen men armed with (**de**) guns who were questioning her maid. Four or five of (**d'entre**) them walked into her room while the others began to search the rest of the house.

Little Madame Danger was not easily intimidated and she asked them calmly what they wanted.

"We are looking for a rascal named Alcide. We were told he was hiding in this house," said one of the men.

"And," added another, "it would be better if (que) you told us right away where he is, if you don't want to lose your pretty head."

"It would be a pity," she answered laughing. "However, if you think he is hiding here, why don't you look under my bed? It's the only place where a man could hide in my room."

Convinced that she was telling the truth, the men left without insisting.

Of course they did not find anything in the other rooms.

---

[1] *on his*, à.   [2] Both adjectives may precede.   [3] Lesson 17, Vocab. Dist.   [4] **Tout contre.**   [5] Invert.

Appendix I   Verbs

I. FORMS

There are eleven simple tense forms and nine compound forms. The latter are formed by combining the simple tense forms of the auxiliary verb **avoir** (**être** with verbs used with a reflexive pronoun and a few intransitive verbs) with the past participle.

SIMPLE FORMS	COMPOUND FORMS
	(The simple form of the auxiliary from column at left plus past participle give the compound form directly opposite in this column.)
infinitive	perfect infinitive
present participle	perfect participle
past participle	
present indicative	past indefinite
imperfect	pluperfect
past definite	past anterior
future	future perfect (future anterior)
present conditional	past conditional
present subjunctive	perfect subjunctive
imperfect subjunctive	pluperfect subjunctive
imperative	

II. FLEXIONAL ENDINGS

A. All verbs, regular and irregular, with five exceptions only, have the same endings for all the forms listed below. The present participle always ends in –**ant**. The endings for the other forms are:

	SINGULAR	PLURAL
present indicative*		–ons, –ez, –ent
imperfect and present conditional	–ais, –ais, –ait	–ions, –iez, –aient
future	–ai, –as, –a	–ons, –ez, –ont
present subjunctive†	–e, –es, –e	–ions, —iez, –ent
imperfect subjunctive	–sse, –sses, ᴬt**	–ssions, –ssiez, –ssent

* Except **avoir, être, aller, dire, faire.**
† Except **avoir** and **être.**
** A circumflex accent is placed over the vowel.

B. The endings of the remaining forms — past participle, singular of the present indicative and of the imperative, and past definite — vary with the verb.

present indicative, singular	–e, –es, –e* –is, –is, –it* –s, –s, –t *or* –d*
past definite, singular and plural	–ai, –as, –a, –âmes, –âtes, –èrent* –is, –is, –it, –îmes, –îtes, –irent* –us, –us, –ut, –ûmes, –ûtes, –urent†

* Regular and irregular.
† Irregular only.

The endings as well as the stem of the imperative are the same as those of the corresponding persons of the present indicative, with the exception that verbs having a second person singular in –**es** form the imperative by dropping the –**s**. However, the –**s** is retained before the partitive pronoun **en** and before **y**. Four verbs have an irregular imperative (Table 2, page 365).

The endings of the past participle of the regular conjugations in –**er**, –**ir**, and –**re** are, respectively, –**é**, –**i**, and –**u**.

III. THE PRINCIPAL PARTS AND THEIR USE

A. There are five principal parts: infinitive, present participle, past participle, singular of the present indicative, past definite. The principal parts of a verb are the forms from which the remaining forms are derived.

B. Using **ouvrir**, an irregular verb, as an example, all the tense forms may be derived from the five principal parts. The principal parts or their stems are printed in boldface type in the following table; they are completed by adding all the endings shown under Section II.

1. INFINITIVE **ouvrir**
   future **ouvrir**ai, etc.
   present conditional **ouvrir**ais, etc.

NOTE. Infinitives ending in –re (**écrire**) drop the –e. The stems of both the future and the conditional are always the same.

2. PRESENT PARTICIPLE **ouvrant**
   plural of present indicative **ouvr**ons, **ouvr**ez, **ouvr**ent
   imperfect **ouvr**ais, etc.
   present subjunctive **ouvr**e, etc.
   plural of imperative **ouvr**ons, –ez

3. PAST PARTICIPLE **ouvert**
   all compound tenses (see Section I)

4. SINGULAR OF PRESENT INDICATIVE **ouvr**e, –es, –e
   singular of imperative **ouvr**e

5. PAST DEFINITE **ouvri**s, –s, –t, ⌃mes, ⌃tes, –rent

The *past definite* of all verbs except those of the first conjugation, which end in –**er,** is completed by dropping the final s of the first person singular and adding the endings shown here. The endings of the past definite of the first conjugation are: –**ai,** –**as,** –**a,** –**âmes,** –**âtes,** –**èrent.**

   imperfect subjunctive **ouvri**sse, etc.

To form the imperfect subjunctive, drop the –s from the second person singular of the past definite and add the endings shown in Section II.

IV. CONJUGATION

For the purpose of study and classification, French verbs may be conveniently grouped under three types:

1. *Regular verbs*.
2. *Irregular verbs* whose entire conjugation is based on the five principal parts (Table 1, page 363).
3. *Irregular verbs* for which some tenses cannot be derived from the five principal parts alone. There are only about two dozen verbs of this type commonly used (Table 2, page 365).

A. *Regular Conjugations*

There are three regular conjugations. The characteristic endings of their infinitives are **–er, –ir, –re.**

1. Models.

Models are here given for the conjugation, in simple tenses, of the verbs belonging to the three regular conjugations. Endings characteristic of each conjugation are shown in boldface type. The principal parts are shown in small capitals.

FIRST CONJUGATION IN **–er**

INFIN.   chant**er**   PRES. PART.   chant**ant**   PAST PART.   chant**é**

PRES. IND.   chant**e, –es, –e, –ons, –ez, –ent**

imperfect   chant**ais, –ais, –ait, –ions, –iez, –aient**

PAST DEFIN.   chant**ai, –as, –a, –âmes, –âtes, –èrent**

future   chant**erai, –as, –a, –ons, –ez, –ont**

present conditional   chant**erais, –ais, –ait, –ions, –iez, –aient**

pres. subj.   chant**e, –es, –e, –ions, –iez, –ent**

imp. subj.   chant**asse, –asses, –ât, –assions, –assiez, –assent**

imperative   chant**e, –ons, –ez**

SECOND CONJUGATION IN **–ir**

A characteristic of this conjugation is the **–iss–** found between the stem and the ending in the present participle and forms derived from it.

INFIN.   chois**ir**   PRES. PART.   chois**issant**   PAST PART.   chois**i**

PRES. IND.   chois**is, –is, –it, –issons, –issez, –issent**

imperfect   chois**issais, –issais, –issait, –issions, –issiez, –issaient**

PAST DEFIN.   chois**is, –is, –it, –îmes, –îtes, –irent**

future   chois**irai, –as, –a, –ons, –ez, –ont**

present conditional   chois**irais, –ais, –ait, –ions, –iez, –aient**

pres. subj.   chois**isse, –isses, –isse, –issions, –issiez, –issent**

imp. subj.   chois**isse, –isses, –ît, –issions, –issiez, –issent**

imperative   chois**is, –issons, –issez**

NOTE   The verb **haïr** loses the diaeresis in the following forms: indicative present, **je hais, tu hais, il hait;** imperative, **hais.**

THIRD CONJUGATION IN **–re**

INFIN.   vend**re**   PRES. PART.   vend**ant**   PAST PART.   vend**u**

PRES. IND.   vend**s, –s, –d,* –ons, –ez, –ent**

imperfect   vendais, –ais, –ait, –ions, –iez, –aient
PAST DEFIN.   vendis, –is, –it, –îmes, –îtes, –irent
future   vendrai, –as, –a, –ons, –ez, –ont
present conditional   vendrais, –ais, –ait, –ions, –iez, –aient
pres. subj.   vende, –es, –e, –ions, –iez, –ent
imp. subj.   vendisse, –isses, –ît, –issions, –issiez, –issent
imperative   vends, –ons, –ez

* In the third person, d is the ending except for the verb **rompre** (*to break*) whose third person ends with t: je romps, il rompt.

NOTE   There are only seventeen verbs belonging to this conjugation: **défendre, descendre, fendre, pendre, rendre, tendre, vendre, épandre, répandre, fondre, répondre, pondre, tondre, perdre, mordre, tordre, rompre.** As a matter of fact, modern French grammars no longer consider this conjugation as regular, giving only two regular conjugations, that in –er and that in –ir. The former comprises the greater majority of the French verbs, about 4000.

2. Orthographical changes.

The stems of certain verbs of the first conjugation undergo the following changes in spelling:

a. Verbs in –yer: y changes to i before –e, –es, –ent and in the future and conditional. Nettoyer: nettoie, nettoies, nettoient, nettoierai (–ais), etc.; *but:* nettoyons, nettoyez, nettoyais, etc.

b. Verbs in –cer: c changes to ç before a or o. Menacer: menaçons, menaçais, etc.; *but:* menace, menacions, etc.

c. Verbs in –ger: g changes to ge before a or o. Venger: vengeant, vengeons, etc.; *but:* vengent, vengiez, etc.

d. Verbs with an e (unaccented) in the last syllable of their stem:

(1) E changes to è (grave accent) whenever followed by a mute ending –e, –es, –ent, and in the future and conditional. Amener: amène, amènes, amènent, amènerai (–ais), etc.; *but:* amenons, amenez, amenais, etc.

(2) Verbs in –eler, –eter:

When followed by a mute ending –e, –es, –ent, l and t are doubled instead of accenting the preceding e. Appeler: appelle, appelles, appellent, appellerai (–ais), etc.: *but:* appelons, appelais; jetons, jetais, etc.

Acheter, geler, peler, and a few other commonly used verbs change e to è (grave accent): achète, gèle, etc., instead of doubling l or t.

e. Verbs with an é (acute accent) in the last syllable of the stem: é (acute

accent) changes to è (grave accent) whenever followed by a mute ending
–e, –es, –ent, but retain the é (acute accent) in the future and conditional.
Espérer: espère, espères, espèrent; *but:* espérons, espérais, espérerai (–ais),
etc.

B. *Irregular verbs*

TABLE 1

*Irregular verbs whose conjugations are entirely based on the five principal
parts:*
The principal parts in this table and in the next are given in the following order: infinitive, present participle, past participle, singular of the
present indicative, past definite. When the endings of the present indicative
do not follow the pattern –s, –s, –t, the other endings will be given. The
vowel (**i** or **u**) of the ending in the first person singular of the past definite
is kept throughout the tense. Do not forget the circumflex accent in the
first and second persons plural.

The conjugation of **lire** is given here as a model. The name of the principal part is indicated in small capitals, and the principal part itself is
printed in boldface type.

INFINITIVE **lire**
  future je lirai, tu liras, il lira, nous lirons, vous lirez, ils liront
  present conditional je lirais, tu lirais, il lirait, nous lirions, vous liriez,
    ils liraient
PRESENT PARTICIPLE **lisant**
  pres. ind. plur. nous lisons, vous lisez, ils lisent
  imperfect je lisais, tu lisais, il lisait, nous lisions, vous lisiez, ils lisaient
  pres. subj. je lise, tu lises, il lise, nous lisions, vous lisiez, ils lisent
PAST PARTICIPLE **lu**
  all the compound tenses
PRES. IND. SING. je **lis,** tu **lis,** il **lit**
  imperative lis
PAST DEFINITE je **lus,** tu lus, il lut, nous lûmes, vous lûtes, ils lurent
  imperfect subjunctive je lusse, tu lusses, il lût, nous lussions, vous lussiez,
    ils lussent

assaillir, assaillant, assailli; j'assaille, –es, –e; j'assaillis
  (*likewise* tressaillir)
battre, battant, battu; je bats; je battis. (*Regular except for the dropping of
  one* **t** *in the pres. ind. sing.*)

bouillir, bouillant, bouilli; je bous; je bouillis

conclure, concluant, conclu; je conclus; je conclus
(*likewise* exclure)

conduire, conduisant, conduit; je conduis; je conduisis
(*likewise verbs in* –uire, *except* nuire *and* luire)

connaître,* connaissant, connu; je connais; je connus
(*likewise verbs in* –aître, *except* naître)

coudre, cousant, cousu; je couds, –s, –d; je cousis

craindre, craignant, craint; je crains; je craignis
(*likewise verbs in* –aindre, –eindre, –oindre)

croire, croyant,† cru; je crois; je crus

croître, croissant, crû; je croîs; je crûs
(^ *is kept in all forms that could be confused with* croire)

distraire, distrayant,† distrait; je distrais; (*none*)
(*likewise verbs in* –traire)

dormir, dormant, dormi; je dors; je dormis
(*Note the loss of the last consonant of the stem in the singular of the pres. ind.*)

écrire, écrivant, écrit; j'écris; j'écrivis
(*likewise verbs in* –scrire *or* –crire)

frire, *used only in the following forms:*
        In compound tenses; past part.: frit
        present indicative: je fris, tu fris, il frit
            faire frire *is used for the missing forms* (*or* en train de frire: la viande
            était en train de frire, *the meat was frying*)

fuir, fuyant,† fui; je fuis; je fuis

lire, lisant, lu; je lis; je lus

maudire, maudissant, maudit; je maudis; je maudis

mentir, *like* dormir

mettre, mettant, mis; je mets; je mis

moudre (*to grind*), moulant, moulu; je mouds, –s, –d; je moulus

naître,* naissant, (être) né; je nais; je naquis

nuire, nuisant, nui; je nuis; je nuisis
(*likewise* luire, *but has no past definite*)

ouvrir, ouvrant, ouvert; j'ouvre, –es, –e; j'ouvris
(*likewise verbs in* –vrir *and* –frir)

---

* Circumflex is kept only before –t.
† Y becomes i before mute endings –e, –es, –ent.

partir, *like* dormir (*conjugated with* être)
plaire, plaisant, plu; je plais, –is, –ît; je plus
pourvoir, pourvoyant, pourvu; je pourvois; je pourvus
repentir (se), *like* dormir
résoudre, résolvant, résolu; je résous; je résolus
  (*likewise:* absoudre *and* dissoudre, *but the past part. is* absous, *fem.*
  absoute)
rire, riant, ri; je ris; je ris
  (*likewise* sourire)
sentir, *like* dormir
servir, *like* dormir
sortir, *like* dormir (*conjugated with* être)
suffire, suffisant, suffi; je suffis; je suffis
suivre, suivant, suivi; je suis; je suivis
taire (se), *like* plaire, *but no circumflex in* il se tait
traire (*to milk*), *like* distraire, *but has no past definite*
vaincre, vainquant, vaincu; je vaincs, –s, –c; je vainquis
vêtir, vêtant, vêtu; je vêts; je vêtis
vivre, vivant, vécu; je vis; je vécus

TABLE 2

*Irregular verbs which, in some forms, do not derive their stem from the
five principal parts:*
The forms affected are any of the following: the present indicative, the
future and the present conditional (same stem for both), the present
subjunctive, the imperative, the imperfect (only two verbs, **avoir** and
savoir).

The changes in stem and the forms which may cause some hesitation
are given following the five principal parts. Forms not given are derived
in the regular way as explained in Section III.

aller, allant, (être) allé; je vais; j'allai
  pres. ind.   vais, vas, va, allons, –ez, vont
  past definite   allai, –as, –a, –âmes, –âtes, –èrent
  future   irai, etc.
  pres. subj.   aille, –es, –e, allions, –iez, aillent
  imperative   va, allons, –ez

asseoir, asseyant, assis; j'assieds; j'assis
    future assiérai, etc.
    (**y** *is kept in all forms derived from the pres. part.*)
    May also be conjugated:
asseoir, assoyant, assis; j'assois; j'assis
    future assoirai, etc.
avoir, ayant, eu; j'ai; j'eus
    pres. ind. ai, as, a, avons, –ez, ont
    future aurai, etc.
    imperfect avais, etc.
    pres. subj. aie, aies, ait, ayons, ayez, aient
    imperative aie, ayons, –ez
boire, buvant, bu; je bois; je bus
    pres. ind. plur. buvons, –ez, boivent
    pres. subj. boive, –es, –e, buvions, –iez, boivent
conquérir, conquérant, conquis; je conquiers; je conquis
    pres. ind. plur. conquérons, –ez, conquièrent
    future conquerrai, etc.
    pres. subj. conquière, –es, –e, conquérions, –iez, conquièrent
    (*likewise* acquérir *and* requérir)
courir, courant, couru; je cours; je courus
    future courrai, etc.
cuellir, cueillant, cueilli; je cueille, –es, –e; je cueillis
    future cueillerai, etc.
devoir, devant, dû (*fem.* due); je dois; je dus
    pres. ind. plur. devons, –ez, doivent
    future devrai, etc.
    pres. subj. doive, –es, –e, devions, –iez, doivent
dire,* disant, dit; je dis; je dis
    pres. ind. vous dites (*also* vous redites)
envoyer. *Regular except in the future:* enverrai, *etc.*
être, étant, été; je suis; je fus
    pres. ind. suis, es, est, sommes, êtes, sont
    future serai, etc.
    pres. subj. sois, sois, soit, soyons, –ez, soient
    imperative sois, soyons, –ez
faillir. *Seldom used except in the following forms:*

---

* See Note 1, page 368.

In compound tenses; past participle failli
past definite je faillis, etc.
future je faillirai, etc.
faire, faisant, fait; je fais; je fis
  pres. ind. plur. faisons, faites, font
  future ferai, etc.
  pres. subj. fasse, etc.
falloir, (*none*), fallu; il faut; il fallut
  imperfect il fallait
  future il faudra
  pres. subj. il faille
mourir, mourant, (être) mort; je meurs; je mourus
  pres. ind. plur. mourons, –ez, meurent
  future mourrai, etc.
  pres. subj. meure, –es, –e, mourions, –iez, meurent
mouvoir, mouvant, mû (*fem.* mue); je meus; je mus
  pres. ind. plur. mouvons, –ez, meuvent
  future mouvrai, etc.
  pres. subj. meuve, –es, –e, mouvions, –iez, meuvent
    (*likewise* émouvoir; *past participle:* ému, *no circumflex*)
pleuvoir, pleuvant, plu; il pleut; il plut
  future il pleuvra
pouvoir, pouvant, pu; je peux, –x, –t; je pus
  pres. ind. sing. interrogative puis-je?
  pres. ind. plur. pouvons, –ez, peuvent
  future pourrai, etc.
  pres. subj. puisse, etc.
  No imperative
prendre, prenant, pris; je prends; je pris
  pres. ind. plur. prenons, –ez, prennent
  pres. subj. prenne, –es, –e, prenions, –iez, prennent
recevoir, recevant, reçu; je reçois; je reçus
  pres. ind. plur. recevons, –ez, reçoivent
  future recevrai, etc.
  pres. subj. reçoive, –es –e, recevions, –iez, reçoivent
    (*likewise all verbs ending in* –cevoir)
savoir, sachant, su; je sais; je sus
  pres. ind. plur. savons, –ez, –ent
  imperfect savais, etc.

future   saurai, etc.

imperative   sache, –ons, –ez

tenir, tenant, tenu; je tiens; je tins

   pres. ind.   tenons, –ez, tiennent

   past definite   tins, tins, tint, tînmes, tîntes, tinrent

   future   tiendrai, etc.

   pres. subj.   tienne, –es, –e, tenions, –iez, tiennent

valoir, valent, valu; je vaux, –x, –t; je valus

   future   vaudrai, etc.

   pres. subj.   vaille, –es, –e, valions, –iez, vaillent

venir, *like* tenir

voir, voyant, vu; je vois; je vis

   future   verrai, etc.

   (prévoir *has a regular future:* prévoirai)

vouloir, voulant, voulu; je veux, –x, –t; je voulus

   pres. ind. plur.   voulons, –ez, veulent

   future   voudrai, etc.

   pres. subj.   veuille, –es, –e, voulions, –iez, veuillent

   imperative   veuille, –ons, –ez

NOTE 1   Verbs formed by the addition of a prefix to any verb in Table 1 and Table 2 are conjugated like the basic verb: **parcourir,** like **courir; consentir,** like **sentir; poursuivre,** like **suivre,** etc. Exceptions: the compounds of **dire: contredire, prédire, médire,** etc., whose second person plural of the present indicative is **–disez,** and **maudire** (see Table 1).

Assortir (*to match*) is not a compound of **sortir** and belongs to the regular conjugation in **–ir.**

NOTE 2   Key to some verbs not specifically given in Table 1 and Table 2:

Verbs ending in		see:	
	–aindre	craindre	
	–aître	connaître	
	–crire	écrire	
	–eindre	craindre	
	–frir	ouvrir	Table 1
	–oindre	craindre	
	–traire	distraire	
	–vrir	ouvrir	
	–uire	conduire	
	–quérir	conquérir	Table 2
	–cevoir	recevoir	

V. PREPOSITIONS BEFORE THE SUBORDINATE INFINITIVE

A. The following common verbs are followed by a direct infinitive.

All verbs of motion: **venir, aller, courir,** etc.
All verbs of perception: **voir, entendre, sentir,** etc.

affirmer*
admettre*
aimer (*also* à)
aimer mieux
avoir beau
avouer*
compter
conduire
croire*
daigner†
déclarer*
désirer
détester (*also* **de**)
devoir
dire* (= *to declare*)
envoyer
espérer *
faillir
faire

falloir
se figurer*
s'imaginer*
laisser
mener**
nier*
oser
paraître
penser (*also* à)††
pouvoir
préférer
prétendre*
savoir
sembler
souhaiter (*also* **de**)§
soutenir*
valoir mieux
vouloir

* See Lesson 17, Section I–1, Note.
† But **dédaigner de** (*not to deign to*).
** And its compounds.
†† **Penser** is used when the infinitive following it is used in French instead of a subordinate clause; otherwise, **penser à: avez-vous pensé à acheter du pain?**
§ **Souhaiter de** must be used when an indirect object referring to a person is present: **je lui souhaite d'être heureux.**

B. Verbs which require the preposition **à** before an infinitive are fairly numerous, about two hundred, and only those which are used in this book are given here.

aider
(s')accoutumer
s'amuser
apprendre
s'apprêter
arriver (= *to succeed*)
s'attendre
autoriser

avoir
chercher (= *to try*)
commencer (*also* **de**)
consentir
consister
continuer (*also* **de**)
contribuer
décider (= *to persuade*)

se décider

demander (*also* **de**)*

se disposer

encourager

enseigner

forcer (*also* **de**)

hésiter

(s')habituer

inviter

se mettre

obliger (*also* **de**)

passer†

persister

se plaire

se préparer

renoncer

rester†

réussir

songer

tarder

tenir

* **Demander à** is used when there is no indirect object referring to a person, otherwise, **demander de: j'ai demandé à venir; je** *lui* **ai demandé de venir.**

† Used with a period of time: **Il a passé sa journée à jouer.**

C. Verbs requiring the preposition **de** before an infinitive are by far the most numerous, and only those used in this book are given here.

> Expressions composed of **avoir** + noun, except **avoir beau,** and those composed of **faire** + noun: **avoir honte, avoir l'intention, avoir envie,** etc.; **faire honte, faire attention, faire mine,** etc.

s'abstenir

accuser

s'agir

s'arrêter

blâmer

cesser

complimenter

convenir

craindre

décider

défendre

demander*

se dépêcher

désespérer

dire

écrire

s'efforcer

empêcher

essayer

éviter

s'excuser

féliciter

finir

manquer

menacer

mériter

négliger

offrir

ordonner

oublier

pardonner

permettre

persuader

prendre garde

prévenir

promettre

proposer

rappeler (= *to remind*)

se rappeler†

recommander

refuser

regretter

remercier

se repentir

reprocher

se souvenir

suggérer

télégraphier

téléphoner

tenter

valoir la peine

venir (= *to have just*)

* See Section B, above.

† **De** is not used before a past infinitive: **je me rappelle l'avoir vu.**

VI. ESSENTIALLY REFLEXIVE VERBS

The following common verbs are essentially reflexive, i.e., the form without the reflexive pronoun is not used.

s'abstenir (de) to abstain (from)
s'agenouiller to kneel
s'écrier to exclaim
s'écrouler   to collapse, tumble down
s'effondrer to collapse, cave in
s'efforcer de to strive to
s'emparer de to seize, to grab
s'empresser de to hasten to (*with eagerness*)
s'en aller to leave, go away
s'enfuir to flee
s'enquérir de to inquire about
s'envoler to fly off, away

s'évader to escape (*usually from a place of confinement*)
s'évanouir to faint, vanish
se fier à to trust
se lamenter to lament, to grieve
se méfier de to mistrust, not to trust
se moquer de to make fun of
s'obstiner à to persist (stubbornly) in
se réfugier to take refuge
se repentir to repent
se soucier de to care about
se souvenir de to remember
se suicider to commit suicide
se taire to keep silent, stop talking

Appendix II

A. *Plural of Nouns and Adjectives*

1. The plural of nouns and adjectives is generally formed by adding an s to the singular: **un grand garçon, des grands garçons.**

Those ending in –s, –x, or –z do not change: **le pas, les pas; la voix, les voix.**

2. Special cases.

a. Adjectives and nouns ending in –au, –eau, –eu add an x: **un beau château, des beaux châteaux; un jeu, des jeux. (Bleu adds an s.)**

b. Those ending in –al change –al to –aux: **un journal, des journaux; normal, normaux.** The feminine –ale adds an s: **des actions légales.**

A few adjectives, **fatal, final, natal, naval,** and a few uncommon nouns, **le bal, le carnaval, le chacal, le festival,** etc., add an s. The plural of **idéal** is idéals or idéaux.

c. The plural of **le ciel, l'œil, le travail,** is **les cieux, les yeux, les travaux.** Un aïeul, des aïeux (*ancestors*) is used mostly in the plural. (**Aïeul,** *fem.* **aïeule,** sometimes used for *grandfather* and *grandmother*, add an s.)

3. Plural of compound nouns, hyphenated or not: it is generally advisable to consult a dictionary, but the following rules may serve as a guide.

a. Noun + noun, usually both become plural: **des wagons-restaurants** (*dining cars*).

b. Adjective + noun, and vice versa, usually both elements become plural: **des coffres-forts** (*safes*).

c. Invariable words + noun, only the noun may be made plural: **des contre-attaques.**

d. Nouns joined by a preposition, usually only the first noun may be made plural: **des chefs d'œuvre, des aides de camp.**

e. Verb (third person singular) + noun, only the noun may be made plural. It depends on the sense; the usage varies and a dictionary should be consulted. With some words, even when they are used in the singular, the noun is in the plural: **un porte-avions,** *airplane-carrier* (carries more than one plane).

f. Note the plural of the following compound nouns which are written in one word:

monsieur, messieurs	monseigneur, messeigneurs*
madame, mesdames*	gentilhomme, gentilshommes
mademoiselle, mesdemoiselles*	bonhomme, bonshommes

* Used almost exclusively in direct address.

4. Plural of proper nouns. The Ministerial Decree of 1901 states that proper names may be made plural when they are preceded by a plural article. However, the usage still is to leave names of acquaintances and those of members of the same family invariable: **nous allons chez les Dupont, j'ai rencontré les deux Giraud.**

B. *Feminine of Adjectives*

1. The regular feminine of an adjective is formed by adding an **e** to the masculine singular: **grand, grande; petit, petite.**

Adjectives ending in –e in the masculine do not change in the feminine: **jeune, triste, rouge,** etc.

2. Adjectives ending in –el, –eil, –en, –et, and –on generally double the final consonant before adding the **e: naturel, naturelle; bon, bonne; ancien, ancienne; pareil, pareille; net, nette,** etc.

3. Adjectives ending in –eux change to –euse in the feminine: **heureux, heureuse,** etc.

4. Those ending in –f change to –ve: **actif, active; bref, brève.**

5. Those ending in –er change to –ère: **étranger, étrangère.**

6. Those ending in –eur change to –euse: **flatteur, flatteuse; trompeur, trompeuse.** (A few uncommon adjectives change to –trice.*)

* Adjectives which could be made a present participle by substituting –ant for –eur have their feminine in –euse, otherwise the feminine is –trice: **flatteur, flattant?** yes, then **flatteuse; créateur** (*creative*), **créatant?** no, then **créatrice** (the present participle of **créer** is **créant**).

7. Meilleur and those ending in **–ieur** form their feminine regularly by adding **–e: antérieur, antérieure.**

8. Beau, nouveau, mou, fou, and **vieux** change to **belle, nouvelle, molle, folle,** and **vieille.** Furthermore, the forms **bel, nouvel, mol, fol,** and **vieil** are used before a masculine noun beginning with a vowel or a mute **h: un vieil arbre, un bel enfant, un nouvel habit.**

In addition to these, a certain number of adjectives follow no definite pattern in forming their feminine. The more common are listed below.

blanc, blanche
franc, franche
frais, fraîche
sec, sèche

bas, basse
gras, grasse
las, lasse
gros, grosse
épais, épaisse

faux, fausse
doux, douce
jaloux, jalouse
roux, rousse

gentil, gentille
nul, nulle

complet, complète
concret, concrète
discret, discrète
inquiet, inquiète
secret, secrète

public, publique (*noun:* le publique)
turc, turque
grec, grecque

aigu, aiguë
ambigu, ambiguë

favori, favorite
long, longue
mineur, mineure (*minor*)
sot, sotte
malin, maligne

C. *Feminine of Nouns*

A great number of French nouns designating animated beings have a masculine and a feminine form. The following rules are given to serve only as a guide; it is usually best to consult a dictionary.

1. Most of these nouns, barring exceptions, form their feminine in the same manner as adjectives. The figures in parentheses refer to the number of the paragraph to be consulted in Section B, above.

un ami, une amie; un marchand, une marchande; un élève, une élève; un Russe, une Russe (1)
un gardien, une gardienne; un lion, une lionne (2)
    also un paysan, une paysanne
un ambitieux, une ambitieuse (3)
un veuf, une veuve; un Juif, une Juive (4)
un fermier, une fermière (5)

un danseur, une danseuse; un acteur, une actrice (6)
> (Feminine nouns in –trice are fairly numerous. To distinguish them from those in –euse, see footnote to Paragraph 6.)

un inférieur, une inférieure (7)
> For adjectives that may be used also as nouns, see Paragraph 8.

2. A certain number of nouns have a feminine in **–esse,** many of which correspond to the English feminine nouns in *–ess:*

abbé, abbesse; âne, ânesse; comte, comtesse; duc, duchesse (*but*, baron, baronne); hôte, hôtesse; maître, maîtresse; pauvre, pauvresse; Suisse, Suissesse; etc.

3. The following more common nouns follow an irregular pattern but come from the same radical:

chat, chatte; compagnon, compagne; dieu, déesse; gouverneur (*tutor*), gouvernante (gouverneur *of a province has no feminine*); loup, louve; roi, reine; serviteur, servante; etc.

4. A certain number of nouns, particularly those of professions or conditions usually associated with men, have no feminine, and although some of them end in **–e,** they are seldom used with a feminine article.

auteur, ingénieur, bandit, dentiste, deserteur, magistrat, ministre, etc.

5. As in all languages, the masculine and feminine of certain nouns are two unrelated words, such as: bélier (*ram*), brébis (*ewe*); taureau (*bull*), vache (*cow*); mâle, femelle; etc.

6. A number of nouns of animals have only one form, which can be either masculine or feminine for both the male and the female: un éléphant, la souris (*mouse*), le rat, etc.

WARNING   Be careful about the gender of a number of homonyms which have two different meanings in the masculine and in the feminine, such as: **le page,** *page(boy)*, **la page,** *page* (*of a book*); **le vase,** *vase,* **la vase,** *mud;* **le manche,** *handle,* **la manche,** *sleeve;* etc. Note also that **personne,** indefinite pronoun (*no one, nobody*) is masculine, but *la* **personne,** noun.

Appendix III

A. *Negations*

ne … pas   not
ne … point (*less frequent than* **ne pas**)   not

ne ... jamais   never
ne ... plus   no more, not any more, no longer, not any longer
ne ... personne *   nobody, no one, not anyone
ne ... rien *   nothing, not anything
ne ... ni ... ni †   neither ... nor
ne ... aucun* (de)   none (of), no (*adjective*), no ... at all
ne ... aucunement   not ... at all (*adverb*)
ne ... nul*   none, no (*adjective*)
ne ... nullement   not ... at all (*adverb*)
ne ... pas un (seul) *   not one (not a single one)
ne ... pas non plus   not ... either
ne ... rien que   nothing but
ne ... personne que   no one but, nobody but
ne ... jamais que   never ... anything but

* When used as subject of the verb: **personne ne, rien ne, aucun ne, nul ne, pas un ne.**
† When used with the subjects of the verb: **ni ... ni ... ne.**

NOTE 1   Ne ... aucun, aucun ... ne; ne ... nul, nul ... ne:

Ne ... aucun, aucun ... ne, can be used either as adjectives or pronouns.

Nul and **aucun** agree in gender with the noun they modify, or with their antecedent. They are not generally used in the plural.

Je n'ai vu aucun de mes amis.   I have seen none of my friends.
Je n'ai aucun désir de le voir.   I have no desire (at all) to see him.
Aucun n'est encore arrivé.   None have arrived yet.

Ne ... nul can only be used as an adjective. Nul ... ne can be used as either a pronoun or an adjective. **Nul** is more emphatic than **aucun.**

Je n'ai vu nul homme plus ridicule que lui.   I have seen no man more ridiculous than he.
Nulle femme n'est plus intelligente.   No woman is more intelligent.
Nulle n'est plus belle.   None is prettier.

NOTE 2   Ne ... que (*only*) and ne ... guère (*hardly, scarcely*), notwithstanding the ne, are not negations, but expressions of quantity.

B. *Adverbs of Quantity*

(including those which may denote manner as well as quantity)

assez (de) *   enough
aussi   as
autant (de)   as many, as much
beaucoup (de)   many, much, very many, very much
bien (de)   many, much; very†
combien (de)   how many, how much
davantage   more

guère: ne ... guère (de)   scarcely (any), hardly (any)
moins (de)   less
peu (de)   few, little
plus (de)   more
presque   almost
que: ne ... que (de)   only
Que de ... !   How much ... ! How many ... !
si   so
tant (de)   so many, so much
tellement   so much
très   very
trop (de)   too many, too much

* De must be used before a noun.

† Bien is often used instead of très: il est bien (très) malheureux, il est bien (très) loin. Bien de + definite article is occasionally used instead of beaucoup de: bien des (beaucoup de) gens, j'ai bien du (beaucoup de) travail.

C. *Position of Adverbs*

The following common adverbs are used between the auxiliary and the past participle in compound tenses (unless they modify a word other than the verb).

à peine hardly, scarcely	même even
à peu près nearly	mieux better
assez enough	moins less
aussi also	pas encore not yet
beaucoup much, very much	peu little
bien well	peut-être perhaps
bientôt soon	presque almost
déjà already	souvent often
encore still	tant so much
enfin at last	toujours always
jamais ever	trop too much
mal badly, poorly	vite quickly*

* Only when vite means *quickly* in the sense of *in a short time, without delay:* il a vite compris. But when vite means *fast*, it follows the past participle: il a marché vite.

A few adverbs of manner ending in –ment are also used between the auxiliary and the past participle. The more common are: certainement, probablement, seulement, tellement (*so much*), vraiment. (Most adverbs ending in –ment are formed from adjectives and most of them correspond to the English adverbs ending in –*ly*.)

The above adverbs, if they are used with faire + infinitive, are placed between faire and the infinitive, in simple tenses. When faire is in a compound tense the adverb may precede the infinitive if it primarily modifies it, otherwise the adverb precedes **faire: vous l'avez fait mal agir; l'avez-vous jamais fait travailler?**

D. *Prepositions*

The more common prepositions and prepositional phrases:*

à   to, at
de   of, from

à cause de   because of
à côté de   beside
afin de   in order to, to
à travers   through
au lieu de   instead of
en face de   opposite
après   after
auprès de   next to, beside
au-dessous de   below, underneath
au-dessus de   above
avant (de *before an infinitive*)   before (*time*)
avec   with
chez   *see Vocab. Dist., Lesson 4*
contre   against
dans   in, into†
d'après   according to

depuis   since
derrière   behind
dès   from . . . (*time*) on, as early as, from the very
devant   in front of, before (*place*)
en   in; (*with a gerund*) by, on, upon, etc. (*Lesson 18*)
envers   to, toward (*in an abstract sense*)
jusqu'à   until, as far as, up to (*Vocab. Dist., Lesson 3*)
par   by
parmi   among
pendant   during, for (*time*)
pour   for; to, in order to
près de   near
sans   without
selon   according to
sous   under†
sur   on†
vers   to, toward (*physical motion*)

* For some of these prepositions only the basic meaning is given, i.e., the meaning in which they are most frequently used. Note also that a preposition may be used in English where none is used in French, and vice versa. Consult the Vocabulary, usually under the verb, sometimes under the noun, and also the Vocabulary Distinctions.

† *In it, under it, on it* are translated **dedans, dessous,** and **dessus** (adverbs). Normally a disjunctive pronoun may not be used after a preposition when the antecedent is a thing. With *behind it, in front of it,* etc., *it* is not translated and the preposition is used adverbially.

E. *Conjunctions*

Common conjunctions and conjunctive locutions requiring the subjunctive:

à condition que   on the condition that
afin que   in order that, to
à moins que   unless
au (en) cas que   in case that

avant que   before
bien que   although
de crainte (peur) que   for fear that
de façon (manière) que   in such a way that, so that*

de sorte que   so that*
en attendant que   while
jusqu'à ce que   until
malgré que   in spite of the fact that
que ... ou non   whether or not
que ... ou que ...   whether ... or ...

quoique   although
pour que   to
pourvu que   provided that
sans que   without
soit que ..., soit que ...   whether ... or whether ...

* The subjunctive is used when these conjunctions indicate purpose. To indicate result, the indicative is used.

Appendix IV

I. NUMERALS

A. *Cardinal Numbers*

1	un, une	17	dix-sept	61	soixante et un
2	deux	18	dix-huit	62	soixante-deux, etc.
3	trois	19	dix-neuf	70	soixante-dix
4	quatre	20	vingt	71	soixante et onze
5	cinq	21	vingt et un	72	soixante-douze, etc.
6	six	22	vingt-deux, etc.	80	quatre-vingts
7	sept	30	trente	81	quatre-vingt-un (*no* et), etc.
8	huit	31	trente et un	90	quatre-vingt-dix
9	neuf	32	trente-deux, etc.	91	quatre-vingt-onze (*no* et), etc.
10	dix	40	quarante	92	quatre-vingt-douze, etc.
11	onze	41	quarante et un	100	cent
12	douze	42	quarante-deux, etc.	101	cent un
13	treize	50	cinquante	102	cent deux, etc.
14	quatorze	51	cinquante et un	1000	mille
15	quinze	52	cinquante-deux, etc.	1001	mille un, etc.
16	seize	60	soixante		

B. *Ordinal Numbers*

Ordinal numbers are formed by adding –**ième** to the cardinal, except **premier:**

1st	premier, première (*f*)
2nd	deuxième *or* second, seconde (*f*)
3rd	troisième
5th	cinquième (*note the addition of the* **u** *after* **q**)
9th	neuvième (*note the change of* **f** *to* **v**)
21st	vingt et unième
22nd	vingt-deuxième
	etc.

C. *Fractions*

$\frac{1}{2}$ demi (*adjective*); la moitié (*noun*)
$\frac{1}{3}$ un tiers $\frac{1}{4}$ un quart
$\frac{2}{3}$ deux tiers $\frac{3}{4}$ trois quarts

With other fractions, the denominator is an ordinal number as in English: **trois dixièmes,** three tenths.

D. *Remarks on Numerals*

1. Cardinal numbers are invariable except in the following cases:
Un has a feminine form **une: vingt et une femmes.**

Multiples of **vingt** and **cent** take an **s** when not followed by another numeral: **quatre-vingts ans, deux cents hommes;** *but* **deux cent quarante, quatre-vingt-sept.**

Mille is always invariable: **trois mille.**

Million and **milliard** (*billion*) are nouns. They take an **s** in the plural in all cases. When not followed by another numeral, they are used as nouns of quantity and thus are followed by **de** before the noun they modify: **un million de francs, trois millions de dollars;** *but* **trois millions cinq cents mille habitants.**

2. Ordinal numbers agree with the noun: **les premières pages, la seconde maison.**

3. Le and la are used without elision before **huit, huitième, onze, onzième:** **le huitième jour, la onzième semaine, le huit janvier.**

4. The following cardinal numbers are used as nouns by adding –aine: **huit, douze, quinze, vingt, trente, quarante, cinquante, soixante,** and **cent** (but not **deux, trois,** etc. **cents**): **une huitaine, une vingtaine, une quarantaine,** etc. (note that those ending in **e** drop it). The suffix –aine means *about,* but **douzaine,** rarely the others, is used literally, meaning *a dozen. A thousand* is translated **un millier,** *thousands,* **des milliers.** All these, being nouns of quantity, require **de** before the noun they modify. With other numbers *about* is translated **environ: environ trente-cinq francs, environ trois cents hommes.**

5. *One* before *hundred* and *thousand* is not translated:

cent cinquante élèves   one hundred and * fifty students
mille deux cents kilomètres   one thousand two hundred kilometers

6. Numbers from 1100 to 1900 may be expressed in multiples of **cent** as in English, but higher multiples must be expressed in thousands:

onze cent cinquante francs	eleven hundred and * fifty francs
l'année dix-neuf cent trente	the year nineteen hundred and thirty
but	
deux mille quatre cents	twenty-four hundred

* Note that *and* is not translated.

7. A comma is used in French before a decimal; a period, to separate groups of digits:

3,50	3.50
3,7: trois virgule sept	3.7: three point seven
3.535.260	3,535,260

II. EXPRESSIONS OF MEASUREMENTS

De quelle dimension (*or* grandeur), longueur, hauteur, profondeur, etc. est . . . ?
or
How large, long, high, deep, is . . . ?
or

Quelles sont les dimensions de . . . ?
What are the dimensions of . . . ?

Quelle est la grandeur, la longueur, la hauteur, la profondeur, etc. de . . . ?
What is the size, length, height, depth, etc. of . . . ?

Cette pièce a cinq mètres de large sur huit de long.
This room is five meters wide by eight meters long.

trois mètres sur cinq
three meters by five

La tour Eiffel a trois cents mètres de haut (*or* est haute de trois cents mètres).
The Eiffel tower is three hundred meters high.

Ce puits a trente pieds de profondeur (*or* est profond de trente pieds).
This well is thirty feet deep.

La profondeur de ce puits est de trente pieds. (*note the addition of* **de**)
The depth of this well is thirty feet.

Un mur de vingt-cinq centimètres d'épaisseur.
A wall twenty-five centimeters thick.

Une corde longue de plusieurs mètres.
A rope several meters long.

Ce cercle a six pouces de diamètre (*or* a un diamètre de six pouces).
This circle has a six-inch diameter.

un mètre carré, un centimètre cube
a square meter, a cubic centimeter

French-English Vocabulary

The following items are omitted from this vocabulary: Articles; personal and relative pronouns; interrogative, demonstrative, and possessive adjectives and pronouns; the commoner adverbs, prepositions, and conjunctions; common negations; and obvious cognates unless additional meanings are needed. In case of hesitation, consult the index or appendix.

As a rule only the meanings needed for the translation of the text and exercises are given. Gender is indicated by the article wherever possible; the gender of a few words is indicated by (*m*) and (*f*). Congruent forms of adjectives are omitted, only the masculine being given.

Numerals following an entry refer to the Vocabulary Distinctions section in the lesson of that number.

— indicates repetition of the part of the original entry that is printed in bold-face type.

(Se) preceding a verb means that the verb is also used reflexively when the action remains within the subject (see Lesson 6, page 92).

'h means that the h is voiced; neither liaison nor elision takes place.

un **abattement** weariness
s'**abattre** to fall forward
abîmer to hurt, injure, damage
abord: d'— (at) first, in the first place
aboyer to bark
un **abri** shelter
abruti expressionless, dazed
accompagner to accompany
accomplir to accomplish
accoutumé à used to, accustomed to
s'**accoutumer** (à) to get accustomed to, get used to
accueillir to receive, welcome
acheter to buy
s'**acheminer** to set out, make one's way toward
l'**acier** (*m*) steel
acquérir to acquire
un **acteur** actor
une **addition** bill (*in a restaurant*); addition
un **adjoint** assistant
admettre to admit

un **admirateur** admirer
s'**adosser** to lean (against)
une **adresse** address, skill; **avec —** skillfully
s'**adresser** (à) to address, speak to
adroit skillful
advenir to happen; **advienne que pourra** come what may
un **aéroport** airport
une **affaire** matter, transaction, deal; **les —s** business (*in general*); **faire l'—** serve the purpose; **se tirer d'—** to manage, get out of difficulty
affaissé slumped
affecter to affect, pretend
affliger to afflict
affolé panicky, panic-stricken, bewildered
affreux frightful, hideous
afin (de, que) to, in order (to, that), so that
agacer to irritate
âgé de . . . ans . . . years old
s'**agenouiller** to kneel (down)

un **agent** agent; — **de police** policeman

agir to act, behave; **s'— de** to
be a question (matter) of

agiter to agitate, stir, wave, wag
(*tail*)

l'**aide** (*f*) help

aider to help

aigu shrill, sharp

une **aiguille** needle

une **aile** wing

aimable kind, amiable

aimer to love, like; — **mieux**
to prefer

aîné older, oldest

ainsi thus, so

un **air** air, appearance; tune; **avoir**
l'— (**de**) to look (like), seem,
appear

une **aise** ease; **à l'—** comfortable;
mal à l'— uncomfortable

ajouter to add

ajuster to adjust, put in order

l'**algèbre** (*f*) algebra

allemand German

un **Allemand** German

aller to go; to fit, be becoming,
to be (*of health*); — **en classe**
to go to school; **s'en —** to
go (away), depart

une **allumette** match

alors then, so, at that time

altéré thirsty

une **âme** soul

améliorer to improve

s'aménager to move (into)

amener to bring

amer, amère bitter, harsh

américain American

un **ami** friend

amoureux in love

un **an** year; **de... —s** ... years
old; **avoir... —s** to be ...
years old

ancien old, ancient, former

anéantir to annihilate

anglais English

un **Anglais** Englishman

l'**Angleterre** (*f*) England

une **angoisse** anguish

un **animal** (**animaux** *pl*) animal

une **année** year; **d'une trentaine**
d'—s in his thirties

une **antichambre** entry hall

un **antiquaire** antique dealer

août (*m*) August

apaiser to appease, quiet

apercevoir to perceive, see;
s'— to notice, discover, become aware

un **aplomb** self-assurance

appartenir to belong

appeler to call; **s'—** to be
called, named; **comment s'ap-**
pelle what is the name (of)

appliquer to apply

les **appointements** (*m*) salary

apporter to bring

apprécier to appreciate

apprendre to learn, teach; to inform of, tell about

s'apprêter to get ready

(**s'**)**approcher** go (come) near

approuver to approve

s'appuyer sur to lean on, rest
on

âpre sharp, keen

après after, afterward

l'**après-midi** (*m f*) afternoon

une **araignée** spider

un **arbre** tree

un **archiviste** registrar, file-keeper

une **ardoise** slate

l'**argent** (*m*) money, silver

une **arme** weapon

une **armoire** cupboard, wardrobe

arracher to tear (off), pull

arrêter to stop, arrest

arrière: en — behind

une **arrivée** arrival

arriver to arrive, happen; **cela**
est arrivé this happened

une **ascension** ascent

assembler to bring together

s'**asseoir** to sit down
assez enough, rather, somewhat
une **assiette** plate
assis sitting, seated
assister à to be present at, attend
une **assurance** insurance, assurance
assurer to insure, assure
attardé behind the times
attendre to wait, wait for, expect; s'— à to expect
une **attention: faire —** to pay attention, be careful, beware; **avec —** attentively
atterrir to land
attraper to catch
aucun no, none
les **auditeurs** audience
augmenter to increase
aujourd'hui today
auprès de beside, compared to
aussi also, as, such
aussitôt immediately; **— que** as soon as
autant as much (many)
un **auteur** author
une **auto** car; **en —** by car
un **autobus** bus
autour (de) around
autre other
autrefois formerly
une **avance** advance; **en —** early
avancer to proceed; to be fast; s'— to move forward
avant before
une **aventure** adventure
une **averse** shower
avertir to warn
un **avertissement** warning
un **avion** plane; **en —** by plane
un **avis** opinion; **être d'un —** to have an opinion; **changer d'—** to change one's mind
s'**aviser** to think of, occur to one
un **avocat** lawyer
avoir to have (*avoir + noun or adj., see under the noun or adj.*)

le **badaud** idler, loiterer
les **bagages** (*m*) luggage
la **bague** ring
baigner to bathe; **se —** to bathe, take a swim
la **baignoire** bathtub
le **balai** broom
balbutier to stammer
bander to bandage
la **banlieue** suburbs
le **banquier** banker
la **barbe** beard
le **barbier** barber
la **barrière** barrier, gate
le **bas** stocking
le **bateau** boat
bâtir to build
battre to beat; **se —** to fight
bazarder (*colloquial*) to sell
béant gaping
beau beautiful, handsome, fine; **il fait beau** the weather is fine; **les beaux arts** fine arts; **avoir — (faire)** to do in vain (16)
beaucoup many, much
le **bec** beak
belle (*f*) *see* beau
bénir to bless
le **besoin** need; **avoir — de** to need
la **bête** animal
la **bêtise** nonsense
le **bibelot** trinket, knick-knack
la **bibliothèque** library
bien well, indeed, very; **— connu** well-known; **— des** many; **— que** although; **— entendu** of course; **Eh —!** Well!
le **bien** property; **le —** *or* **les —s** possessions; **faire du — à** to do good
bientôt soon
bienveillant benevolent
le **billet** ticket, bill (banknote), note
blanc, blanche white
blême livid

blesser to wound, hurt
bleu blue
boire to drink
le **bois** wood
la **boisson** drink, beverage
la **boîte** box
le **bol** bowl
bon(ne) good, right; **le — sens** common sense; **faire —** (*impers.*) to be comfortable
bondir to start, give a start
le **bonhomme** fellow, chap
la **bonne** maid
le **bonnet** cap
le **bord** edge; **le — de la mer** seashore
les **bottes** (*f*) boots
la **bouche** mouth
le **boucher** (**bouchère** *f*) butcher
bouger to move, budge
le **boulanger** (**boulangère** *f*) baker
bouleversé upset, jumbled up
le **bout** end, tip; butt
la **bouteille** bottle
la **boutique** shop
le **boxeur** boxer
le **bras** arm; **à brassée** by the armful
bref (**brève**) brief, curt; **brièvement** briefly
la **Bretagne** Brittany
briller to shine
le **brin** bit
le **briquet** cigarette lighter
la **brosse** brush
brosser to brush
le **brouillard** fog
le **bruit** noise
brûler to burn
brun brown
la **buée** mist
le **bureau** office, study; desk

ça (*contraction of* **cela**) that
le **cabinet** (doctor's) office
(se) **cacher** to hide

le **cadeau** present; **faire un —** to give a present
le **café** coffee; café
le **cahier** notebook
la **caisse** packing case, crate
le **caissier** cashier
la **calèche** (open) carriage
califourchon: à — astride
(se) **calmer** to quiet down
camarade (*m f*) friend, pal
le **camion** truck
la **campagne** country; **à la —** in the country
le **canapé** sofa
le **canif** pocket knife
la **canne** cane
car for, because
carré square
le **carton** (cardboard) box
le **cas** case
casser to break
la **casserole** saucepan
la **cause** cause; **à — de** because of
causer to talk, chat; cause
le **cavalier** rider
le **célibataire** bachelor; **— endurci** confirmed bachelor
celui-ci the latter
cependant however
certes of course
cesse: sans — unceasingly
cesser to cease
le **chagrin** grief
la **chaise** chair; **— longue** lounging chair
la **chambre** room, chamber; **la — à coucher** bedroom
le **champ** field
le **champignon** mushroom
la **chance** chance, luck; **avoir de la —** to be lucky
le **chandail** sweater
le **changement** change
changer to change
la **chanson** song
chanter to sing

le **chapeau** hat
chaque each
le **charbon** coal
la **charge** load
charger to load; **se — de** to take care of
le **charpentier** carpenter
le **chasseur** hunter
le **chat** cat
chaud warm, hot; **avoir —** to be warm (hot); **faire —** to be hot (weather)
la **chaussée** street, roadway
(se) **chausser** to put on (one's) shoes
la **chaussette** sock
la **chaussure** shoe
le **chef** chief, leader, boss
le **chemin** path, way
la **cheminée** fireplace
la **chemise** shirt
cher dear, expensive
chercher to look for; **aller (venir) —** to go (come) to get
le **cheval** horse; **à —** on horseback
les **cheveux** hair
chez at the, to the house or office of; home; with, in, among
chic (*invar.*) smart
le **chien** dog; **— de garde** watchdog
la **chimie** chemistry
choisir to choose
la **chose** thing
le **ciel** sky
le **cinéma** movies
le **cirage** shoe polish
ciselé engraved
le **citoyen** citizen
clair clear, light
claquer to slam
classer to classify, file
la **clef** key
la **cloche** bell
le **clocher** steeple
clouer to nail
le **cocher** coachman

le **cochon** swine, pig
le **cœur** heart, **avoir le — à** to be in a mood; **au grand —** big-hearted
le **coffre** coffer; (*of a carriage*) box seat, trunk
la **cohue** mob, throng
le **coiffeur** barber, hairdresser
la **coiffure** head gear
la **colère** anger; **en —** angry
le **collier** collar
le **combat** battle
combattu crossed, opposed
combien how much, how many; **— de temps** how long
commander to order, to command
comme as, how
commencer to begin
comment how; **—?** what?
le **commerçant** merchant
le **commis** clerk
le **commissaire (de police)** police magistrate
commode convenient
une **commode** bureau, chest of drawers
commun common
(se) **comparer** to compare
le **complet** suit
compliquer to complicate
le **complot** plot
comprendre to understand
le **compte** account; **se rendre —** (**de**) to realize
compter to count, expect
concevoir to imagine, conceive
le **concierge** concierge, door keeper
conclure to conclude, make a deal
conduire to lead, drive; **se —** to behave
la **conduite** conduct, behavior
conférence: faire une — to give a lecture
le **conférencier** lecturer, speaker
la **confiance** confidence; **faire — à** to trust (someone)

confier to confide, entrust; **se — à** to put one's trust in, confide in

la **connaissance** knowledge, acquaintance, consciousness

connaître to know, be familiar with (something)

le **conseil** (piece of) advice; **les —s** advice

conseiller to advise

consentir to consent

le **conte** short story

contenir to contain

content pleased, happy, glad

se **contenter de** to be satisfied with

contourné twisted, wrought

contrarié upset, thwarted

contre against

convaincre to convince

convenir to suit; **— de** to agree (on, to)

le **coquin** rascal

la **cordelette** light cord

la **corne** horn, corner

la **correspondance** train connection; correspondence

corriger to correct

la **côte** coast; rib; hill

le **côté** side; **du — de** in the direction of

le **cou** neck

se **coucher** to go to bed, lie down

coudre to sew

la **couleur** color

le **coup** stroke, blow; **tout à —** suddenly

couper to cut

le **courant** current; course; **être au —** to know all about, to be well-informed; **sans —** without electricity

courir to run

le **courrier** mail

le **cours** course, lecture; **faire un —** to give a lecture (*class*)

la **course** errand, race; **aller faire une —** to go on an errand

le **coursier** charger

court short

le **coussin** cushion

le **couteau** knife

coûter to cost; **— cher** to be expensive

la **coutume** habit; **avoir — de** to be accustomed to

le **couturier** (**couturière** *f*) dressmaker, seamstress

le **couvercle** lid

la **couverture** cover

le **crachoir** spittoon

craindre to fear

la **crainte** fear; **de —** for fear

se **cramponner** to clutch

la **cravache** (riding) crop

la **cravate** necktie

le **crayon** pencil

crever to burst open

le **cri** cry, shriek

crier to shout

la **crinière** mane

crispé contorted

critique critical

crocheter to pick (locks)

croire to believe, think; **je crois que oui (non)** I think so (not)

croiser to meet, pass (someone)

le **croissant** butter roll (*shaped like a crescent*)

la **crosse** rifle butt

croyable credible

cueillir to pick, gather

cuire to cook

la **cuisine** kitchen, cooking; **faire la —** to do the cooking

la **cuisinière** cook

le **cuivre** copper

la **culbute** somersault

cultiver to cultivate

le **curé** (parish) priest

la **dame** lady

le **Danemark** Denmark

date: de longue — for a long time

davantage more, further

se **débarrasser de** to get rid of

déborder to stick out

le **début** beginning, outset; **au —** in the beginning

décharné emaciated

déchirant harrowing

déchoir to lose caste

décider to decide; **se — (à)** to make up one's mind

le **décor** decoration

se **décourager** to become disheartened

décrire to describe

déçu disappointed

dédaigneux disdainful

dedans inside (it, them); **en —** (*colloquial*) internally

défaire to undo

le **défaut** defect; **— de** lack of

défendre to defend; to forbid

défoncer to smash open

dehors out, outside; **en — de** out(side) of

déjà already

le **déjeuner** luncheon; **petit —** breakfast

déjeuner to lunch, have luncheon, breakfast

le **délégué** delegate

délivrer to hand over

demain tomorrow

demander to ask (for)

le **déménagement** moving

déménager to move (to another house)

le **déménageur** mover

la **demeure** residence

demeurer to stay, live; remain

la **demie** half

la **demoiselle** young lady, girl

dénoncer to denounce

dénouer to untie

la **dent** tooth

dépasser to pass

la **dépêche** telegram, dispatch

dépenser to spend

déplaire to displease, dislike

déposer to place

depuis since, for; **— quand** how long, since when; **— que** since

le **député** deputy (*member of the Assemblée Nationale*)

déraciner to uproot

déranger to disturb

dernier last

se **dérouler** to unroll

derrière behind

dès le as early as, from, from the very; **— que** as soon as

désarçonner to unseat

descendre (à) to come (go) down, get off

désespéré desperate

(se) **déshabiller** to undress

désobéir to disobey

la **désobéissance** disobedience

désoler to distress; **se —** to become distressed

désormais henceforth

dessous under (it), underneath

le **dessus** top; **au dessus** above

dessus on top (of it)

le **destin** fate, destiny

se **détourner** to turn away

détruire to destroy

devant in front of, before, ahead

devenir to become

deviner to guess

devoir to owe, have (to), be obliged, must, ought

le **devoir** duty; homework

la **dictée** dictation; **faire une —** to give a dictation

dicter to dictate

le **dieu** god

digne (de) worthy (of)

dimanche (*m*) Sunday

le **dîner** dinner

dîner to have dinner

dire to say, tell

le **discours** speech

discuter to argue, discuss

disparaître disappear

le **disque** disc, (phonograph) record

la **distraction** recreation

distraire to divert, distract

le **docteur** doctor (physician)

le **doigt** finger

domestique (*m f*) servant

le **dommage** damage; **c'est —** it is too bad; **quel —!** what a pity!

le **don** gift, present

donc then, so, therefore; *verb* **+ —** do + *verb*, indeed

donner to give, make

dont of which, whose

dormir to sleep

le **dossier** file

doué endowed

le **doute** doubt; **sans —** probably, undoubtedly

douter (de) to doubt; **se — de** to suspect, to fear; **à n'en point —** beyond doubt

douteux doubtful

doux (douce) soft, gentle, sweet, mild

la **douzaine** dozen

se **dresser** to rise (up)

droit right, straight

drôle funny

dur hard, harsh

durant during

l'**eau** (*f*) water

ébranler to shake; **s'—** to start moving

(s')**échapper** to escape

les **échecs** (*m*) chess

échouer (à) to fail (in); to become stranded

un **éclair** lightning

s'éclaircir to clear up

éclater to burst (out)

une **école** school

écouter to listen (to)

écraser to crush, to run over

s'écrier to exclaim

écrire to write

une **écriture** writing

s'écrouler to collapse

un **écueil** rock, reef

une **écurie** stable

s'efforcer to strive

effrayer to frighten

effroyable frightful

égal equal; **cela m'est —** it's all the same to me, I don't care

égard: à l'— de toward

une **église** church

s'élancer to rush forward, dash forward

élémentaire elementary

élève (*m f*) pupil, student

élever to raise, bring up; **élevé** high

élire to elect

s'éloigner to move (walk, drive) off, away

s'emballer to bolt, run off

embrasser to kiss, embrace

émerveillé full of admiration

émettre to express, emit

un **émigré** emigrant

une **émission de radio** radio broadcast

emménager to move in

empêcher to prevent, keep from

empiler to pile up

empirer to grow worse, worsen

emplir to fill

employer to use

empoigner to grab

emporter to take (carry) away (with)

un **empressement** alacrity, eagerness

emprunter (à) to borrow (from)

ému upset, nervous, moved

enchanté delighted

enchanter to delight

encore still, again, more; **— un** another

endormi sleepy, sleeping, asleep

s'endormir to fall asleep

une **enfance** childhood

enfant (*m f*) child
enfermer to lock up
enfin at last, in short
enfourcher to mount, get astride
s'enfuir to flee
s'engager to enlist, commit oneself
engraisser to get fat
un **enlèvement** removal
enlever (à) to take away (from), remove, take off; lift
un **ennui** trouble, boredom
ennuyer to bore, to annoy; **s'—** to get (be) bored
ennuyeux annoying, boring
enrhumé: être — to have a cold
enseigner to teach
ensuite then, next
entendre to hear; **— dire, parler** to hear; **laisser —** to hint; **faire —** to utter; **bien entendu** of course
entier whole, entire, complete
un **entr'acte** intermission, interval
entre between, among
une **entrée** entrance
entrer (**dans**) to enter, come in (into)
entretenir to keep up
une **entrevue** interview
envahir to invade
un **envahisseur** invader
une **enveloppe** wrapping, envelope
envelopper to wrap
envers toward; with
une **envie** desire; **avoir — de** to feel like
envoyer to send; **— chercher** to send for
épais thick
éperdu bewildered
épier to watch
une **épine** thorn
une **époque** epoch, period
épouser to marry
épouvantable dreadful
un **époux** (**épouse**) spouse
éprouver to feel, experience, test

un **équipage** carriage
une **équipe** team
épuiser to exhaust, give out
une **équitation** horsemanship, horseback riding
errer to wander, err
une **erreur** error
un **escalier** stairs, stairway
un **escargot** snail
un **espace** space
l'**Espagne** (*f*) Spain
espagnol Spanish
une **espèce** sort
espérer to hope
espiègle roguish
un **esprit** mind, mentality
essayer to try
essuyer to wipe
estimer to deem, esteem; to believe
un **estomac** stomach
un **étage** floor; **les —s élevés** upper floors
étaler to spread out
un **état** state, condition
les **Etats-Unis** (*m*) United States
un **été** summer
éteindre extinguish, put out; **s'—** to be extinguished, be put out
s'étendre to stretch out, lie down, spread
étinceler to sparkle
une **étoffe** material, fabric
un **étonnement** surprise
étonner to surprise, astonish
étourdi giddy, heedless
étrange strange
un **étranger** foreigner; stranger
être à to belong to
un **être** being, creature
un **étrier** stirrup
une **étude** office (of lawyer), study
un **étudiant** student
étudier to study
s'évanouir to faint
éviter to avoid

exact exact; prompt, punctual
un **examen** examination
s'**excuser** to apologize
un **exemple** example; **par —** for instance
exiger to demand, require
une **explication** explanation
expliquer to explain
une **exportation** export
exprès on purpose
extirper (*rare*) to remove
un **extrait** excerpt

la **face** face; **en — de** opposite
fâcher to make angry; **se —** to get angry
fâcheux bad, unfortunate
facile easy
la **façon** way, manner; **de — que** in such a manner that, so that
le **facteur** mailman
faible weak, feeble, scanty
faillir to almost ...
la **faim** hunger; **avoir —** to be hungry
faire to do, make; have ... do, done (19); (*for expressions with* **faire**, *see under the second word*)
le **fait** fact, deed, matter; **en —** as a matter of fact; **tout à —** entirely, quite
falloir must, to take, need, be necessary (11)
fameux famous, excellent
la **famille** family
farouche fierce
fatigué tired
fatiguer to tire
la **faute** mistake, fault; **— de** failing to; **— d'inattention** careless mistake
le **fauteuil** armchair
favori(te) favorite
feint pretended
féliciter (de) to congratulate (on)
la **femme** woman, wife; **la — de chambre** chamber maid; **la**

— de ménage cleaning woman, charwoman
le **fer** iron
le **fermier** farmer
la **fête** holiday
le **feu** fire
la **feuille** leaf, sheet (of paper)
feuilleter to leaf through
la **ficelle** string
fier (**r** *pronounced*) proud
se **fier (à)** to trust
la **fièvre** fever
la **figure** face
filer to speed
la **fille** girl, daughter; **la fillette** little girl, little one
le **film** film, motion picture, movie
le **fils** son
final final, last
finir to finish; **— par** to finally ..., end by
la **fleur** flower
la **foi** faith; **ma —!** oh! well!
la **foire** fair
la **fois** time; **une —** once; **à la —** (all) at once, **une — pour toutes** once and for all; **deux —** twice
la **folie** madness
une **folle** madwoman, fool
le **fond** bottom
la **fontaine** fountain, water cooler
la **force, les —s** strength
forcer to force, compel
fort strong, vigorous; (*before an adj.*) very; hard (*adv.*)
fortuné well-to-do
fou crazy
la **fougue** impetuosity, ardor
la **fouille** search, searching
fouiller to ransack, search
la **foule** crowd
fouler au pied to trample on
fourmiller de to swarm with
fourrer to hide
le **foyer** hearth, home
frais (fraîche) fresh

les **frais** expense, cost
franc (franche) frank
français French
le **frère** brother
le **frisson** shiver
froid cold; **avoir** — to be
cold; **faire** — to be cold
(weather)
le **front** forehead; front
frotter to rub
les **fruits** (*f*) fruit
fuir to flee; to leak
la **fuite** flight
fumer to smoke
funeste baleful
furieux furious, mad
le **fusil** gun

les **gages** (*m*) wages
gagner to win, earn, gain, reach
le **gamin** little boy
le **gant** glove
le **garagiste** garage keeper
le **garçon** boy, fellow, young man,
waiter
la **garde** watch, guard; **prendre** —
de to be careful not to, take
care not to
garder to keep; to guard
la **gare** (railroad) station
le **gâteau** cake
gâter to spoil
gauche left; awkward
geindre to whimper
geler to freeze
gémir to moan
la **gêne** trouble, financial difficulties; **le sans**— over-familiarity
le **génie** spirit (guardian)
le **genou** knee
les **gens** (*m f*) people
gentil nice, kind
la **glace** ice, ice cream; mirror
glisser to slide, slip
la **gorge** throat
le **goût** taste

goûter (**à**) to taste, take a taste
(of)
grâce à thanks to
grand large, big, tall, great
la **grand-mère** grandmother
les **grands-parents** (*m*) grandparents
gras fat
la **gratification** bonus; — **extraordinaire** special bonus
gravé en creux etched deeply
la **grève** strike; **en** — on strike
grièvement seriously
la **grimace** grimace; **faire des** —**s**
(**à**) to make faces (at)
gris gray
grisé intoxicated
gronder to scold
gros(se) big, heavy, sturdy, large
la **grossièreté** rudeness
la **guérison** cure, recovery
la **guerre** war
guetter to watch
le **guide** guide, guide book

habile skillful, capable, able
(s')**habiller** to dress
habiter to live, dwell, reside, inhabit
une **habitude** habit; **d'**— usually
habituel usual, customary
s'**habituer à** to get used to
le '**haillon** rag, tatter
'**hanter** to haunt
'**harceler** to harass
le '**harnais** harness
le '**hasard** chance; **par** — by (any)
chance
la '**hâte** haste, hurry
'**haut** high
une **herbe** grass
une **heure** hour, o'clock; **de bonne**
— early; **à l'**— on time
heureusement fortunately
heureux happy
'**heurter** to strike, hit
hier yesterday
une **histoire** story, history

un **hiver** winter
un **homme** man
honnête honest
une **honnêteté** honesty
la '**honte** shame; **avoir —** to be ashamed
'**honteux** ashamed, shameful
une **horloge** clock (*large*)
la '**housse** slip cover
huit eight; **de ... en —** a week from
une **huître** oyster
une **humeur** humor; **être de mauvaise —** to be out of temper, to be in a bad humor
une **humilité** humility
'**hurler** to howl

ici here
une **idée** idea
ignorer not to know
il y a there is, are; ago; for
illimité unlimited
un **immeuble** apartment house
immobile motionless
impatienté (made) impatient
un **imperméable** raincoat
importer to matter; **n'importe** no matter
impressionnant impressive
improviste: à l'— unexpectedly
impuissant powerless
un **incendie** fire
une **incommodité** inconvenience
inconnu unknown
incroyable unbelievable, incredible
inespéré unexpected
une **infirmière** nurse
infructueux fruitless
un **ingénieur** engineer
ingénieux ingenious, clever
inhabile clumsy
une **injure** insult
injurieux insulting
inonder to flood

(s')**inquiéter (de)** to worry (about) to get worried
une **inquiétude** anxiety, misgiving
insoucieux heedless, indifferent
installer to install; **s'—** to settle down
un **instant** instant; **à l'—** immediately, **d'un — à l'autre** any moment
un **instituteur** teacher, schoolmaster
intenable untenable
un **intérieur** interior, home
un **interprète** interpreter
interroger to question, interrogate
interrompre to interrupt
introduire to insert, introduce, show in
inutile useless
un **invité** guest
inviter to invite
une **ivresse** intoxication

jadis formerly; **de —** former
jamais ever; **ne ... —** never
la **jambe** leg
le **Japon** Japan
le **jardin** garden
le **jarret** hock
jaune yellow
jeter to throw
le **jeu** game
jeudi (*m*) Thursday
jeune young
la **jeunesse** youth
la **joie** joy
(se) **joindre** to join
joli pretty
la **joue** cheek
jouer (de, à) to play
jouir to enjoy
le **jour** day; **— de l'an** New Year's day; **tous les —s** every day; **par —** (per) a day
le **journal** newspaper
le **journaliste** journalist, reporter

la **journée** day
joyeux happy
judicieux judicious, wise
le **jugement** judgment
juger to deem, judge
juillet (*m*) July
juin (*m*) June
la **jupe** skirt
le **jupon** petticoat
jusqu'à until, as far as, up to; even

là there
là-bas over there
le **lac** lake
la **laine** wool
laisser to let, allow, leave; — **se perdre** let be wasted
le **lait** milk
la **lame** blade; board
lancer to hurl, throw
la **langue** language
la **larme** tear, **à chaudes** —**s** bitterly
las tired, weary
(se) **laver** to wash
la **leçon** lesson
le **lendemain** next day; **le — de** the day after
lent slow
la **lésion** injury, lesion
la **lettre** letter
lever to raise; **se —** to get up, stand up; to rise
le **libraire** bookseller
libre free
le **lieu** place; **au — de** instead of; **avoir —** to take place
la **lieue** league
la **ligne** line
limpide limpid, clear
le **linge** linen, underclothing, wash
lire to read
lisse sleek
le **lit** bed; **se mettre au —** to get into bed
le **livre** book

loin far, distant; **de —** from a distance
long, longue long; **longuement** at length
longtemps long, a long time; **depuis —** for a long time
lors de at the time of
lorsque when
louer to rent, hire; to praise
le **loyer** rent
la **lumière** light
lundi (*m*) Monday
les **lunettes** (*f*) (eye)glasses
la **lutte** struggle
lutter to struggle, fight

la **machine** (*colloquial*) gadget
le **magasin** store; **le grand —** department store
magnifique magnificent
mai (*m*) May
maigre thin, meager
maigrir to lose weight
la **main** hand; **se serrer la —** to shake hands; **les —s vides** empty-handed
maintenant now
le **maire** mayor
la **maison** house; **— de santé** nursing home
le **maître** master, owner, teacher; (*title given to a lawyer*)
la **maîtresse** teacher; mistress
maîtriser to master, subdue
le **mal** evil; **le — de mer** seasickness; **faire (du) — à** to hurt; **avoir du — à** to have difficulty in; **avoir —** to ache
mal poorly, badly
malade ill
le **malade** the patient
la **maladresse** awkwardness, clumsiness
maladroit awkward, clumsy
malencontreux unwanted
malgré in spite of
le **malheur** misfortune

malheureux unhappy
malin crafty
la **malle** trunk
la **maman** mama, mother
le **manège** riding school
manger to eat; **faire — to feed**
la **manie** mania, fad, hobby
la **manière** manner, way; **de — que** in such a way that
manœuvrer to play with (*fig.*)
le **manoir** manor
le **manque** lack
manquer (de) to miss, lack; **— de + *inf.*** to almost
le **manteau** overcoat, coat
le **marchand** merchant, dealer
le **marché** market; **bon —** cheap
marcher to walk, step on
mardi (*m*) Tuesday
le **mari** husband
marier to marry; **se —** to get married
le **marin** sailor
le **marmot** (*fam.*) child, tot
la **marque d'amour** token of love
le **marteau** hammer
le **matelas** mattress
le **matin, la matinée** morning
mauvais bad, evil, wicked; wrong
le **mécanicien** mechanic, engineer (*on a locomotive*)
méchant bad, wicked, naughty
mécontent displeased
le **médecin** physician, doctor (of medicine)
le **médicament** medicine
se **méfier (de)** to distrust, beware
meilleur better
le **meilleur** the best, the better
le **membre** member; limb
même same, even; **de — likewise; quand —** just the same
la **mémoire** memory; **pour —** for the record
la **menace** threat

le **ménage** household, family; **faire le —** to do the house(work)
le **mensonge** lie
mépriser to despise, disregard
la **mer** sea; **en —** at sea
la **mère** mother
mériter to deserve
merveille: à merveille wonderful
mesure: à mesure que as fast as
mesurer to measure
le **métier** job, occupation
le **mètre** meter
le **métro** subway
la **métropole** mother country
mettre to put; to set (*table*); **se — à** to begin, start; **se — à table** to sit down to a meal; **se — en colère** to get angry; **se — en marche** to start moving; **— en marche** to start (*engine*)
le **meuble** a piece of furniture; **les —s** furniture
le **meurtrier** murderer
le **Mexique** Mexico
midi noon
militaire military
la **mine** appearance, look; **avoir bonne (mauvaise) —** to look well (not well, ill); **faire — de** to pretend to
le **minuit** midnight
la **misère** poverty, misery
la **modiste** milliner
le **moindre** the least, the lesser, the slightest
moins less; **au (du) —** at least; **à — que** unless; **de — en —** less and less
le **mois** month
la **moitié** half
le **moment** moment; **à tout —** constantly
le **monde** world, people; **tout le —** everyone, everybody; **le bout du —** the utmost

la **monnaie** change
monsieur (messieurs) gentleman (men); Mr., Sir; master (*of the house*)
la **montagne** mountain
monter to go up, come up; to carry (bring) up; — **(à cheval)** to ride (on horseback)
la **montre** watch
montrer to show
la **monture** mount
se **moquer de** to make fun of
le **morceau** piece
mordiller to nibble
mordre to bite
morne dejected, gloomy
mort dead
la **mort** death
le **mot** word
la **motocyclette** motorcycle
mourir to die
le **mouvement** motion
le **moyen** means, way; **il n'y a pas** — it is not possible
la **municipalité** municipality
le **mur** wall
le **musée** museum
la **musique** music

la **nage** swim, swimming
nager to swim
naguère formerly
naître to be born
la **nappe** tablecloth
néanmoins nevertheless
nécessiteux needy
négliger to neglect
la **neige** snow
neiger to snow
nerveux nervous
nettoyer to clean
neuf new
le **nez** nose
nier to deny
Noël Christmas
noir black, dark
le **nom** name

nombreux numerous
la **note** note, bill; (school) mark
nouveau new; **de** — again; — **riche** upstart
la **nouvelle** a piece of news; short novel; **les** —**s** news
se **noyer** to drown
le **nuage** cloud
nuisible harmful
la **nuit** night
le **numéro** number

obéir (à) to obey
une **occasion** occasion, opportunity; bargain; **d'**— second-hand
occuper to occupy; **s'**— **(de)** to attend to, take care of; **être occupé** to be busy
un **œil** eye; **d'un** — with a look
un **œuf** egg
une **œuvre** work
offrir to offer
une **ombre** shade, shadow; **à l'**— in the shade
omettre to omit
on (*indef. pron.*) one, we, they, you, people; **on** + *verb often rendered by the English passive*
un **oncle** uncle
un **ongle** (finger)nail
opérer to operate
l'**or** (*m*) gold
un **orage** storm; **faire de l'**— to be stormy
un **orateur** orator
ordinaire ordinary; **d'**— usually
ordonner to order
une **oreille** ear
un **os** bone
oser to dare
ou or
où where
un **oubli** forgetfulness
oublier to forget
l'**ouest** (*m*) west
un **ouragan** hurricane

un **ours** bear
un **outil** tool
un **ouvrage** (hand)work
un **ouvrier** workman, laborer
ouvrir to open

le **pain** bread
paisible peaceful
la **paix** peace
pâlir to become (turn) pale
le **palier** landing (of stairs)
palper to finger, examine (by touching)
le **panier** basket
le **pantalon** trousers
la **pantoufle** slipper
le **papier** paper
le **paquebot** liner, steamer
le **paquet** package
par by, through, a, each, per
paraître to appear, seem
parce que because
parcourir to go over; — **du regard** to run one's eyes over
par-dessus over
le **parent** relative; **les —s** parents, relatives
la **paresse** laziness
parfois sometimes, occasionally
le **parfum** perfume, fragrance
parler to speak
parmi among
le **parquet** flooring, floor
la **part** share, part; **quelque —** somewhere; **d'autre —** on the other hand; **de la — de** on behalf of, from; **à —** aside, apart; **faire — à** to inform
partager to share
le **parti** party; side; **prendre le — de** to decide to
particulier particular, private
la **partie** part; game; **faire une —** to have a game; **faire — de** to be part of; **la plus grande —** most
partir to leave

partout everywhere
le **pas** step, pace
le **passager** passenger
le **passé** past
passer to pass by; cross; spend (time); **se —** to happen; **se — de** to do without
le **pasteur** pastor, minister
le **pâtissier** pastry cook
la **patte** paw
pauvre poor, needy
payer to pay
le **pays** country
le **paysage** landscape, scenery
la **peau** skin
peindre to paint
la **peine** grief, sorrow, trouble; **avoir de la — à** to have trouble (difficulty) in; **faire de la — à** to grieve, hurt the feelings; **valoir la — de** to be worthwhile; **à —** scarcely, hardly; **toute — mérite salaire** every labor is worth its pay
le **peintre** painter
la **peinture** paint, painting
se pencher to lean (bend) over; **— par** lean out of
pendant during; **— que** while
la **pendule** clock (*small*)
pénible hard, toilsome, painful; **—ment** with difficulty
la **pensée** thought, mind
penser to think; **y penses-tu?** are you serious?
la **pension** boarding, boarding house, boarding school
perdre to lose; **se —** to get lost, be wasted; **— sa peine** to waste one's effort
le **père** father
permettre to allow, permit; **permis** permitted, permissible
la **permission** furlough; **en —** on leave
la **personne** person
persuader to convince

la **perte** loss
peser to weigh
peu (de) little, few; **un —** a little, somewhat; **— de chose** trifle, very little
la **peur** fear; **faire —** to scare; **avoir — (de)** to be afraid (of), to fear
peut-être perhaps, maybe
le **pharmacien** druggist, pharmacist
le **phono** (*colloquial*) record player, phonograph
la **physique** physics
piailler to squeal
picorer to pick (*of birds*)
la **pièce** room; play; coin
la **piécette** small coin
le **pied** foot
la **pierre** stone
le **pinceau** brush
pire (*adj.*) worse, worst
pis (*adv.*) worse, worst
pitoyable pitiful, wretched
le **placard** (small) closet
la **place** place; square; seat; **changer de —** to move; **à votre —** in your place
le **placement** investment
placer to place, seat
la **plage** beach
la **plainte** complaint
plaindre to pity; **se — (de)** to complain (of, about)
plaire (à) to please; **se —** to enjoy (17); **s'il vous plaît** please
la **plaisanterie** joke
le **plaisir** pleasure; **faire — (à)** to please
le **plancher** floor
le **plâtre** plaster; cast
le **plat** dish
plein full
pleurer to cry, weep; **— à chaudes larmes** weep bitterly
pleuvoir to rain
plonger to dive, plunge

la **pluie** rain; **sous la —** in the rain
la **plume** pen; feather
la **plupart (des)** most
plus more
plusieurs several
plutôt rather
le **pneu** tire
la **poche** pocket
le **poêlon** frying pan
la **poignée** handle
le **poil** hair; **le — rebroussé** (his) hair standing up
le **poing** fist; **au —** in (his) hand
point: ne... point not at all
le(s) **poisson(s)** fish; **— rouge** goldfish
le **poitrail** breast (of an animal)
poli polite, polished
la **politesse** politeness; **simple —** elementary politeness; **se faire des —s** to exchange compliments
le **pommier** apple tree
le **pont** bridge
la **porte** door; **— d'entrée** front door
le **portefeuille** portfolio, pocket book
le **porte-monnaie** purse
porter to carry; to wear (*clothes*)
le **portier** doorman
la **portière** (*of a vehicle*) door
poser to put down; **— une question** to ask a question
la **poste** mail, post
le **poulet** (young) chicken
la **poupée** doll
pouvoir can, may, to be able (8)
pourquoi why
pourtant however, yet
pourvoir to provide
pousser to push; to grow; to utter
la **poussière** dust
le **précepteur** tutor
précieux precious

précipiter to throw in; **se —** to rush forward

le **préjugé** prejudice

le **premier** the first; **au —** on the first floor; **— venu** anyone (at all), just anyone

prendre to take, seize, catch; **— une décision** to make a decision

près de near; **à peu —** nearly

préparer to prepare

présager to foretell

présenter to introduce, offer; **se —** to present (introduce) oneself, appear

presque almost

pressé urgent, crowded; **être —** to be in a hurry

prêt ready

prétendre to claim, insist

prêter to lend

le **prêtre** priest

preux gallant (*of a knight*)

prévenir to warn, notify

prier to pray, request

la **prière** prayer, request

le **principe** principle

le **printemps** spring

le **prisonnier** prisoner

le **prix** price

la **probité** probity

prochain next

le **professeur** professor, teacher

profond deep, profound

le **projet** plan, project

une **promenade** walk; **faire une —** to take a walk

se **promener** to walk, to take a walk; **aller se —** to go for a walk

le **promeneur** walker

la **promesse** promise

promettre to promise

prompt quick

proscrire to outlaw, banish

propre clean; own; **— à** peculiar to

la **province** province; country (*as opposed to Paris*)

prudent cautious

punir to punish

puis then

puisque since (*conj.*)

la **puissance** power

puissant powerful

la **qualité** quality

quand when; **— même** in spite of all, just the same

quant à (moi) as for (me)

le **quart** quarter

le **quartier** neighborhood, quarter

quasiment as it were, almost

quelque chose something; **avoir — ** to be the matter

quelquefois sometimes

quelques some, a few (*adj.*); **quelques-uns** some, a few (*pron.*)

la **queue** tail

la **quinzaine** fortnight

quitter to leave

quoi what; **de —** enough to; **il n'y a pas de —** don't mention it, you are welcome

quoi que whatever

quoique although

le **rabbin** rabbi

raccommoder to mend, repair

raconter to relate, tell

la **raison** reason; **avoir —** to be right

ramasser to pick up

le **rang** rank, (social) position

ranger to put in order, tidy up

rappeler to call again (back), recall, remind; **se —** to remember, recall

rapporter to bring (carry) back

raser to shave

rassasier to satiate

rassurer to reassure

rattraper to catch up

ravi delighted

ravissant delightful, charming

rebondir to bounce again

recevoir to receive; — **des nou-velles** to hear from

rechercher to look for, seek (after)

recoller (*slang*) to pass on

recommander to recommend

la **récompense** reward

récompenser to reward

reconnaissant grateful

reconnaître to recognize, admit

recouvrer to recover

récrire to rewrite

le **reçu** receipt

refaire to do over again

réfléchi deliberate, thoughtful

réfléchir (à) to think over, ponder, reflect

la **réflexion: mûre** — due consideration

se **réfugier** to take refuge, shelter

le **refus** refusal

le **regard** glance, eyes

regarder to look, watch

la **règle** rule

le **règlement** regulation

regretter to regret, be sorry

rejoindre to join, meet, rejoin

la **remarque** comment, remark

remarquer to remark, to notice; **faire** — to point out, call attention (to)

le **remède** remedy, medicine

remettre to put back; to hand over; **se** — **à** to start (begin) again; **se** — **(de)** to recover (from)

remplacer to replace

remplir (de) to fill (with)

remuer to move, stir; — **la queue** to wag the tail

rencogné à huddled against

la **rencontre** meeting; **venir (aller) à la** — to come (go) to meet

rencontrer to meet, come across

le **rendez-vous** appointment, date

rendre to give back, return; render, make; **se** — to surrender; to go; — **service** to do a favor

renoncer à to give up

le **renseignement** information

renseigner to inform

rentrer to come back, go (come) home, bring in

renverser to upset, spill, knock down

renvoyer to send back; dismiss

répandre to spread

la **réparation** repair

réparer to repair

repartir to leave again

le **repas** meal

repeindre to repaint

répéter to repeat

répondre to answer, reply

la **réponse** answer, reply

reporter to carry back

le **repos** rest

reposer to put down (again)

se **reposer** to rest

repousser to push back, repel

reprendre to take back (again); resume, continue, regain

représenter to represent

réprimander to reprimand

résoudre to solve

respecter to respect

respirer to breathe, inhale

le **ressaut** bounce, leap

rester to stay, remain

résoudre to solve; **se** — **à** to decide to

rétablir to re-establish, restore; **se** — to recover (*from illness*)

le **retard** delay; **en** — late

retarder to delay, be slow

retirer to remove, pull out, withdraw; **se** — to retire, withdraw

retomber to fall back

le **retour** return

retourner to go back, return; to turn over

la **retraite** retreat; retirement; **prendre sa —** to retire

retroussé turned-up

retrouver to find, meet

(se) **réunir** to assemble, reunite

réussir to succeed

le **réveil** waking, awaking

(se) **réveiller** to wake up

révéler to disclose, reveal

revenir to come back

rêver to dream

revoir to see again

se **révolter** to revolt

la **revue** review, magazine

le **rhume** cold

riche rich

le **rideau** curtain

rire to laugh; **— au nez de quelqu'un** to laugh in someone's face

le **rire** laughter

rivaliser to compete

la **rivière** river

le **roi** king

le **roman** novel

rompre to break

rouge red

rougir to blush

rouler to roll

la **route** road, way; **se mettre en —** to start out, get under way, set forth

le **royaume** kingdom

le **ruban** ribbon

la **rue** street

se **ruer** to hurl oneself

ruiné decrepit, ruined

le **russe** Russian

le **sac** bag; **le — à main** handbag

sacrebleu confound it

sage good, wise, dutiful; **être —** to behave (well)

la **sagesse** wisdom

saisir to seize, grab

la **saison** season

le **salaire** salary

la **salade** salad

sale dirty

la **saleté** dirt(iness); trash

la **salle** room, hall; **la — à manger** dining room; **la — de bains** bathroom

le **salon** living room

samedi (*m*) Saturday

la **sangle** girth

sans (que) without

la **santé** health

satisfaire to satisfy

sauter to jump

sauver to save; **se —** to run away; **sauve qui peut!** every man for himself!

savoir to know, to know how; to learn; **faire —** to inform, let know; **pas que je sache** not that I know of, not to my knowledge

le **scélerat** rascal

sec (sèche) dry, sharp

secouer to shake

le **secours** help; **au —!** help!

la **secousse** jolt

secrétaire (*m f*) secretary

le **secrétaire** desk

la **selle** saddle

selon according to

la **semaine** week

semblable (à) similar, like

semblant: faire — (de + *inf.*) to pretend

sembler to seem, appear

le **sénateur** senator

sensé sensible

sentir to feel; to smell; **se —** to feel (+ *adj.*)

le **sergent de ville** policeman

la **série** series

sérieux serious; **prendre au —** to take seriously

serrer: se — la main to shake hands
la **serrure** lock
servir to serve; **— à** to serve as, be used for; **se — de** to use; **ne — à rien** to be of no use
seul alone, only
seulement only
sévir to use rigor
le **siècle** century
le **siège** seat; siege
la **sieste** nap
le **sifflement** hissing
sitôt que as soon as
situé situated
la **sœur** sister
la **soie** silk; **le papier de —** tissue paper
la **soif** thirst **avoir —** to be thirsty; **donner —** to make thirsty
soigner to take care of, look after
soigneusement carefully
le **soin** care
le **soir** evening
la **soirée** evening; evening party
soit ... soit either ... or; **soit!** agreed!
le **soldat** soldier
le **soleil** sun
sombre dark
le **sommeil** sleep; **avoir —** to be sleepy
songer to think
sonner to ring
le **sort** lot, fate
la **sorte** sort; **de la —** in such a way; **de — que** so that
sortir to go out, leave; to take out; to emerge
sot stupid
la **sottise** foolishness, foolish act, foolish thing
le **sou** penny
le **souci** worry
soudain sudden(ly)
souffler to blow, breathe

souffrant ill
souffrir to suffer
souhaiter to hope, wish
soulager to relieve
soulever to lift, raise; **se —** to rise
le **soulier** shoe
soumettre to submit
le **soupçon** suspicion
le **sourcil** eyebrow
sourd deaf
sourire to smile
le **sourire** smile, **un — moqueur** a derisive smile
la **souris** mouse
sournois sly
sous under
le **sous-pied** trouser strap
le **souvenir** memory, recollection
se **souvenir (de)** to remember
souvent often
le **stylo** fountain pen
subvenir (à) to provide (for)
le **sucre** sugar
le **sucrier** sugar bowl
le **sud** south
suggérer to suggest
la **suite** continuation
suivre to follow
le **sujet** subject
supplémentaire extra
supporter to support, endure
sur on, upon, over
sûr sure, safe
le **surlendemain** two days later
surprenant surprising
surprendre to surprise
surtout above all, especially
surveiller to watch
survenir to occur

le **tabac** tobacco
la **table** table; **se mettre à —** to sit down to a meal
le **tableau** picture, painting
le **tablier** apron
la **tache** stain, spot

tacher to stain
tâcher to try, to strive
se taire to keep quiet, be silent, stop talking; faire taire to silence
tandis que while, whereas
tant so much, so many; — que as long as
la tante aunt
le tapis rug, carpet
tard late
la tarte pie, tart
le tas pile
la tasse cup
tâter to feel (by touching), prod
le teint complexion
tel(le) such
tellement so, so much
témoigner to show, manifest; to testify
le tempérament temperament
le temps time, weather; à — in time; de — en — from time to time; quel — fait-il? what sort of weather is it?
tendu strained, tense
ténébreux dark
tenir to hold, keep; — à to be anxious to; to insist on; to be fond of; — de to owe to, get from; se — debout to stand (up)
tenter to tempt; to try, attempt
le terme term, end of lease
terminer to finish, end, terminate; se — to come to an end
la terre earth, land; par — on the ground, on the floor
la tête head
le thé tea
théâtral theatrical
le théâtre theater
le timbre(-poste) (postage) stamp
tirer to pull (out); s'en — to get along, to manage
le tiroir drawer
le tissu material, fabric

le titre title
titré titled
le toit roof
tomber to fall; laisser — to drop
le tonnerre thunder
le tort wrong; avoir — to be wrong
tôt early
toucher to touch, affect
toujours always, still
tourner to turn; to shoot (*movies*)
tout all, quite, every, everything; — à l'heure in a little while, a little while ago; — de suite immediately, right away; — le monde everybody; — à fait entirely, quite; — à coup all of a sudden, suddenly; du — at all
le train train; être en — de (faire) to be ... (doing); à fond de — at full speed
traîner to drag
le traité treaty
le traitement treatment
tranquille quiet, calm
la tranquillité quietness, calm
le travail work
travailler to work
travers: à — through, among; de — askew
traverser to cross; — la rivière à la nage to swim across the river
le tremblement trembling
tremper to soak, drench
très very
tricher to cheat
tricoter to knit
trier to sort
triste sad, wretched
la tristesse sadness
tromper to deceive; se — to be mistaken; se — de chemin to take the wrong road
la trompette trumpet

trop   too much, too many
le **trottoir**   sidewalk
le **trou**   hole
troubler   to disturb
trouver   to find, think of;   **se —** to be (located)
tuer   to kill

une **université**   university, college
utile   useful

les **vacances** (*f*)   vacation
vain   vain;   **en —**   in vain
la **vaisselle**   dishes
la **valeur**   value
la **valise**   suitcase
la **vallée**   valley
valoir   to be worth;   **— mieux** to be better
vanter   to praise;   **se —**   to boast
la **vapeur**   steam
vaste   bulky, vast
la **veille**   day before
veiller   to watch;   **— à ce que** to see to it that
le **vendeur**   seller, salesman
vendre   to sell
venir   to come;   **— de** to have just;   **faire —**   to call (for);   **— à la rencontre**   to come to meet
le **vent**   wind
le **ver**   worm
le **vernis**   varnish
le **verre**   glass
vers   toward; (*time*)   about
le **vers**   verse
vert   green
le **vertige**   dizziness;   **donner le —** to make dizzy
le **vestibule**   hall
les **vêtements** (*m*)   clothes
vêtir   to dress
la **viande**   meat
vide   empty

vider   to empty
la **vie**   life; living
le **vieillard**   old man
vieux   old
vif   lively, keen, crisp, bright
la **ville**   town, city;   **en —**   downtown
le **vin**   wine
le **violon**   violin
le **virage**   curve, bend
le **visage**   face
la **visite**   visit;   **faire une —, rendre —**   to call on, pay a call;   **— domiciliaire**   house search
vite   quickly, fast (*adv.*)
la **vitesse**   speed
la **vitrine**   shop window, showcase
vivoter   to live poorly, live from hand to mouth
vivre   to live
voici   here is (are)
voilà   there is (are)
la **voile**   sail
voilé   veiled
voir   to see;   **faire —**   to show
voisin   neighboring
le **voisin, la voisine**   neighbor
la **voiture**   carriage, car, automobile
la **voix**   voice
voler   to fly; to rob, steal
le **voleur**   thief
le **volontaire**   volunteer
la **volonté**   will, will power
vouloir   to want, wish (12);   **— dire**   to mean;   **— bien**   to be willing to;   **en — à**   to have a grudge against
le **voyage**   trip;   **être en —**   to be traveling;   **faire un —**   to take a trip
voyager   to travel
le **voyageur**   passenger
vrai   true, real;   **—ment**   really;   **dire —**   to tell the truth

les **yeux** (*m*)   eyes

English-French Vocabulary

The following elementary items are omitted from this vocabulary: The articles; the personal and relative pronouns; the interrogative, demonstrative, and possessive pronouns; numerals; common negations; the commoner prepositions; and the words and expressions listed in the vocabularies following the readings in each lesson except when those words or expressions are used elsewhere.

Many of the commoner prepositions form part of an English verb or idiomatic expression. *Attempt to,* for example, will be found under *attempt; go up* under *go; by train* under *train,* and so on.

Words ending in *-ion* are not generally listed in this vocabulary if the spelling and meaning are identical in both languages. These words are feminine.

The following abbreviations and special symbols have these meanings: (*f*) feminine; (*m*) masculine; (*pl*) plural; (*prep.*) preposition; (*pron.*) pronoun; (*conj.*) conjunction; (*adj.*) adjective; (*adv.*) adverb; — repetition of the entry word; * following a verb indicates that it is conjugated irregularly.

A preposition without parentheses following either an English or French entry indicates that the preposition is part of the verb or expression: **to look for,** chercher.

If a preposition is enclosed in parentheses following an entry, it indicates that this preposition is required when a complement follows: **to obey,** obéir (à).

If a preposition and a plus sign (à +) (de +) are enclosed in parentheses following an entry, it indicates the preposition required before an infinitive.

Numerals refer to the lesson in which vocabulary distinctions between French and English usage are explained more extensively. Where *Lesson* precedes the number, it is a reference to the Grammar and Usage section.

to **abandon** abandonner
  able capable; **to be** — pouvoir
  about environ; (*concerning*) au sujet de
  abroad à l'étranger
  abruptly brusquement
  absence une absence
  absent absent; **—minded** distrait
  absolutely absolument
  academy une académie
to **accept** accepter (de +)
  accident un accident
to **acclaim** acclamer
to **accompany** accompagner
  accused un accusé

  accustomed: to be — être accoutumé à, avoir coutume de
to **acquire** acquérir*
  across de l'autre côté de; **to walk, ride, swim, etc.** — traverser (18)
to **act** agir; **— up** faire le malin
  actor un acteur
to **add** ajouter
  address une adresse
to **admire** admirer
to **admit** admettre*
to **adore** adorer
to **advance** avancer
  adventure une aventure
  advice le(s) conseil(s)
to **advise** conseiller (à, de +)

afraid: to be — avoir peur (de)
after après
afternoon l'après-midi (*m f*)
afterward par la suite
again encore; de nouveau; re- +
verb (20)
against contre
age un âge
ago il y a
to **agree** consentir (à); **— on** convenir de; **— with** être de l'avis
de
air un air; **—port** un aéroport
alas hélas
alarm une alarme
alarming alarmant
algebra l'algèbre (*f*)
alive en vie
all tout (19); **at —** du tout
to **allow** permettre* (à, de +)
almost presque; **to —** faillir,*
manquer de
alone seul
aloud à haute voix
already déjà
also aussi
alternative une alternative
although quoique, bien que
always toujours
American américain
ambassador un ambassadeur
among parmi; chez (4)
amusing amusant
ancient ancien(ne)
angry fâché, en colère; **to get —**
se fâcher, se mettre en colère
animal un animal, une bête
to **announce** annoncer
to **annoy** ennuyer
annoying ennuyeux
another un autre, encore un (5)
answer la réponse
to **answer** répondre à
anyhow n'importe (14)
anymore ne . . . plus
anyone quelqu'un, n'importe qui
(14)

anything n'importe quoi, quelque
chose, tout (14)
anxious: to be — to tenir* à
(*desirous*)
apartment un appartement; **—
house** un immeuble
to **apologize (for)** s'excuser (de); **—
to** faire des excuses à
to **appear (seem)** paraître,* sembler;
(*become visible*) apparaître
appetite un appétit
appointment le rendez-vous
to **approach** s'approcher (de)
to **approve** approuver
to **argue** discuter
aristocratic aristocratique
arithmetic l'arithmétique (*f*)
arm le bras
to **arm** armer
armchair le fauteuil
army une armée
around autour de; (*about*) environ; (*time*) vers
arrangement: make —s prendre
des dispositions
arrest une arrestation
to **arrest** arrêter
arrival une arrivée
to **arrive** arriver
as comme; **—. . . —** aussi . . .
que; **— for** quant à; **— soon
—** aussitôt que, dès que; **—
much** autant; **— early —** dès
le . . .
ashamed honteux; **to be—** avoir
honte (de), être honteux (de)
aside from en dehors de
to **ask** demander (à, de +); **— for**
demander
asleep endormi; **to fall —** s'endormir
to **assure** assurer
to **attempt to** tenter de, chercher à
to **attend (be present)** assister à; **to
— to** s'occuper de
attention une attention; **to pay
—** faire attention

attentively attentivement, avec attention

audience une assistance, les auditeurs (*m*)

author un auteur

to **authorize** autoriser (à +)

automobile une auto(mobile)

available disponible

to **avoid** éviter (de +)

to **await** attendre

to **awaken** (s')éveiller, (se) réveiller

aware: to become — s'apercevoir

away *see under the verb*

bad (*adj.*) mauvais, méchant; **—ly** (*adv.*) mal; **it is too —** c'est dommage (de +)

baggage les bagages

balance l'équilibre

bandage le bandage

to **bandage** bander

bandit le bandit

to **bang** claquer

bank la banque

bargain une occasion; **— day** le jour de solde

to **bark** aboyer

bath le bain; **—room** la salle de bains; **—tub** la baignoire

to **be** être;* avoir (9);* faire (7);* **am to, was to, etc.** devoir (11);* (*of health*) aller,* se porter

beard la barbe; **—ed** barbu

beautiful beau (bel), belle

because parce que; **— of** à cause de

to **become** devenir*

bed le lit; **to go to —** se coucher, aller se coucher

bedroom la chambre à coucher

beer la bière

before (*prep. of time*) avant (de +); (*prep. of place*) devant; **—hand** d'avance; (*previously*) auparavant

to **begin** commencer (à +), se mettre à; **— again** se remettre à

beginning le commencement, le début; **in the —** au début

to **behave** se conduire;* être sage

behavior la conduite

to **believe** croire*

to **belong** appartenir*

beside auprès de

(the) **best** le mieux (*adv.*); le meilleur (*adj.*)

better mieux (*adv.*); meilleur (*adj.*); **to be —** valoir mieux, (*health*) aller mieux

between entre

bicycle la bicyclette

big grand

bill la note; (*banknote*) le billet

binding la relivre

biography la biographie

birthday un anniversaire (de naissance)

to **blame (for)** blâmer (de)

to **block** bloquer

blue bleu

to **blush** rougir

to **boast** se vanter

boat le bateau

bonus la gratification

book le livre

bookseller le libraire

bored: to be — s'ennuyer

boring ennuyeux

born: to be — naître*

to **borrow (from)** emprunter (à)

boss le patron

both tous (toutes) les deux

bottle la bouteille

bowl le bol

box la boîte, le carton; **— seat** le coffre

boy le garçon

bread le pain

to **break** casser

breakfast le petit déjeuner

bridge le pont; (*cards*) le bridge

bridle la bride

to **bring** apporter, amener (7); **— down** descendre; **—up** mon-

ter; — **up** (*a child*) élever; —
back rapporter
brother le frère
brown brun
to **brush** brosser
to **budge** bouger
to **build** bâtir, construire*
building un bâtiment; un immeuble (*apartment house*)
bureau la commode
burglar le cambrioleur
to **burn** brûler
to **burst** éclater; — **out laughing**
éclater de rire
bus un autobus
business une affaire, les affaires
busy occupé (à +); — **(doing)** en
train de (faire)
but mais
to **buy** acheter
by par

cake le gâteau
call un appel; **telephone** — un
appel téléphonique
to **call** appeler, faire venir,* téléphoner; — **on** faire une visite,
rendre visite; — **attention** faire
remarquer
calm(ly) calme(ment), tranquille-
(ment)
to **calm down** (se) calmer
camera un appareil (photogra-
phique)
can pouvoir,* savoir* (8)
Canada le Canada
candy le bonbon; (*collectively*)
les bonbons
car la voiture
care le soin; **take** — prendre
garde; **take** — **of** se charger
de, prendre soin de
careful soigneux; —**ly** soigneusement; **to be** — faire
attention
carriage la voiture
to **carry** porter; — **up** monter;

— **down** descendre; — **out**
exécuter; — **away** emporter
case le cas; **in any** — en tout
cas
case (*packing*) la caisse
cat le chat
catastrophe la catastrophe
catch prendre,* attraper; — **up**
with rattraper
cathedral la cathédrale
Catholic catholique
cause la cause
to **cause** causer; **to** — **to** faire (19)
cautious prudent
cavalcade la cavalcade
to **cease** cesser (de +)
cell la cellule
century le siècle
ceremony la cérémonie
certain(ly) certain(ement)
chair la chaise
chance la chance; **by (any)** — par
hasard
change le changement; la monnaie
to **change** changer (16); — **one's**
mind changer d'avis
Channel (English) la Manche
chapter le chapitre
charming charmant, ravissant
to **chase** chasser
to **chat** bavarder
chauffeur le chauffeur
cheap bon marché
cheerful(ly) gai(ement)
check room (*railroad*) la consigne
chief le chef
child un(e) enfant
childhood une enfance
choice le choix
to **choose** choisir
Christmas Noël
cigarette la cigarette; — **lighter**
le briquet
circus le cirque
citizen le (la) citoyen(ne)
city la ville
to **claim** prétendre

class   la classe;   **classmate**   le (la) camarade de classe
classics   les classiques (*m*)
clean   propre
to **clean**   nettoyer
clever   adroit, habile, intelligent
clock   la pendule;   une horloge (*large*)
close (to)   près de
to **close**   fermer
closet   le placard
clothes   les vêtements
coachman   le cocher
coat   le manteau;   (*of a suit*)   le veston
coffee   le café
cold   froid;   **to be (feel) —**   avoir froid,   (*weather*)   faire froid
college   une université
colonel   le colonel
color   la couleur
to **come**   venir;*   (*of thing*)   arriver;   **— back**   revenir;   **— in(to)**   entrer;   **— out**   sortir;*   **— up**   monter;   **— down**   descendre;   **— to (toward, near)**   s'approcher de;   **— home**   rentrer (chez soi);   **— to get**   venir chercher;   **— to meet**   venir à la rencontre
comfortable   confortable, bien, à l'aise (18)
comforting   la consolation
comical   comique
commander   le commandant
to **communicate**   communiquer
company   la compagnie
to **compare**   comparer
to **complain (of, about)**   se plaindre (de)
compliment   le compliment;   **to pay a —**   faire un compliment
to **compliment on**   complimenter de
composition   le thème;   (*original*)   la composition
compromising   compromettant
to **conclude**   conclure*
condition   la condition;   (*state*)   un état

conduct   la conduite
conductor   le conducteur
conference   la conférence
to **confess**   avouer
consent   le consentement
to **consent**   consentir (à +)
to **consider**   considérer
considerable   considérable
to **consist**   consister
consoling   consolant
to **consult**   consulter
to **contain**   contenir*
content   le contenu
to **continue**   continuer (à +)
to **contradict**   contredire*
contrary   le contraire;   **on the —**   au contraire
to **convince**   convaincre (de),*   persuader (de)
cook   le cuisinier, la cuisinière
copper   le cuivre
corner   le coin
corridor   le corridor
to **cost**   coûter;   **— much**   coûter cher
could   *see* pouvoir
country   le pays;   (*rural district*)   la campagne;   **in the —**   à la campagne;   **open —**   la pleine campagne
course   le cours
course: of —   bien entendu
cousin   le (la) cousin(e)
cover   la couverture
to **cover (with)**   couvrir* (de)
crazy   fou (folle)
creature   la créature
crippled   infirme
crop (*riding*)   la cravache
to **cross**   traverser, passer
crowd   la foule
cruel   cruel(le)
cry   le cri
to **cry** (*weep*)   pleurer;   (*shout*)   crier
cup   la tasse
curiosity   la curiosité
curious   curieux

custom la coutume
to **cut** couper; — **down** (*of trees*) abattre

dangerous dangereux
to **dare** oser
dark sombre, noir
darkness une obscurité
date le rendez-vous
daughter la fille
dawn l'aube (*f*)
day le jour, la journée (3); **the —
before** la veille (de); **the following** — le lendemain; **two
—s later** deux jour après, le
surlendemain
deaf sourd
deal: a great — beaucoup, bien
dealer le marchand; **antique** —
un antiquaire
dean le doyen, la doyenne
to **decide** décider (de +), se décider
(à +)
decision la décision
to **declare** déclarer
to **decorate** décorer
decrepit en ruine
to **defeat** vaincre*
delay le délai, le retard
delighted enchanté
to **deny** nier
department (*govt.*) le ministère;
— **store** le grand magasin
to **derail** dérailler
desert le désert
deserted désert
to **deserve** mériter (de +)
desire le désir, une envie
desk le bureau
to **despair** désespérer (de +)
to **despise** mépriser
to **destroy** détruire*
detail le détail
to **detain** retenir
determined: to be — **to** être décidé à
to **devote** consacrer

to **dictate** dicter
dictionary le dictionnaire
to **die** mourir*
different différent; —**ly** diffé-
remment, autrement
difficult difficile
dining room la salle à manger
dinner le dîner; **to have** — dîner
to **direct** diriger
direction la direction; **in the — of**
du côté de
director le directeur
dirty sale
to **disappear** disparaître*
disappointed désappointé, déçu
to **discover** découvrir; (*become a-
ware*) s'apercevoir* (17)
to **discourage** décourager
to **discuss** discuter
disdainfully dédaigneusement
dish le plat; —**es** (*collectively*) la
vaisselle
to **dislike** ne pas aimer, détester
to **disobey** désobéir (à)
disorder le désordre
dispatch la dépêche
to **displease** déplaire à
to **dispose** disposer
distinguished distingué
distressed: to be — avoir de la
peine
distressing lamentable
to **distrust** se méfier de
ditch le fossé
to **dive** plonger
dizzy: to make — donner le vertige
to **do** faire;* — **over again** refaire;
— **without** se passer de
doctor le docteur; (*M.D.*) le
médecin; (*direct address*) Docteur
document le document
dog le chien
domain le domaine
door la porte; **front** — la porte
d'entrée

to **doubt**   douter (de)
doubtful   douteux
down   *see under the verb*;   — **cast** abattu
dozen   la douzaine;   **half a** — une demi-douzaine
dress   la robe
to **dress**   (s')habiller
dressmaker   le couturier, la couturière
to **drink**   boire*
to **drive**   conduire,* aller (venir) en voiture (18)
during   pendant, durant
dust   la poussière
duty   le devoir

each   chaque (*adj.*); chacun (*pron.*)
early   tôt, de bonne heure, en avance (2)
to **earn**   gagner
easy   facile;   **easily**   facilement, aisément
to **eat**   manger
to **economize**   économiser
education   une éducation
egg   un œuf
elder   aîné
elegant   élégant
else   autre
emotion   une émotion
empty   vide;   — **handed**   les mains vides
to **encourage**   encourager
end   la fin, le bout (20)
to **end**   finir, (se) terminer
enemy   un ennemi
to **engage**   engager
English   anglais
to **enjoy**   jouir de, aimer, se plaire (17)
enough   assez (de);   — **to**   de quoi
to **enter**   entrer (dans)
entire   entier;   —**ly**   entièrement, (*quite*)   tout à fait
entrance   l'entrée
to **entrust**   confier
episode   un épisode

error   une erreur
to **escape**   s'évader
especially   surtout
essential   essentiel
Europe   l'Europe (*f*)
eve   la veille
even   même
evening   le soir, la soirée (3)
eventful   mouvementé
every   chaque, tout (14);   —**body**, —**one**   tout le monde;   —**thing** tout;   —**where**   partout
exactly   exactement;   (*of time*) précis, juste
to **examine**   examiner
except   sauf
exceptional   exceptionnel
to **exchange**   échanger
to **exclaim**   s'écrier
excuse   une excuse
exercise   un exercice;   **to take** — faire de l'exercice
to **exhaust**   épuiser
exile   un exil
existence   une existence
to **expect**   s'attendre à, compter, attendre (15)
expedition   une expédition
expenses   les frais
expensive   cher (chère)
experience   une expérience
to **explain**   expliquer
explanation   une explication
exploit   un exploit
explorer   un explorateur
to **express**   exprimer
exquisite   exquis
to **extinguish**   (s')éteindre
extraordinary   extraordinaire
eye(s)   un œil, les yeux

face   le visage, la figure;   **to make** —**s**   faire des grimaces
to **fail**   échouer (à);   **failing to**   faute de;   **not to** — **to**   ne pas manquer de
fairly   assez

faithful fidèle
fall la chute
to **fall** tomber; — **asleep** s'endormir*
false faux
family la famille
famous célèbre
far loin; as — as jusqu'à
fast rapide (*adj.*); vite (*adv.*); **to be** — (*of a timepiece*) avancer
fat: **to get fat(ter)** engraisser
father le père
fault la faute
favorite favori(te)
fear la crainte, la peur; **for** — de crainte (de +)
to **fear** craindre* (de +), avoir peur (de)
fearful épouvantable
to **feel** sentir; (*experience*) éprouver; **to** — **like** avoir envie de; — + *adj.* se sentir
few peu; **a** — quelques, quelques-uns
to **fight** se battre*
finally finalement, enfin; (*end by*) finir par
to **find** trouver, retrouver (17)
fine fin; beau
to **finish** finir (de +); (se) terminer
fire le feu
first premier; (*in the first place*) d'abord
to **fit** aller* (bien)
to **flee** fuir
floor (*story*) un étage; (*flooring,* le plancher; **on the** — par terre, **on the first** — au premier (*U.S. second floor*)
flower la fleur
fluently couramment
to **fly** voler (18)
fog le brouillard
to **follow** suivre;* —**ing** suivant; —**ing day** le lendemain
fond: **to be** — **of** (*like*) aimer
foot le pied; **on** — à pied

football le football
footstep le pas
for (*destination, purpose*) pour; (*time*) depuis, il y a, pendant, pour (1); (*because*) car
to **forbid** défendre (à, de +)
foreign étranger(-ère)
to **foresee** prévoir*
forest la forêt
to **forget** oublier (de +)
to **forgive (for)** pardonner
former ancien; **the** — celui-là
formerly autrefois
fortunately heureusement
fortune la fortune
to **found** fonder
fountain pen le stylo
free(ly) libre(ment)
freedom la liberté
fresh frais (fraîche)
friend un(e) ami(e), le (la) camarade
to **frighten** effrayer; **be (become)** —**ed** s'effrayer
from de; dès le
front: **in** — **of** devant
full plein
fun la distraction, un amusement
fun: **to make** — **of** se moquer de; **have** — s'amuser (bien)
furious furieux
fur la fourrure
furniture les meubles; **a piece of** — un meuble
further davantage; **without** — sans autre
furthermore de plus

gaily gaiement
gait une allure
galop: **break into a** — prendre le galop
game le jeu; **a** — **of** une partie de, (*formal*) un match
gaping béant
garden le jardin
gathering le rassemblement
general le général

generous généreux
gentleman le monsieur
geography la géographie
German allemand
Germany l'Allemagne (*f*)
to **gesticulate** gesticuler
to **get** (*become*) devenir;* (*obtain*) obtenir; — + *adj. or past part.: use refl. verb* (*see under the adjective or verb*); — **into** monter dans; — **off** descendre de; — **up** se lever; — **along** s'en tirer
gift le cadeau
girl (*daughter*) la fille; (*young person*) la jeune fille
to **give** donner; — **back** rendre; — **up** renoncer à
glad content
glass le verre
glove le gant
to **go** aller;* — **away** s'en aller; — **back** retourner; — **down** descendre; to be —ing on se passer; — **by** passer, (*of time*) se passer; — **forward** s'avancer; — **into** entrer dans; — **home** rentrer; — **the wrong way** se tromper de chemin; — **to get** aller chercher; — **to bed** se coucher; — **out** sortir; — **up** monter
good bon(ne); to do — faire du bien à
gown: dressing — un peignoir
grandmother la grand-mère
to **grant** accorder
great grand
green vert
to **greet** saluer; (*welcome*) accueillir
to **grieve** (*someone*) faire de la peine à
grocer un épicier
groom le groom
ground le sol; **on the** — par terre

to **grumble** grommeler
guard le garde
to **guess** deviner
guest un invité
gun le fusil

habit une habitude
(a) **hair** un cheveu; **hair** les cheveux; **by a** —'s **breadth** d'un cheveu
half la demie; —**way** à mi-chemin
hallway le vestibule
hand la main; **on the other** — d'autre part; **second** — d'occasion
handsome beau
handwriting une écriture
to **happen** arriver, se passer (15)
happy heureux
harbor le port
hard dur (*adj. or adv.*); difficile (*adj.*)
hardly à peine, ne . . . guère (4)
hat le chapeau
to **have** avoir (à +); prendre (12); — **to** devoir,* falloir (11); faire* (Lesson 19, Sec. 1)
head la tête; **the** —**ache** le mal de tête; **to have a** —**ache** avoir mal à la tête
health la santé
to **hear** entendre; entendre dire, entendre parler (17); — **from** recevoir des nouvelles de (17)
heart le cœur; **by** — par cœur
heat la chaleur
to **heat** chauffer
heaven le ciel
heavy lourd
to **help** aider (à +)
here ici; — **is** voici
to **hesitate** hésiter
hesitation une hésitation
to **hide** (se) cacher
high haut; (*price*) élevé
hill la colline, la côte

history l'histoire (*f*)
to hit heurter, se heurter contre; —
  (with) frapper (de)
to hold tenir*
  holiday la fête, le jour de fête;
    summer — les grandes vacances
  home la maison, un intérieur;
    chez (4); at — chez (soi); go,
    come back — rentrer
  homework le(s) devoir(s) (*m*)
  honest honnête
  hope un espoir
to hope (for) espérer
  horror une horreur
  horse le cheval; on —back à
    cheval
  horsemanship une équitation
  hospitable hospitalier
  hospital un hôpital
  hot chaud; to be (feel) — avoir
    chaud, (*weather*) faire chaud
  hotel un hôtel
  hour une heure
  house la maison; to (at) the —
    of chez (4)
  household le ménage; (*adj.*) mé-
    nager(–ère)
  how comment; how...!
    comme, que; — long com-
    bien de temps, depuis quand (1);
    — much, many combien
  however cependant, pourtant; —
    + *adj.* si... que
to howl 'hurler
to humiliate humilier
  humor une humeur
  hungry: to be — avoir faim
  hunter le chasseur
  hunting la chasse; to go — aller
    à la chasse
to hurry se dépêcher
  hurry la hâte; to be in a — être
    pressé (de +)
to hurt faire* mal (à), blesser (19);
    — the feelings of faire de la
    peine à
  husband le mari

idea une idée
identical identique
ill malade
to imagine s'imaginer
immediately immédiatement, à
  l'instant, tout de suite; — after
  aussitôt après
impatience une impatience
impetuosity la fougue
impolite impoli
imprisonment un emprisonne-
  ment
to improve améliorer
in dans, en, à (20)
incident un incident
incredible incroyable
to induce (someone) to décider quelqu'un à
inexpensive bon marché
to inform (of) informer (de), faire
  savoir, faire part (de) (19), renseigner
information le renseignement
injury: internal — la lésion interne
to inquire about (someone) prendre
  des nouvelles de (quelqu'un)
inside en dedans; — it, them
  dedans
to insist (on) insister (sur + *noun*),
  (pour + *inf.*) (que, pour que +
  clause)
instead of au lieu de
intellectual intellectuel
to intend avoir l'intention (de +)
to interest intéresser; to be —ed in
  s'intéresser à
interesting intéressant
to interrupt interrompre
interview une entrevue
to intimidate intimider
into dans; in(to) it dedans
to introduce présenter, introduire*
  (12)
to invade envahir
invader un envahisseur
to invite inviter (à +)

to **irritate**   agacer, irriter; **irritating**   agaçant, irritant
isle   une île

jewel   le bijou
job   la situation
joke   la plaisanterie
to **joke**   plaisanter
joy   la joie; **—ful** joyeux
to **judge**   juger
July   juillet (*m*)
to **jump (out of)**   sauter (de)
jury   le jury
just   justement; **to have —** venir* de; **— as** au moment où;
— the same   quand même

to **keep**   garder
key   la clef
kind   aimable, bon
kind   la sorte
kitchen   la cuisine
knee   le(s) genou(x)
to **knock down**   renverser
to **know**   savoir,* connaître* (8); **to
let —**   faire savoir; **— all about**
être au courant de
knowledge   les connaissances (*f*);
not to my —   pas que je sache

to **lack**   manquer de
to **land**   atterrir
language   la langue
large   grand; (*voluminous*) gros(se)
last   dernier; **at —** enfin
late   tard, en retard (2); **it is getting —**   il se fait tard
latter: the —   celui-ci
to **laugh**   rire*
laundry   le blanchissage
lawyer   un avocat
to **lead**   conduire
the least   le moindre (*adj.*); le moins
(*adv.*); **at —** au moins
lecture (*in class*)   le cours; (*formal*)
la conférence
left   gauche

left: to have (something) —   rester
(13)
leg   la jambe
to **lend**   prêter
less   moins (de); **— and —** de
moins en moins
lesson   la leçon
to **let**   *see imperative;* (*allow*) laisser;
— into   faire entrer
letter   la lettre
library   la bibliothèque
lid   le couvercle
lie   le mensonge
to **lie (down)**   se coucher
life   la vie
to **lift**   soulever
light   la lumière; (*adj.*) léger
to **light**   allumer
to **like**   aimer, plaire,* vouloir* (12)
likely   probable
to **limp**   boiter
line   la ligne
liner   le paquebot
to **listen (to)**   écouter
literature   la littérature
little   petit (*adj.*); peu (*adv.*)
to **live**   vivre;* (*inhabit*) habiter, demeurer (1)
living room   le salon
to **load**   charger
loaf of bread   un pain
to **lock**   fermer à clef; **— up** enfermer
London   Londres
long   long(ue), longtemps; **how
—?**   depuis quand? combien de
temps? (1)
longer: no —   ne ... plus, ne pas
... plus longtemps (3)
look   la mine
to **look: — at**   regarder; **— for**
chercher; (*seem*) avoir l'air
(de +) (9); **— well (badly)**
avoir bonne (mauvaise) mine;
— after   soigner; **— like** se
ressembler
to **lose**   perdre

lot le sort; a — beaucoup
love un amour
to love aimer
luck la chance
lucky: to be — avoir de la chance
lunch le déjeuner; to have — déjeuner
luxury le luxe

magistrate: police — le commissaire (de police)
maid la bonne
mainly principalement, surtout
make faire;* rendre, donner (19); gagner
man un homme
to manage conduire; s'en tirer; — to arriver à
manner la manière; in such a — de manière que
manuscript le manuscrit
many beaucoup (Appendix III-B)
map la carte
marble le marbre
to marry marier, se marier, épouser (8)
master le maître
matter: to be a — of s'agir de
mattress le matelas
may pouvoir* (8); maybe peut-être
May mai (m)
meal le repas
to mean vouloir* dire
means le moyen; (resources) les moyens
medical médical
to meet rencontrer, faire* la connaissance de, retrouver (12)
meeting la réunion, la rencontre
member le membre
memory (mental faculty) la mémoire; le souvenir
to mention mentionner
merely simplement
meter le mètre

middle le milieu
midnight minuit (m)
might see pouvoir (8)
mile le mille
milk le lait
mind l'esprit (m); change one's — changer d'avis; make up one's — se décider (à +)
minute la minute
misadventure la mésaventure
to miss manquer (13)
mistake la faute
mistaken: to be — se tromper
mistress la maîtresse
modern moderne
to modify modifier
moment le moment, un instant; any — d'un instant à l'autre
money l'argent; la monnaie (16)
month le mois
more plus (de), davantage (5)
morning le matin, la matinée (3); next — le lendemain matin
most (of) la plupart (de), la plus grande partie (de)
mother la mère, la maman
motorcycle la motocyclette
mount la monture
mountain la montagne
moustache la moustache
to move (intrans.) bouger; (trans.) remuer; (from one residence to another) déménager; — away s'éloigner; — in emménager; — forward s'avancer
mover le déménageur
moving le déménagement
movies le cinéma
much beaucoup (Appendix III-B)
museum le musée
music la musique
must devoir,* falloir* (11)
mysterious mystérieux

name le nom; what is the — of comment s'appelle

to **name** nommer
narrow étroit
navy la marine
near près (de); —**ly** à peu près; the —**est** le plus proche
necessary nécessaire
need le besoin
to **need** avoir besoin de; falloir* (11)
needle une aiguille
negligence la négligence
neighbor le voisin
nephew le neveu
nevertheless néanmoins
new nouveau (nouvelle); neuf (neuve) (5)
news (*one item*) la nouvelle; (*several items*) les nouvelles
newspaper le journal
next prochain; — **day** le lendemain
night la nuit; **last** — hier soir, la nuit dernière (3)
nightmare le cauchemar
noise le bruit; **noisy** bruyant
nose le nez
note la note; (*short letter*) un billet
to **notice** apercevoir,* s'apercevoir, remarquer (17)
to **notify** prévenir,* avertir
novel le roman
now maintenant

to **obey** obéir (à)
object un objet
to **occur** (**happen**) arriver
o'clock heure (*f*)
offer une offre
to **offer** offrir* (de +)
office le bureau; (*doctor*) le cabinet; (*lawyer*) l'étude
officer un officier
often souvent
old vieux (vieil, vieille); **to be ...** **years** — avoir ... ans (9)
older, oldest aîné
on (**upon**) sur; —**it, them** dessus

once une fois; (**all**) **at** — à la fois
only ne ... que, seulement, seul (4)
open ouvert
to **open** ouvrir*
opinion un avis; **to have an** — être d'un avis
order un ordre
order: in — **to** afin de, pour
otherwise autrement
ought devoir* (11)
overcoat le pardessus
to **owe** devoir*
own propre

pace une allure
package le paquet
pain la douleur
to **paint** peindre;* **hand** —**ed** peint à la main
painter le peintre
painting la peinture, le tableau
pale pâle; **to turn** (**become**) — pâlir
panic-stricken affolé; **to get panicky** s'affoler
paper le papier; (**news**)— le journal
paradox le paradoxe
park le parc
particular(ly) particulier(-èrement)
passage le passage
passenger le voyageur, le passager (18)
path le chemin
patience la patience
patient le malade; (*adj.*) patient; —**ly** avec patience
to **pay** (**for**) payer (10); — **attention** faire* attention; —**a visit** faire (une) visite, rendre visite
peaceful paisible
peach la pêche
people les gens, le monde, les personnes (20); **young** — (**youth**) les jeunes gens

perfect(ly) parfait(ement)
performance la représentation
perhaps peut-être
period une époque; **during the —**
  à l'époque
permit permettre* (à, de +)
to **persist (in)** persister (à +)
  person la personne
personally personnellement
pharmacist le pharmacien
pharmacy la pharmacie
phonograph le phonographe
piano le piano
to **pick** cueillir; **— up** ramasser
picture une image; (*painting*) le
  tableau
picturesque pittoresque
piece le morceau
pillow un oreiller
pitiful pitoyable
pity la pitié; **it is a —** c'est
  (grand) dommage; **what a —!**
  quel dommage!
place la place; (*location*) un en-
  droit; **in your —** à votre place;
  to take — avoir lieu
plan le plan
plane un avion; **by—** en avion,
  par avion
platform (*railroad*) le quai
play (*theatrical*) la pièce
please s'il vous plaît, je vous prie
  (de +)
to **please** plaire, faire* plaisir (17)
pleased content
pleasure le plaisir
pocket la poche
pocketbook le portefeuille
pole le poteau; **telegraph —** le
  poteau télégraphique
police la police
policeman un agent de police, un
  agent (*for short*)
polite poli
poor pauvre; **—ly** pauvrement,
  mal
porter le porteur

position la position; (*job*) la
  situation
possessions le bien
post (*assignment*) le poste
post card la carte postale
post office la poste, le bureau de
  poste
to **postpone** remettre,* ajourner
pound la livre
poverty la pauvreté
power la puissance
practical pratique
to **prance** danser
to **predict** prédire*
to **prefer** aimer mieux, préférer
to **prepare** préparer; **— to** se préparer à
present (*adj.*) présent; **to be — at**
  assister à
president le président
press la presse
to **pretend to** faire* semblant (mine)
  de, affecter de
pretty joli
to **prevent** empêcher (de +)
price le prix
priest le prêtre
prison la prison
prisoner le prisonnier
printed imprimé
probably probablement, sans
  doute
problem le problème
to **proceed** avancer
professional professionnel
professor le professeur
to **promise** promettre* (à, de +)
to **propose** proposer (de +)
proposal la proposition
to **protest** protester
Protestant protestant
proud fier
to **prove** prouver
provided that pourvu que
province la province; **in the —s**
  en province
publisher un éditeur

to **punish**   punir
punishment   la punition
purchase   un achat
purpose   le but; **on** — exprès
purse   le porte-monnaie
to **pursue**   poursuivre*
to **put**   mettre;* — **down**   poser;
   — **back**   remettre;   — **on**
   mettre;   — **away**   mettre de côté

qualifications   les qualités
to **quarrel**   se quereller
question   la question; **to be a** —
   of   s'agir de
to **question**   interroger
quick   rapide; —**ly**   vite, rapidement
quiet   tranquille; **to keep** —   se
   taire*
to **quiet down**   (se) calmer
quite   tout; (*emphatic*) tout à fait

radio   la radio
rain   la pluie; **in the** —   sous la
   pluie
to **rain**   pleuvoir*
raise   une augmentation
to **raise**   soulever; (*bring up*) élever;
   (*eyes, hand, etc.*) lever
rank   le rang
rascal   le scélérat
rather   plutôt, assez;   — **than**
   plutôt que (de +)
to **reach**   atteindre*
to **read**   lire*
ready   prêt (à +)
real(ly)   vrai(ment)
to **realize**   se rendre compte de
reason   la raison; —**able**   raisonnable
to **recall**   (se) rappeler, se souvenir*
   de
to **receive**   recevoir;* (*welcome*) accueillir
to **recognize**   reconnaître*
to **recommend**   recommander (de +)
record (*phonograph*)   le disque

to **recount**   raconter
to **recover (from)**   se remettre* (de);
   (*roof*) recouvrir; — **from illness**
   se rétablir
red   rouge
reference   la référence
refreshments   les raffraîchissements
   (*m*)
refrigerator   la glacière
to **refuse**   refuser (de +)
to **regret**   regretter (de +)
reign   le règne
to **relate**   raconter
relatively   relativement
relief   le soulagement
to **relieve**   soulager
to **remain**   rester
remedy   le remède
to **remember**   se souvenir* de, se
   rappeler (6)
to **remind**   rappeler (de +)
to **remove**   enlever, retirer
to **rent**   louer
to **repair**   réparer
to **repeat**   répéter
to **replace**   remplacer
to **reply**   répondre (à)
report   le rapport
republic   la république
to **request**   demander (à, de +)
to **require**   exiger, falloir
requirement   une exigence
resignation   la résignation; (*from
   job*) la démission
response   la réponse
responsibility   la responsabilité
responsible   responsable
rest   le repos; (*remainder*) le reste
to **rest**   se reposer
restaurant   le restaurant
result   le résultat
to **resume**   reprendre
to **return**   revenir,* retourner, rentrer,
   rendre (6)
to **reunite**   (se) réunir
revolution   la révolution;   —**ary**
   révolutionnaire

Rhine le Rhin
rich riche
to **rid: get — of** se débarrasser de
to **ride** monter (à), aller* (18)
rider le cavalier
right droit; juste; **to be —** avoir raison (de +); **— away** tout de suite; **all —** très bien, bon
ring: to give a — donner un coup de téléphone
rock le rocher
roof le toit
room la pièce, la chambre, la salle (17) (*see also under* **bath, dining, living —** *etc.*); **—mate** le (la) camarade de chambre
rose la rose
royalist le (la) royaliste
rubber (*bridge*) la partie
rudeness la grossièreté
rug le tapis
rule la règle; **slide —** la règle à calcul
to **run** courir;* **— away** se sauver, (*escape*) s'échapper; **— over** écraser; **—away** (*horse*) emballé

sad(ly) triste(ment)
saddle la selle; **to get into the —** se mettre en selle
safe le coffre-fort; (*adj.*) en sûreté; **— from** à l'abri de
salary les appointements (*m*)
same même; **it's all the — to me** cela m'est égal
satellite le satellite
to **satisfy** satisfaire;* **to be —ed with** se contenter de
to **say** dire*
to **scare** faire* peur (à)
scarcely à peine, ne . . . guère (4)
to **scatter** éparpiller
scene la scène
sceptical sceptique
school une école; **riding —** le manège

scissors les ciseaux
to **scold** gronder
seamstress la couturière
search la recherche; **house —** visite domiciliaire
to **search** fouiller
sea sickness le mal de mer; **to be sea sick** avoir le mal de mer
seat la place
secret le secret; (*adj.*) secret(–ète)
secretary le (la) secrétaire
to **see** voir;* **— again** revoir;* **— to it that** veiller à ce que
to **seem** sembler
seldom rarement
to **sell** vendre
semester le semestre
to **send** envoyer; **to — for** envoyer chercher
sensible sensé, raisonnable
sensitive sensible
serious (*lit.*) sérieux; (*fig.*) grave; **—ly** sérieusement, gravement; **—ly wounded** grièvement blessé; **—ly ill** gravement malade
servant le (la) domestique; la servante
to **serve** servir;* **— as** servir de
service le service
to **settle (down)** s'installer
several plusieurs
to **shake hands** (se) serrer la main
shaken: quite — tout tremblant
to **sham** simuler
to **shave** raser
shelf le rayon
shelter un abri; **to take —** se réfugier
ship le bateau; (*navy*) le vaisseau
shirt la chemise
to **shiver** grelotter
to **shop** faire des achats
short court
should devoir* (11)
to **shout** crier
to **show** montrer, faire voir; (*evince*) témoigner

shriek   le cri
to shriek   pousser des cris
to shut   fermer
sick   malade
side   le côté
to sigh   soupirer
sign   le signe
to sign   signer
signal   le signal
silk   la soie
simple   simple, élémentaire; **simply**   simplement
since   (*prep.*) depuis; (*conj.*)   puisque
to sing   chanter
single   seul
to sink (*ship*)   couler
sister   la sœur
skate   le patin
to skid (*of a car*)   déraper
to sleep   dormir; **go to —**   s'endormir
sleepy: to be —   avoir sommeil
slipper   la pantoufle
slow(ly)   lent(ement); **to be —**
(*timepiece*)   retarder
to slow down   ralentir
slumped   affaissé
small   petit
to smoke   fumer
so   (*adv.*) si, aussi; (*conj. = thus*)
ainsi; **— that**   de sorte que
sofa   le canapé
soldier   le soldat
some   (*adj.*) quelques; (*pron.*) quelques-uns
somebody   quelqu'un
someone   quelqu'un
something   quelque chose
sometimes   quelquefois, parfois
somewhere   quelque part
son   le fils
song   la chanson
soon   bientôt; **—er**   plus tôt; **as
— as**   aussitôt que, dès que
sorry: to be —   regretter (de +)
sort   la sorte

to sort   trier
South America   l'Amérique (*f*) du
Sud
to speak   parler; **— to** (*address*)
s'adresser à
special   spécial
spectacle   le spectacle
speculation   la spéculation
speech   le discours
speed   la vitesse
spelling   l'orthographe (*f*)
to spend   dépenser, passer (2)
spite: **in — of**   malgré; **in — of
all**   quand même
sport   le sport
to spread   éparpiller
square   (le) carré; la place
stable   une écurie
stairs (stairway)   un escalier
stamp (*postage*)   le timbre(-poste)
to stand   être debout, se tenir debout;
— up   se lever, se mettre* debout (18)
standing   debout
to start   commencer (à +); (*to set
about*)   se mettre* à
state   un état
station (*RR*)   la gare
to stay   rester; **— at someone's house**
demeurer chez
to steal   voler
still   (*adv.*) encore, toujours (*emphatic*)
stirrup   un étrier
store   le magasin; **department —**
le grand magasin
storm   un orage, la tempête
story   une histoire; **short —**   le
conte
straight   directement; droit
strange   étrange
stranger   un étranger, un inconnu
street   la rue
strike   la grève; **on —**   en grève
student   (*college*) un(e) étudiant(e);
(*school*) un(e) élève
study   une étude; le bureau

to **study**   étudier
stunned   étourdi
stupid   stupide, sot
style   le style
to **succeed (in)**   réussir (à, à +)
such   si, tel (5)
sudden   soudain; **all of a —**   tout
   à coup; **—ly**   soudain
to **suggest**   suggérer (à, de +)
to **suit**   convenir* à
suitcase   la valise
summer   un été
Sunday   dimanche (*m*)
to **suppose**   supposer
sure   sûr; **to make —**   s'assurer
surprise   la surprise, un étonnement
to **surprise**   surprendre,* étonner
suspect   un suspect
to **suspect**   se douter de (6)
suspicious   soupçonneux
to **swarm with**   fourmiller de
to **swim**   nager; **swimming**   la nage;
   to go swimming   se baigner
sympathy   la compassion

table   la table; **—cloth**   la nappe
tact   le tact
tail   la queue
to **take**   mener, porter, prendre* (7);
   falloir* (11); **— (away)**   emporter; **— out**   sortir;* **—
   off**   enlever
talent   le talent
to **talk (about)**   causer (de); **stop
   —ing**   se taire
tall   grand
taste   le goût
taxi   le taxi
tea   le thé; **—spoon**   la cuillère
   à thé
to **teach**   apprendre,* enseigner (8)
teacher   le maître, la maîtresse, le
   professeur
teaching   l'enseignement (*m*)
tear   la larme
to **tear**   déchirer; **— off**   arracher

to **tease**   taquiner
telegram   le télégramme, la dépêche
telephone   le téléphone
to **telephone**   téléphoner
telescope   le téléscope
to **tell**   dire, raconter (8)
temper   le caractère
tenant   le locataire
tennis   le tennis
terrace   la terrasse
to **terrify**   terrifier
terror   la terreur
text   le texte
to **thank (for)**   remercier (de); **— you**
   merci, je vous remercie
thanks   les remerciements; **— to**
   grâce à
theater   le théâtre
then   (*so, at that time*) alors; (*next*)
   puis
there: — is   il y a, voilà (9)
thick   épais(se)
thief   le voleur
thin   maigre
thing   la chose
to **think**   penser, croire,* réfléchir,
   trouver, songer (10)
thirst   la soif; **to be —y**   avoir
   soif
though: as —   comme si
thrifty   économe
through   à travers
to **throw (away)**   jeter
Thursday   jeudi (*m*)
thus   ainsi
ticket   le billet
tie (neck—)   la cravate
tight   serré
time   l'heure, le temps, la fois (2);
   in —   à l'heure; **from — to —**
   de temps en temps; **on —**   à
   temps; **a long —**   longtemps
timid(ly)   timide(ment)
tip   le bout
tire (*auto*)   le pneu
tired   fatigué, las(se)
to (*toward*)   vers

today aujourd'hui
together ensemble
tomorrow demain
tonight ce soir, cette nuit (3)
too trop (Appendix III–B)
tooth la dent
to **touch** toucher
toward vers
towel la serviette (de toilette)
town la ville; **down—** en ville
toy le jouet
traffic la circulation
train le train; **by —** par le train
to **translate** traduire*
translation la traduction
trash les ordures; (*a piece of*) une saleté (*colloquial*)
travel le voyage
to **travel** voyager; **be —ing** être en voyage
tree un arbre
to **tremble** trembler
trip le voyage; **take a —** faire* un voyage
tropics les tropiques
trot le trot
trouble la difficulté, un ennui
truck le camion
true vrai
trunk la malle
truth la vérité
to **try** essayer (de +), s'efforcer (de +); **— on** essayer
to **turn** tourner
tutor le précepteur
twice deux fois
to **type** taper
typewriter la machine à écrire

ugly laid; (*emphatic*) affreux
umbrella le parapluie
unable: to be — to ne pas pouvoir*
under sous
to **understand** comprendre*
to **undress** (se) déshabiller
unfortunate infortuné, malheureux

unhurt indemne
uniform un uniforme
university une université
unknown inconnu
unless à moins que *or* de +
until jusqu'à (3)
unwise peu sage
upset ému, contrarié
to **use** se servir* de; **be —d for** servir à; **be of no —** ne servir à rien; **be —d to** être habitué, accoutumé à
utensil un ustensile

vacation les vacances (*f*)
vague(ly) vague(ment)
vain vain; **in —** en vain, avoir beau (16)
vase le vase
veil le voile
very très
vestibule le vestibule
victim la victime
view la vue
village le village
violent violent; (*of pain*) vif, vive
violin le violon
visit la visite
to **visit** (*a place*) visiter; (*a person*) aller voir, rendre visite
voice la voix

wages les gages (*servants*)
to **wait (for)** attendre
to **wake (up)** (se) réveiller
walk la promenade; **to take a —** faire une promenade; **to go for a —** aller se promener, aller faire une promenade
to **walk** marcher, aller à pied (18)
to **want** vouloir*
war la guerre
warm chaud; **to be (feel) —** avoir chaud, (*weather*) faire chaud
to **wash** laver
to **watch** regarder
water l'eau (*f*)

way le chemin; la manière, la façon; **on the — back** au retour; **to get under —** se mettre en route

weak faible

to **wear** (*clothes*) porter

weather le temps (7)

week la semaine; **a — from...** de... en huit (3); **week-end** la fin de semaine *or* le week-end

well bien; **to be —** aller* bien; **well-known** bien connu; **Well!** Eh bien!

whatever quelconque, n'importe quel, tout ce que (14)

when quand, lorsque

whenever toutes les fois que

where où

whereas tandis que

whether si

while (*conj.*) pendant que, tandis que (16); (*prep.*) en; **once in a —** de temps en temps

to **whimper** geindre*

white blanc, blanche

whoever quiconque, qui que (15)

the **whole** tout(e) le (la)

why pourquoi; **— ...** mais...

wife la femme

wild sauvage

will vouloir* (12)

willing: to be — vouloir* bien

window la fenêtre; **shop —** la vitrine

wine le vin

winter un hiver

wipe essuyer

wire la dépêche

to **wish** vouloir, désirer, souhaiter (1)

without (*prep.*) sans; (*conj.*) sans que

woman la femme

to **wonder** se demander

word le mot

work le travail; (*literary, artistic*) une œuvre; (*handwork*) ouvrage

to **work** travailler

world le monde

worn usé

worried inquiet, inquiète

to **worry** (s')inquiéter

worse, worst pire, plus mauvais; (*adv.*) plus mal, pis (Lesson 5)

worth: to be — valoir;* **to be —while** valoir la peine

to **wound** blesser

to **wrap** envelopper

wretched pitoyable, triste

to **write** écrire

writer un écrivain

writing une écriture

wrong: to be — avoir tort; **take the — way** se tromper de chemin

year un an, une année (3)

yellow jaune

yet: not... — ne... pas encore

young jeune

Index

If several page references follow an entry, the figures in boldface type indicate those pages which present a full discussion of an essential.

partitive (*Cont.*)
guère de, 63; pronoun **en,** 72, 76, 95, 140
parts of the body. *See* Body, parts of the
passager, voyageur, 297
passé composé. *See* Past indefinite
passé simple. *See* Past definite
passer: used transitively, 117; and **dépenser,** 31; **se passer, arriver,** 247–48
passive voice and constructions **318–20;** à + infinitive used for, 275–76; and past anterior, 123; reflexive used for, 320
past, immediate, 112
past anterior, 123–25; super-compound form of, 123
past definite, **107–08,** 111–12, 123–24, 257 *n.*
past indefinite, **37–38,** 107–12, 123–24, 126–27; in **si** clause, 172–73
past participle: agreement of, **94–96,** 318; to denote position, 291; used as adjective, 294–95, 319–20
payer, constructions with, 160 *n.*
pendant: and **depuis, il y a ... que, voilà ... que, pour,** 9–10; **pendant que** and **tandis que,** 266
penser: + infinitive, 272–73; **penser à, penser de, songer à, réfléchir, croire,** 162
perception, verbs of: + infinitive, 273, 304, **306–08;** passive not used after, 320; + present participle, 290
perfect participle, 290–91
personal pronouns, 16, **137–41,** 192, 279
personne: emphatic form of **ne ... personne,** 230 *n.*; as ordinary negative, 230–31; position of, 39
les personnes, le peuple, le monde, les gens, on, 324–25
persuader de, décider à, 266
peu de: + subjunctive, 224; and **un peu de,** 85
le peuple, le monde, les gens, les personnes, on, 324–25

peut-être, inversion with, 26–27
la pièce, la chambre, la salle, 283
pire, plus mauvais, 81 *n.*
plaire: and **aimer, désirer, vouloir,** 196–98; and **être content de,** 282; and **faire plaisir,** 281–82; **se plaire à,** 282 *n.*
pleonastic **ne.** *See* Expletive **ne**
plupart, + plural noun, 55
pluperfect, **124–25,** 126–27; in **si** clause, 125, 173–75
plus: and **davantage,** 86–87; and **moins,** 86
porter, prendre, mener, 116–17
position: of adjectives, **74–76,** 82–84; of adverbs, **79–80,** 306; of noun objects, 143, 161, 303–04; of pronoun objects, 39, **137–41,** 147, 279, 303–04, 307; of reflexive pronouns, **91,** 279; *see also* Inverted constructions
possession, **7–8;** and demonstrative pronoun, 187; **être à,** 24, 206; and parts of the body, 207–10; *whose?* 24
possessive adjectives, 91–92, 199 *n.,* **205–06,** 207–10
possessive pronouns, 16, **205–06**
pour: + infinitive, 159, 274–75; after **falloir,** 180; and **afin de,** 274–75; and **depuis, il y a ... que, voilà ... que, pendant,** 9–10; and **pour que,** 159
pouvoir: *can* and *may,* 130–31; *could,* 131, 175–76; and **savoir,** 130
prendre: for *to have,* 200; and **mener, porter,** 116–17
prepositional complements: adjectives +, position of, 76; and disjunctive pronoun, 154; with **l'un l'autre,** 92–93; **y** and **en** as, 139–41
prepositions: with geographical names, 64–66; before infinitive, **128,** 159, **273–76,** 292; *see also* **à, chez, dans, de, en, pour,** *etc., and Appendix*
present indicative, **1–2;** after **depuis,**

2, 8–9, 126–27; in **si** clause, 1–2, 36, 172–73; used for future, 2, 36; *see also* Indicative mood

present participle, **288–92**; after **bien que, quoique,** 290–91; with en, 128, **288–89,** 292; without **en,** 289; or infinitive, 290–92; not to be used, **128, 291–92;** or relative clause, 290; with **tout en,** 288–89; used as adjective, 74, 292

présenter, introduire, 199

prétendre que, subjunctive with, 240–41

pronoun objects, position of, 39, **137–41,** 147, 279, 303–04, 307

pronoun(s): conjunctive, **137–41,** 153; demonstrative, invariable, 16, **187–89,** 192; demonstrative, variable, 16, **186–87,** 206; disjunctive, 81 *n.,* **152–55,** 206; emphatic, 91, 155; **en** as, 140–41, 145 *n.,* 154; indefinite, 16, 76, 137 *n.,* 229–31, 306, 319–20; interrogative, 17, **22–24;** neuter conjunctive **le,** 144–45; partitive **en,** 72, 76, 95, 140; with parts of the body, 91–92, 208; personal, 16, **137–41,** 192, 279; possessive, 16, 205–06; reflexive, **91,** 92, 96, 137–38, 155, 208, 279; relative, 5–6, 23, **167–69,** 221; **y** as, 139–40; *see also* Pronoun objects

puisque: and **depuis,** 10; and **si,** 174

quand: + future, 36; inversion with, 17–18; and **où,** 169

que: in comparisons, 81, 154, 276; as conjunction, 4, 6, 42, 158 *n.,* 221; exclamatory, 25; in independent clauses, with subjunctive, 254; as interrogative pronoun, 17, 22–23; as relative pronoun, 6, 23; **ce que,** 193–94, 247

quel, exclamatory, 25

quel que, quelque . . . que, 237

quelque . . . que: and **quel que,** 237; and **si . . . que,** 237

quelques-uns: partitive with, 72; and **quelques,** 84–85

questions. *See* Interrogative constructions

qui: as interrogative pronoun, 22–23; as relative pronoun, **5–6,** 23, 167–68; and **quiconque,** 229; **ce qui,** 193–94, 247

qui que: and **quiconque,** 237; **qui que ce soit,** 230

quiconque: with indicative, 231; and **qui,** 229; and **qui que,** 237

quitter, laisser, partir, 98–99

quoi: as relative pronoun, 167–68; **de quoi** and **ce dont,** 194

quoi que: and **quoique,** 237; **quoi que ce soit,** 230

quoique: and participle, 290–91; and **quoi que,** 237

raconter, dire, 129

rappeler, se rappeler, se souvenir de, 100–01

re– and **de nouveau,** in iterative verbs, 323–24

reciprocal verbs, 92–96, 308

réfléchir, penser à, penser de, songer à, croire, 162

reflexive pronouns, 137; as direct or indirect object, 92, 96; cf. emphatic pronouns, 91, 155; with parts of the body, 91–92, 208; position of, **91,** 137–38, 279

reflexive verbs, **91–92,** 94–96, 123, 208, 291, 308; essentially reflexive verbs, 92, 96; idiomatically reflexive verbs, 92, 95–96; used for passive, 320; *see also Appendix*

relative clauses: infinitive in, 273 *n.;* inverted construction in, 320; or present participle, 290; and subjunctive, **224–26,** 231, 259

relative pronouns, **5–6,** 23, **167–69,** 221

remarquer, apercevoir, s'apercevoir, 280–81

rencontrer, retrouver, faire la connaissance de, 198–99

rendre: and **donner,** 312; and **rentrer, retourner, revenir,** 99–100

se tenir debout, rester debout, etc.,
297–98

tenses. *See* Conditional mood; Subjunctive, tenses of; *indicative tenses by name; and Appendix*

time: with –ci and –là, 187; of day and duration, 10, 28, 45–46; divisions of, 29–31, 45, 75

titles of address, articles with, 51–52

tôt: not an adjective, 31; and **de bonne heure,** 30; and **en avance,** 30

tout: as adjective, 228; as adverb, 228–29; as pronoun, 228; **tout ce qui,** 230–31; **tout en** + present participle, 288–89

transitive verbs, 92–93, 307, 318–19

trouver, retrouver, 281

un, une. *See* Article, indefinite

l'un l'autre, les uns les autres, 92–93

until, 46–47

un . . . quelconque, n'importe quel, 231–32

venir: venir de, 112

verbs: auxiliary, 39, 93–94 (*see also* **devoir, falloir,** may, should, *etc.*); complements of, 160–61; impersonal, 95, 178–81, 194–96, 240; intransitive, 93–94, 306–07; iterative, 323–24; of perception, 273, 290, 304,
306–08, 320; reciprocal, 92–96, 308; reflexive, 91–92, 94–96, 123, 208, 291, 308, 320; requiring direct object, 160; requiring indirect object, 161; transitive, 92–93, 307, 318–19; *for forms, endings, conjugations, etc., see Appendix*

vivre, demeurer, habiter, 10–11

voice. *See* Passive voice and constructions

voici, voilà, 147

voilà . . . que, il y a . . . que, depuis, pendant, pour, 9–10

vouloir: and **aimer, désirer, plaire,** 196–98; or conditional, for *would,* 176; + direct infinitive, 198, 273; in polite requests, 37, 197; for *to take,* 200; **vouloir bien,** 197

voyageur, passager, 297

weather, **faire** with expressions of, 118

whose? 24

will, 36–37, 176

wish, 11, 37, 196–97

with, 213

would: meanings of, 176; *would like,* 196–97, 273

y: as adverb, 138–39, 308; with **aller,** 99, 139; and **en, 138–41;** as pronoun, 139–40; and **là,** 139